U0382672

本书为吉林大学
考古学院“双一流”
学科建设经费资助出版

长白山地及其延伸地带青铜时代墓葬研究

唐　淼　著

科　学　出　版　社
北　京

内 容 简 介

本书的研究对象是长白山地及其延伸地带青铜时代的墓葬。全书总结了长白山地及其延伸地带青铜时代墓葬的发现和研究概况，并根据墓葬的构筑特点和存在方式不同，将该地区青铜时代的墓葬划分为洞穴墓、石棺墓、石棚墓、积石墓、大石盖墓、封石墓、土坑墓、瓮棺墓八大类别，对各类墓葬的分布范围、内涵和特征进行了分析和归纳。在墓葬分类的基础上对墓葬的形制做了进一步划分，从中归纳总结出各类墓葬的细部特征。根据墓葬中随葬品的文化面貌和器物组合将该地区青铜时代墓葬划分为六群，依共性和差异将各群墓葬中出土的陶器进行类型学排比，结合以往的研究成果和新资料，分别对各群墓葬进行分期和年代讨论，并总结出各群墓葬之间的谱系关系。最后，对各类墓葬的群特征和阶段性特征进行梳理与分析，比较不同时期不同地域墓葬的型制特点、分布规律、年代序列及相互关系，进一步探讨了长白山地及其延伸地带青铜时代墓葬的动态分布。

本书可供考古学、历史学及相关领域的研究者及高校相关专业的师生阅读参考。

图书在版编目（CIP）数据

长白山地及其延伸地带青铜时代墓葬研究 / 唐淼著. —北京：科学出版社，2022.9

ISBN 978-7-03-063528-0

Ⅰ. ①长…　Ⅱ. ①唐…　Ⅲ. ①长白山－墓葬（考古）－研究－青铜时代　Ⅳ. ① K878.8

中国版本图书馆CIP数据核字（2019）第265307号

责任编辑：王琳玮 / 责任校对：邹慧卿
责任印制：肖　兴 / 封面设计：陈　敬

科学出版社 出版
北京东黄城根北街16号
邮政编码：100717
http：//www.sciencep.com

北京中科印刷有限公司 印刷
科学出版社发行　各地新华书店经销
*
2022年9月第　一　版　开本：720×1000　1/16
2022年9月第一次印刷　印张：20　1/2
字数：410 000

定价：168.00 元

（如有印装质量问题，我社负责调换）

摘　要

在夏代初期至战国中晚期2000多年的时间里，东北东部地区形成了相对独立又与外界多有联系的文化活动圈。本书以长白山地及其延伸地带青铜时代的墓葬为研究对象，系统分析该时空范围内的墓葬材料，在为墓葬分类、分群、分期的基础上，对长白山地及其延伸地带青铜时代墓葬的动态分布和演变规律进行分析和探讨，旨在推进东北东部地区青铜时代考古学相关问题的研究。

全书共分7章。

第1章导论：是文章的解题部分，对本书研究的时间和空间范围进行界定。空间范围是以长白山脉及其余脉千山山脉为轴线的中国东北东部地区的山地和丘陵地带；时间范围以夏代为上限，下限至战国中晚期。同时，对本书的选题意义、写作方法和写作思路也做出了解释和说明。

第2章发现与研究简史：对长白山地及其延伸地带青铜时代墓葬的发现和研究进行了简要的归纳和总结，将该时空范围内青铜时代墓葬的发掘和研究工作划分为四个发展阶段，并总结了每个阶段田野考古和研究工作的阶段性成果及存在的问题。

第3章墓葬类型：根据墓葬的埋藏环境和葬具特点将长白山地及其延伸地带青铜时代的墓葬分为八类，包括洞穴墓、石棺墓、石棚墓、积石墓、大石盖墓、封石墓、土坑墓、瓮棺墓。分别对每类墓葬的分布与特征进行分析和归纳，然后根据墓葬的构筑方式和造型特点进一步将各类墓葬划分为不同的型、亚型或式。

第4章墓葬分群与分期：根据墓葬中随葬品的文化面貌和器物组合将该地区青铜时代墓葬划分为A、B、C、D、E、F六群，根据共性和差异将各群墓葬中出土的陶器划分型式，以类型学为主要研究方法，根据随葬品的特征变化分别对各群墓葬进行分期和年代讨论。将A、B、C、D四群墓葬进行了重新分期，A群分为二期；B群分为四期；C群分为三期；D群分为四期；E群借鉴以往学习者的分期结果，分为二期；F群处同一时期。

第5章年代、谱系与分布格局：总结A、B、C、D、E、F六群墓葬的编年序列，并将双砣子一、二期文化的墓葬纳入此编年体系之中，由此建立起长白山地及其延伸地带青铜时代墓葬的年代框架。比较不同时期各群墓葬发生和发展的转折性变化，总结出该时空范围内墓葬的三大发展阶段：第一阶段，青铜时代早期，相当于夏商时期；第二阶段，青铜时代中期，相当于西周至春秋时期；第三阶段，青铜时代晚期，相当于战国时期。分析墓葬之间的谱系关系，梳理了A群与B群，A、B群与C群，B群与C、D群，D群与E、F群的四组横向联系和纵向传承关系。考察每个阶段内各群墓葬随葬品文化因素的消长与分布格局的变化。第一阶段，山东半岛文化因素的消减与土著文化因素的形成，此过程中墓葬群的分布较为零星，仅出现A群和B群，且发展缓慢；第二阶段，土著文化因素的传承与辽西蒙东文化因素的渗透，此过程中原有的A群消失，B群部分迁移，余者逐渐被替代，C、D、E群出现并迅速达到了鼎盛的发展时期；第三阶段，燕文化因素的侵入与土著文化因素的分解，此过程中C、D群的分布范围均大幅缩减，D群外围的F群得以出现并扩张，独处东北部一隅的E群分布范围进一步扩大。

第6章各类型墓葬的历时演变及动态分布：分析归纳了各类型墓葬在各墓葬群中的历时演变过程，并对各类型墓葬的阶段性动态分布进行概括与总结，进一步探讨了墓葬的演变规律。通过对长白山地及其延伸地带青铜时代墓葬文化因素和群分布格局的阶段性考察，以及对三大发展阶段中墓葬类型的动态演变分析，可以做出两个推论：在长白山地及其延伸地带，从墓葬遗存的角度来看，人群构成的规模、墓葬形态的稳定或器物群的固定应该是文化得以传承发展的一个必要条件；内涵单一且相对封闭的中心墓葬群形成以后，在其周边出现内涵复杂又相对发达的边缘墓葬群，对中心墓葬群形成包围之势，两者的碰撞和融合成为新的文化类型产生的重要因素。

第7章结语：总结了全书三点收获，指出了本项研究的局限及在以后的研究中需要深入思考的问题。

目　录

第1章　导论 ………………………………………………………………（1）
1.1　空间范围 ……………………………………………………………（1）
1.2　时间范围 ……………………………………………………………（1）
1.3　以墓葬为研究视角的意义 …………………………………………（4）
1.4　写作方法和思路 ……………………………………………………（4）
第2章　发现与研究简史 ………………………………………………（5）
2.1　第一阶段：1895～1945年 ………………………………………（5）
2.2　第二阶段：1946～1963年 ………………………………………（7）
2.3　第三阶段：1964～1988年 ………………………………………（12）
2.4　第四阶段：1989～2009年 ………………………………………（24）
第3章　墓葬类型 ………………………………………………………（32）
3.1　洞穴墓 ………………………………………………………………（32）
3.2　石棺墓 ………………………………………………………………（36）
3.3　石棚墓 ………………………………………………………………（44）
3.4　积石墓 ………………………………………………………………（51）
3.5　大石盖墓 ……………………………………………………………（56）
3.6　封石墓 ………………………………………………………………（61）
3.7　土坑墓 ………………………………………………………………（64）
3.8　瓮棺墓 ………………………………………………………………（67）
第4章　墓葬分群与分期 ………………………………………………（69）
4.1　A群墓葬及分期 ……………………………………………………（69）
4.2　B群墓葬及分期 ……………………………………………………（85）
4.3　C群墓葬及分期 ……………………………………………………（108）
4.4　D群墓葬及分期 ……………………………………………………（128）
4.5　E群墓葬及分期 ……………………………………………………（149）
4.6　F群墓葬及年代讨论 ………………………………………………（154）
第5章　年代、谱系与分布格局 ………………………………………（159）
5.1　各群墓葬的编年序列与阶段划分 …………………………………（159）

5.2　谱系关系…………………………………………………………………………（160）
5.3　文化因素的消长与群分布格局的阶段性考察……………………………（163）
第6章　各类型墓葬的历时演变及动态分布……………………………………（167）
6.1　洞穴墓的演变……………………………………………………………………（168）
6.2　石棺墓的演变……………………………………………………………………（169）
6.3　石棚墓的演变……………………………………………………………………（173）
6.4　积石墓的演变……………………………………………………………………（174）
6.5　大石盖墓的演变…………………………………………………………………（176）
6.6　封石墓的演变……………………………………………………………………（178）
6.7　土坑墓的演变……………………………………………………………………（178）
6.8　瓮棺墓的演变……………………………………………………………………（179）
6.9　墓葬的阶段性动态分布…………………………………………………………（180）
第7章　结语…………………………………………………………………………（183）
附表……………………………………………………………………………………（185）
后记……………………………………………………………………………………（312）

附图目录

图1-1　长白山地及其延伸地带地理范围及青铜时代墓葬地点分布示意图 ····（3）
图3-1　洞穴墓形制及随葬品图 ··························（35）
图3-2　Ⅰ型石棺墓形制图 ··························（41）
图3-3　Ⅱ型石棺墓形制图 ··························（42）
图3-4　Ⅲ、Ⅳ型石棺墓形制图 ··························（43）
图3-5　石棚墓形制及出土遗物图 ··························（50）
图3-6　Ⅰ、Ⅱ型积石墓型式图 ··························（54）
图3-7　Ⅲ、Ⅳ型积石墓型式图 ··························（56）
图3-8　Ⅰ、Ⅱ、Ⅲ型大石盖墓形制图 ··························（59）
图3-9　Ⅳ型大石盖墓形制图 ··························（60）
图3-10　封石墓形制图 ··························（63）
图3-11　土坑墓形制图 ··························（66）
图3-12　瓮棺墓形制及随葬品图 ··························（68）
图4-1　A群典型器物举例图 ··························（71）
图4-2　于家砣头墓地报告未发表器物图 ··························（72）
图4-3　A群簋、壶分期图 ··························（73）
图4-4　A群罐、豆分期图 ··························（74）
图4-5　A群杯、钵分期图 ··························（76）
图4-6　A群未能划分型式器物图 ··························（77）
图4-7　A群分期比较图 ··························（81）
图4-8　A群与大嘴子遗址三期器物比较图 ··························（82）
图4-9　双砣子一期文化墓葬陶器图 ··························（84）
图4-10　双砣子二期文化墓葬陶器图 ··························（85）
图4-11　B群典型器物举例图 ··························（87）
图4-12　B群Ⅰ型壶分期图 ··························（88）
图4-13　B群Ⅱ、Ⅲ型壶分期图 ··························（89）
图4-14　B群Ⅳ、Ⅴ型壶分期图 ··························（90）
图4-15　B群Ⅰ、Ⅱ型罐分期图 ··························（92）

图4-16　B群Ⅲ、Ⅳ型罐分期图 ……（93）
图4-17　B群Ⅴ、Ⅵ型罐分期图 ……（94）
图4-18　B群Ⅶ、Ⅷ型罐分期图 ……（95）
图4-19　B群钵分期图 ……（96）
图4-20　B群碗分期图 ……（98）
图4-21　B群杯分期图 ……（99）
图4-22　B群未分型式器物 ……（100）
图4-23　B群一期陶器与其他地点陶器比较图 ……（105）
图4-24　B群二期陶器与其他地点陶器比较图 ……（106）
图4-25　C群典型器物举例图 ……（111）
图4-26　C群Ⅰ型横耳壶分期图 ……（114）
图4-27　C群Ⅱ型横耳壶分期图 ……（116）
图4-28　C群竖耳壶、无耳壶、盲耳壶分期图 ……（117）
图4-29　C群鼓腹罐分期图 ……（118）
图4-30　C群筒形罐、豆分期图 ……（120）
图4-31　C群横桥耳罐、鋬耳罐分期图 ……（121）
图4-32　C群钵、碗分期图 ……（121）
图4-33　C群未划分型式器物图 ……（122）
图4-34　C群一期与其他地点比较图 ……（126）
图4-35　C群三期具有断代意义单位器物组合图 ……（127）
图4-36　D群典型器物举例图 ……（130）
图4-37　D群无耳壶分期图 ……（133）
图4-38　D群横桥耳壶分期图 ……（134）
图4-39　D群竖耳壶、鋬耳壶分期图 ……（136）
图4-40　D群横桥耳罐分期图 ……（137）
图4-41　D群无耳罐、盲耳罐、钵分期图 ……（139）
图4-42　D群碗、杯、盘分期图 ……（142）
图4-43　D群鼎列举图 ……（143）
图4-44　D群未划分型式器物举例 ……（144）
图4-45　D群一、二、三期与其他地点器物比较图 ……（147）
图4-46　E群典型器物举例图 ……（151）
图4-47　E群陶器分期图 ……（153）
图4-48　F群典型器物举例图 ……（155）
图4-49　F群陶器、石器图 ……（156）
图4-50　F群青铜器、铁器及比较图 ……（158）

图5-1　第一阶段（夏商时期）墓葬群分布格局示意图 ……………………（164）
图5-2　第二阶段（西周至春秋时期）墓葬群分布格局示意图 ……………（165）
图5-3　第三阶段（战国时期）墓葬群分布格局示意图 ……………………（166）

附 表 目 录

附表1　B群墓葬陶壶分期表……………………………………………………（185）
附表2　B群墓葬陶罐分期表……………………………………………………（186）
附表3　B群墓葬陶钵、碗、杯分期表…………………………………………（187）
附表4　D群陶器类型及组别划分表……………………………………………（188）
附表5　墓葬登记表………………………………………………………………（192）

第1章 导 论

1.1 空间范围

本书所指长白山地及其延伸地带是以长白山脉及其余脉千山山脉为轴线的中国东北东部地区的山地和丘陵地带。从现代行政区划的角度视之，该地区处于北至黑龙江、吉林两省交界，东至中朝边境线，西以辽河为界，南部包括辽东半岛在内的一个狭长的三角形地带。该地域山峦起伏，水源充沛，长白山山脉及其余脉千山山脉贯穿南北，南部辽东半岛濒临黄、渤两海，东以鸭绿江、图们江为界与朝鲜半岛毗邻，西部边缘为辽河冲积平缓地带，北有松花江、饮马河等水域系统。从考古学文化区系的角度观之，该三角形地带南部的辽东半岛与山东半岛文化区几近相连；东部与朝鲜半岛文化区接壤；西部紧邻辽河平原文化区；北部与松嫩平原文化区交汇。

1.2 时间范围

本书将研究的时间范围界定在青铜时代，而学界关于“青铜时代”的界定问题还在讨论之中，讨论的内容基本可以分为两个层次。

第一，把青铜时代作为社会发展进程的一个标志，代表了社会物质文化发展的程度。青铜时代是“以青铜作为制造工具、用具和武器等重要原料的人类物质文化发展阶段”[①]。在这个层面上，目前学界对青铜时代的划分亦有不同的声音，有学者认为应以青铜器的出现作为青铜时代的开端，使用金属铜或发现冶铜遗存即代表进入青铜时代，“这种跨时代的发展，虽然以青铜器为重要标志，但实质反映的却是整个生产力水平的提高和社会结构的变化，历史已进入了青铜时

① 中国大百科全书总编辑委员会《考古学》编辑委员会：《中国大百科全书·考古学卷》，“青铜时代”，中国大百科全书出版社，1986年，397、398页。

代”[①]。另有学者认为青铜时代不能简单地以青铜器的发现为代表，而进入这一时代还应该包括整体生产力水平的提高、各项技术的进步和社会结构的变化、礼制的成熟与规范等众多因素的综合考量。“中国从公元前五千纪前半出现冶铜术到公元前四千纪末或前三千纪初铸出第一把青铜刀，约经过一千六七百年的发展，而直到公元前21世纪的夏代，中国才真正进入青铜时代。”[②]就中原以外的东北东部边疆地区的发展情况而言，始终未见青铜器的大规模制造和使用，但由于受到周边先进文化的影响，以武器、装饰品为主的青铜器仍有一定数量的存在。依据第一种观点，可以肯定的是，在东北东部地区的长白山地及其延伸地带存在青铜时代，且该地区的青铜时代经历了一个漫长的发展过程。

第二，把青铜时代作为年代跨度的一个标尺，作为界定遗存年代范围的时间概念。“中国的青铜时代最初源于黄河流域，始于公元前21世纪，止于公元前5世纪前后，大体相当于文献记载的夏、商、西周、春秋时期，与中国的奴隶制国家的产生、发展、衰亡相始终。”[③]在中原地区，在新石器时代结束以后已经出现了国家，当地所发现的考古学文化已经可以与某国家或王朝的年代和地域相对应，且文化面貌也会达到高度的统一。而传统中心文化以外一些地区的发展会呈现出相对的滞后性或保持自身原有的地域性特征。单纯从青铜器的使用和冶铜术出现的时间上来看，“东北大约在公元前2000年前后进入青铜时代，结束的时限大体随燕文化的到来及秦汉势力的扩展并政治管辖制度的完善而逐渐衰落，跨越了近二千年。”[④]考古资料证实，在东北地区，辽河以西地区首先发育形成了东北最早的青铜文化，此后，在辽河以东及辽东半岛南端也出现使用金属铜和掌握初级冶铜技术的考古遗存。从青铜器铸造工艺、技术水平和生产规模来看，西部先于东部，南部较北部发达。不同地区青铜时代开始的时间有参差，地域越广，青铜时代的跨度可能越大。

在东北东部地区的长白山地及其延伸地带，青铜时代的起止时间或许与中原和东北西部地区不尽相同，但它还是一个正在研究中的问题，尚未取得一致意见，故本书仍采用中原地区划分青铜时代上限的标准，以夏代为上限，而下限则考虑到该地域文化发展的滞后性，且为便于考察某一类型墓葬发展过程中的整体性和延续性，止至战国中晚期（图1-1）。

---

① 朱永刚：《东北青铜时代的发展进程及特点》，《吉林大学社会科学学报》2004年3期，100～107页。

② 李伯谦：《中国青铜文化的发展阶段与分区系统》，《华夏考古》1990年2期。

③ 中国大百科全书总编辑委员会《考古学》编辑委员会：《中国大百科全书·考古学卷》，“青铜时代”条，中国大百科全书出版社，1986年，397、398页。

④ 朱永刚：《东北青铜时代的发展进程及特点》，《吉林大学社会科学学报》2004年3期，100～107页。

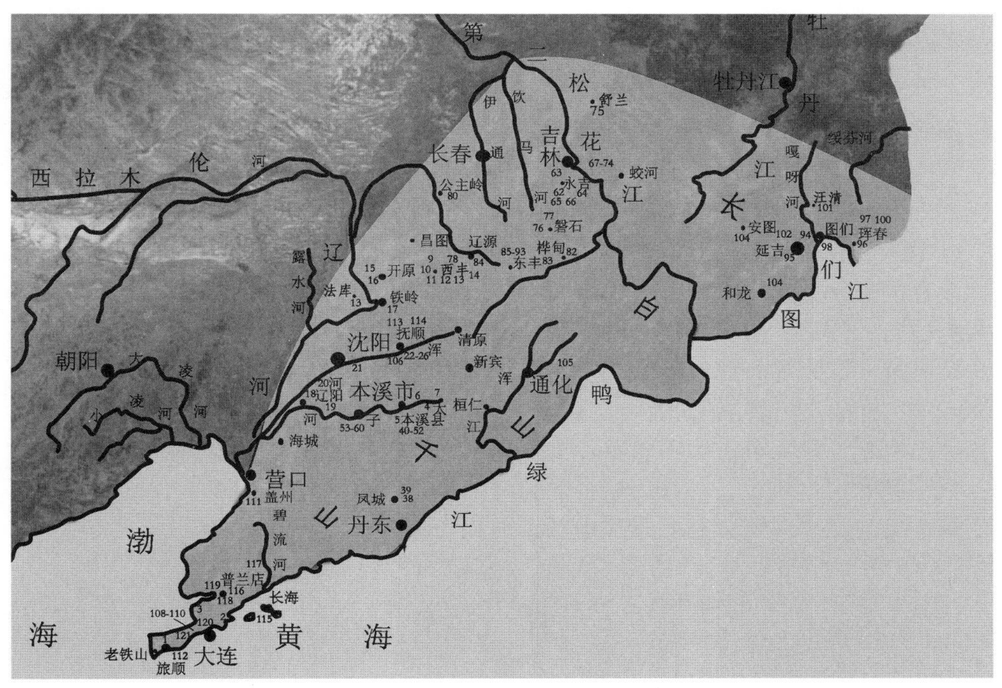

图1-1 长白山地及其延伸地带地理范围及青铜时代墓葬地点分布示意图

1. 于家砣头 2. 王宝山 3. 土龙 4. 马城子 5. 张家堡A洞 6. 山城子 7. 北甸 8. 东升 9～14. 西丰：消防队、金山屯、诚信村、小育英屯、忠厚屯、阜丰屯 15. 建材村 16. 李家台 17. 树芽屯 18. 二道河子 19. 杏花村 20. 亮甲山 21. 郑家洼子 22～26. 抚顺：大伙房水库、茨沟、甲邦、莲花堡、南杂木 27. 新宾红山 28～36. 清原：斗虎屯、任家堡、康家堡、马家堡、门脸、小错草沟、土口子中学、李家堡、马家店 37. 新宾老城 38. 凤城东山 39. 凤城西山 40～52. 本溪县：朴堡、上堡、张家堡、虎沟、全堡、元宝山、蜂蜜砬子、丁家峪、孟家堡、通江峪、程家村、刘家哨、望城岗子 53～61. 本溪市：南芬火车站、下石、龙头山、代家堡子、北台、南芬西山、梁家村、沙窝、王沟玉岭 62～66. 永吉：星星哨、东梁岗、小团山、旺起屯、东响水 67～74. 吉林市：西团山、骚达沟、猴石山、长蛇山、土城子、狼头山、两半山、泡子沿 75. 黄鱼圈 76. 磐石小西山 77. 汶水后山 78. 黎明 79. 万宝山 80. 猴石 81. 石砬山 82. 西荒山屯 83. 二道甸子 84. 高古 85～93. 东丰：狼洞山、赵秋沟、宝山东山、宝山龙头山、大阳林场、大阳遗址、大阳三里、杜家沟、驼腰村 94. 金谷 95. 小营子 96～98. 珲春：新兴洞、北山、迎花南山 99. 石砚 100. 新华间 101. 金城 102. 新龙 103. 兴城 104. 仲坪 105. 通化东山 106. 山龙 107. 旺清门 108～110. 岗上、楼上、卧龙泉 111. 伙家窝堡 112. 铧铜矿 113. 河夹心 114. 赵家坟 115. 上马石 116～119. 新金：王屯、碧流河、核桃沟、双房 120. 单砣子 121. 双砣子 122. 尹家村

1.3　以墓葬为研究视角的意义

选择这一区域的青铜时代墓葬进行研究，是因为该地区的墓葬有着与周邻地区不同的形制起源和演变，因而可能暗示着不同的考古学问题。

第一，长白山地及其延伸地带发现的青铜时代考古遗存较为零散，遗址和墓葬遗存的差别较大，且发现的遗址材料不算丰富。墓葬是反映考古学文化内涵的最为稳定的因素，且该地区墓葬中随葬品风格鲜明，自成一体，将该时空范围内的墓葬统一起来进行综合研究会是一个很好的尝试。

第二，在这个时空范围内，墓葬的种类多样、形制复杂，有洞穴墓、石棺墓、石棚墓、积石墓、大石盖墓、封石墓、土坑墓、瓮棺墓等类别，每类墓葬又存在不同的形制特征，综合讨论各类墓葬的形制特点、年代框架、分布格局及演变规律等问题，对研究东北东部地区青铜文化具有重要的意义。

1.4　写作方法和思路

本书的写作方法是从探讨墓葬形制和随葬品两条线索出发，首先，根据该地区墓葬的埋藏环境和葬具特点将长白山地及其延伸地带青铜时代墓葬划分为不同的类型，归纳总结出各类型墓葬的分布与特征。按此条线索确立各类墓葬的分布范围和形制特点。其次，是以随葬品的文化面貌和器物组合的特征为依据将该地区青铜时代墓葬划分为若干群，对各群墓葬中出土的陶器根据共性和差异划分型式，比较各型式之间的逻辑演变关系，以类型学的研究方法为主要手段，结合地层关系及桥连关系判断各墓葬的年代早晚。按此条线索建立起各群墓葬的年代序列。最后，将两条线索合并，综合讨论此时空范围内墓葬群的编年体系、分布格局，分析各类型墓葬的历时演进、相互关系及阶段性特征等若干问题，旨在进一步探讨长白山地及其延伸地带青铜时代墓葬的动态分布及演变规律。本书引用的文献及参考书目截止到2009年6月。

第2章　发现与研究简史

1895年，日本学者鸟居龙藏对海城析木城石棚的考古调查成为东北东部长白山地及其延伸地带青铜时代考古工作的开端，至今已逾百年。百年之后，随着资料的不断丰富和研究水平的深入，学者们对该地区青铜时代墓葬的认知已不可同日而语，现今所达到的高度，为几代学者筑成。回顾19世纪末至今，这一区域青铜时代墓葬的考古工作是一个渐进的历程，大致可以分为四个阶段。

2.1　第一阶段：1895～1945年

从日俄战争以后日本割占旅大地区至抗战胜利的半个世纪中，由于中国特殊的时代背景，这一区域的考古工作主要集中在辽东地区，且均限于日本学者的考古调查和少量小型发掘，寥寥的研究成果也多出于日本学者之手。

1895年，鸟居龙藏在海城析木城发现2座石棚。1905年，鸟居龙藏调查了大连市金州区小关屯2座石棚，并著《满蒙古迹考》[①]。

1905年、1909年，鸟居龙藏对辽东半岛调查时发现旅顺老铁山积石冢，并发掘了其中6座。当时仅绘有简要的平、剖面图，对墓葬的文化性质及年代的认识比较模糊。1910年，他综合1895年、1905年、1909年三次调查成果，编著并出版《南满洲调查报告》，于第四章报道了老铁山积石冢调查材料[②]。

1910年，滨田耕作在鸟居龙藏工作的基础上，发掘了与老铁山相邻的将军山积石冢中的2、3号墓葬，并对出土的陶器进行了简略的报道，推测所出土的黑陶及白陶是殷周时代从山东或河北传播而来的遗物[③]。

20世纪初，鸟居龙藏、三宅俊成等调查发现了金县小关屯、瓦房店市台子、

---

① 〔日〕鸟居龙藏著，陈念本译：《满蒙古迹考》，商务印书馆，1933年。

② 〔日〕鸟居龙藏：《南满洲调查报告》，三友社，1910年。

③ 〔日〕滨田耕作：《旅顺积石墓发现陶器种类》，《人类学杂志》44卷6期，1929年；《旅顺石冢发见土器の种类に就いて——白色土器と陶质土器の存在》，《东亚考古学研究》1943年，139～152页。

盖州市石棚山、大石桥市石棚峪、海城析木城、岫岩兴隆等大小石棚十几座①。

20世纪20年代初，八木奘三郎调查了小关屯石棚，这是目前东北地区发现最南的一处石棚。1922年，八木奘三郎对大连地区石棚进行调查，在瓦房店市松树镇台子屯发现了万家岭石棚②。

1927年，滨田耕作等发掘了普兰店市碧流河边的单砣子遗址，发现2座土坑墓，出土陶壶4件、陶罐3件③。

1928年，原田淑人发掘了尹家村3座石棺墓，分别被称为“石椁墓”、“瓮棺葬”和“塈周墓”，依出土的陶器和青铜短剑等遗物，将墓葬断代为周末汉初④。

1931年，山本正、久原市次等对小关屯石棚和万家岭石棚进行了调查⑤。

1933年，江上波夫等发掘了双台子山（双砣子）积石墓，发现了一批岳石文化风格遗物⑥。

1936年，岛田贞彦、岛崎役治对小关屯石棚和万家岭石棚再次进行实地考察⑦。

20世纪30年代，三上次男、藤田亮策等在吉林市郊西团山（团山子）进行田野调查工作，并有相关报道⑧。

1938年，藤田亮策等发掘了延吉小营子52座石棺墓，根据出土遗物，提出此遗址文化性质与西伯利亚古代文化有密切关系⑨。

1939年，三宅俊成在复县（今瓦房店市）铧铜矿发掘了1处石棚。1933年三宅俊成曾对其进行过调查，但无具体资料发表，仅见其在战后发表了该石棚略图

---

①〔日〕鸟居龙藏：《中国石棚之研究》，《燕京学报》三十一卷，1946年；三宅俊成：《满洲考古学概说》。

②〔日〕八木奘三郎：《满洲旧迹志》上，1924年。

③〔日〕滨田耕作：《貔子窝》，东方考古学丛刊第一册，日清印刷所，1929年。

④〔日〕原田淑人：《牧羊城》（东方考古学丛刊二），雄山阁出版株式会社，1931年，43～63页。

⑤〔日〕山本正、久原市次：《满洲のドルメニと其の方位》，《历史と地理》28卷2号，1931年；久原市次：《南满洲のドルメニき关すふ一考察》，《满蒙地理历史》第三辑，1933年。

⑥〔日〕江上波夫等：《旅顺双台子山新石器时代遗迹》，《人类学杂志》49卷1号，1934年。

⑦〔日〕岛田贞彦：《满洲のドルメニ》，《鸡冠壶》，1944年。

⑧〔日〕三上次男：《满洲国吉林团山子の遗迹》，《人类学杂志》54卷6号。

⑨〔日〕藤田亮策：《延吉小营子遗迹调查报告》，《满洲国古迹古物调查报告》（第五编），满洲国文教部，1942年。

和器物写生图。棚内出土长腹罐、直领壶等遗物。另外，他还调查了金州小关屯石棚、万家岭石棚、庄河太平岭石棚等，一并发文简介①。

1941年，日本的"学术振兴会"以梅原末治为代表，委派森修组织调查了老铁山至营城子的大部分丘陵山冈，并绘制了积石冢的分布图。根据森修的报告，藤田亮策等再次发掘了老铁山3座、将军山2座积石冢②。同年，首次展开了对营城子四平山积石冢的发掘。在四平山的山脊上发现大量积石冢，编号1～60号，此次发掘积石冢8座，为32～39号，其中以山顶的36号冢规模最大，出土的部分黑陶、红陶及玉器主要来自36号冢③。1942年，八幡一郎等又对营城子文家屯贝丘附近的东大山积石冢进行了调查发掘。此次发掘了1座积石冢，共有3个墓室，主要出土陶器和玉器④。

1942年，水野清一著旅顺鸠湾的史前遗迹报告《羊头洼》，报告按照层位关系报道了羊头洼遗址的遗存，并探讨了该遗址所代表的新石器时代晚期至青铜时代文化与中原文化的密切关系，为研究辽东地区早期青铜时代文化提供了重要资料⑤。

这一阶段日本学者的调查和发掘工作大都是以探索遗物为直接目的，对于遗物的出土环境和层位关系认识不足，甚至缺乏必要的记录和实测，从而使史料丧失了很大一部分价值，但是这些工作却揭开了中国东北东部地区考古工作的序幕。

2.2　第二阶段：1946～1963年

这一时期长白山地及其延伸地带青铜时代墓葬的考古工作主要是对辽宁省各地区考古遗存的地表调查和小规模的考古发掘，另外，对几处大型遗址的正式发掘使得吉林省的青铜时代考古工作渐次展开。

---

① 〔日〕三宅俊成：《在满洲十六年一遗迹探查と我ガ人生の回想》，1985年。

② 〔日〕梅原末治：《关东州史前文化所见》，《东亚考古学论考第一》，星野书店，1944年。

③ 〔日〕澄田正一：《辽东半岛の先史遗迹——老铁山と四平山》，《橿原考古学研究所论集》，1979年。

④ 〔日〕澄田正一、秋山进午、冈村秀典：《1941年四平山积石墓的调查》，《考古学文化论集（四）》，文物出版社，1997年，38～48页。

⑤ 〔日〕水野清一：《羊头洼》，东方考古学丛刊乙种第三册，东亚考古学会，1942年。

2.2.1　辽宁省

1953年，东北文化局鞍山地区古墓清理队清理了海城县大屯一处西汉古墓群，在汉墓以下的深土中出土青铜短剑1把，报告推测此剑原系土墓遗物，而该墓可能早被破坏。1955年，辽宁省博物馆文物工作队在辽阳亮甲村调查发现了6座土坑墓，清理了5、7号墓，两墓分别出土陶壶、罐各1件。1、3号墓出土的2把青铜短剑已回收，2号墓出土陶罐4件，所出青铜短剑丢失。1956年，锦西县寺儿堡公社社员取土时发现青铜短剑1把，报告推测此处原是一个墓圹，已被破坏。通过与周边地区出土同类铜剑相比较，报告认为海城大屯的铜剑年代约为战国中、晚期；锦西寺儿堡铜剑年代约相当于战国早、中期甚至更早；辽阳亮甲山铜剑推定为战国末期，下限不晚于西汉初①。

1955年，东北文物工作队发现、调查了瓦房店市李官乡榆树房2座石棚②。

1956年，辽宁省博物馆清理抚顺大伙房2座石棺墓，首次在石棺墓中发现青铜斧。孙守道、徐秉琨依据此次发掘出土器物，与其他青铜短剑墓比较，提出石棺墓出土的“弦纹壶”和青铜斧与以青铜短剑为特征的文化有密切关系，应属同类特征的器物群，并将其区别于吉林地区石棺墓，认为二者属两种文化系统③。

1960年，旅顺博物馆清理后牧城驿村楼上积石墓地的3座积石墓，出土青铜短剑等100余件遗物，报告认为此墓地年代为战国时期④。

1960年，许明纲等发现并调查了普兰店市俭汤乡石棚沟石棚⑤。

1960年，旅大市文物组对庄河市白店子石棚（又名石山子石棚）进行探掘⑥。

1960年，清理了本溪县小市镇通江峪村的1座石棺墓，出土陶壶2件、陶罐1件、石网坠31件，并发现小猪遗骸1具。报告认为，该墓年代应为两周之际⑦。

1961年，发现本溪市郊区北台镇石棺墓，出土陶壶4件、陶钵1件、陶器底2

---

① 孙守道、徐秉琨：《辽宁寺儿堡等地青铜短剑与大伙房石棺墓》，《考古》1964年6期，277～285页。

② 符松子：《辽宁省新发现两座石棚》，《考古通讯》1956年2期。

③ 孙守道、徐秉琨；《辽宁寺儿堡等地青铜短剑与大伙房石棺墓》，《考古》1964年6期，277～285页。

④ 旅顺博物馆：《旅顺口区后牧城驿战国墓清理》，《考古》1960年8期，12～17页。

⑤ 许玉林、许明纲：《辽东半岛石棚综述》，《辽宁大学学报（哲学社会科学版）》1981年1期。

⑥ 辽宁省文物考古研究所：《辽东半岛石棚》，辽宁科学技术出版社，1994年，18页。

⑦ 梁志龙：《辽宁本溪多年发现的石棺墓及其遗物》，《北方文物》2003年1期，6～14页。

件，报告推测其年代约为战国中期[①]。

1961年，孙守道报道了本溪水洞内发现的遗存，并且认为洞内发现的遗物与洞外附近的石棺墓内遗物性质相同，均为新石器时代。这是千山山地太子河上游地区首次进行的考古工作[②]。

2.2.2　吉林省

1948年，东北师范大学历史系杨公骥等发掘了吉林市郊西团山墓地，发掘石棺墓18座，出土石器129件、完整陶器59件，这是中国学者对长白山地及其延伸地带的青铜时代墓葬首次正式进行发掘，也是这一时期吉林省青铜时代考古最重要的发掘工作。1949年，杨公骥等再次发掘了该墓地，发掘石棺9具，见石器41件、陶器计112件。此两次发掘使得西团山墓地的墓葬排列和构造逐渐清晰。1950年，东北考古发掘团继1949年后再次发掘西团山墓地，清理石棺墓19座，出土遗物150余件。随葬品有陶器包括壶、罐、钵、碗、三足器、纺轮等计51件，石器包括斧、锛、刀、镞、砍砸器等计34件，饰品53件。报告将19座石棺墓划分为三种形制，这是对石棺墓的首次类型学研究。报告还将以西团山墓地为代表的考古学文化定名为西团山文化，又通过与吉林地区其他石棺墓的比较研究，将吉林地区石棺墓划分为三期，并推断其年代为春秋—战国时期。1953年，吉林省博物馆清理了1座暴露的石棺墓。1956年，王亚洲等发掘了2座石棺墓，出土陶壶3件，石斧、石锛各1件，石镞5件。此四次发掘，在西团山墓地共清理墓葬49座[③]。

1948年，杨公骥在领导发掘西团山墓地的同时，在吉林市郊骚达沟大砬子处清理1座石棺；1949年，王亚洲等在踏察骚达沟墓地时又抢救清理了石棺墓20座（包括山顶大棺）；1953年，王亚洲等再次在骚达沟清理了4座石棺墓；加之1941年佟柱臣调查时清理的2座石棺墓，共计27座。经过整理核对的出土器物除山顶大棺外共计118件，其中陶器28件，青铜器10件，骨器8件，玉、石器72件。报告认为该墓地石棺墓的年代有一个相当长的延续时期，大致相当于战国前后。

---

① 梁志龙：《辽宁本溪多年发现的石棺墓及其遗物》，《北方文物》2003年1期，6～14页。

② 孙守道：《本溪谢家崴子洞穴及其附近发现古代文化遗址》，《辽宁日报》1961年11月19日。

③ 杨公骥：《西团山史前文化遗址初步发掘报告》，《东北日报》1949年2月12日；李询：《一九四八、一九四九年西团山发掘记录整理》，《科学通讯》1985年8期；东北考古发掘团：《吉林西团山石棺墓发掘报告》，《考古学报》1964年1期；吉林大学历史系文物陈列室：《吉林西团山子石棺墓发掘记》，《考古》1960年4期，35～37页。

山顶大棺共出土随葬品69件，其中包括陶壶和陶纺轮各2件，青铜斧、刀、扣、鸣镝等计17件，石刀1件及配饰47件。墓内出土的曲颈壶与其他已同类石棺墓发现的曲颈壶不同，具有自身特色。此墓地理位置特殊，规模巨大，随葬品丰富，显示了其特殊性和重要性。报告推断该墓的年代约相当于战国晚期①。

1953年，吉林市东郊两半山发现了石器、陶器和墓葬，1954年，进行了清理发掘。1962年，吉林大学历史系师生在两半山又进行了发掘。此次发掘清理石棺墓1座，出土陶壶、陶罐陶各1件，陶纺轮2件，石刀1件②。

1953年，吉林省博物馆发掘清理了延边朝鲜族自治州汪清县新华闾北山墓葬址，共计清理12座墓葬。受到自然条件破坏，仅能辨认部分石棺的北侧壁石，南侧壁石仅有4座墓葬尚能认出。墓内随葬品除极少数保留原位以外，绝大部分被压碎或移位。遗物大部为墓地上采得，计有陶片、石器（包括斧、凿、刀、镰、棒、镞、戈、匕首、网坠、纺轮）及装饰品等，此外还发现铜扣和铁环等。报告初步推测，此处遗址可能属于东北古代北沃沮族的文化遗存，由出土器物推定此批墓葬年代为铜石并用时代，年代下限约相当于东汉初期③。

1953年，延边朝鲜族自治州汪清县百草沟北复兴闾发现了三组共11座石墓，清理了4座单人墓及2座合葬墓。4座单人墓中有1座保存较好，其余3座保留很少墓壁，均未发现随葬品。合葬墓亦受到破坏，未发现任何遗物。报告认为单人墓和合葬墓为同时期两种不同形制的墓葬，此种石墓的形制可能与高句丽石室墓有关系④。

1954年，吉林省博物馆发掘了吉林市江北土城子遗址，清理了一处石棺墓群，共计26座石棺墓，石棺结构大致相同，与西团山墓地出土部分石棺相似。石棺出土壶、罐、碗、盅、网坠等陶器计41件，出土斧、锛、镞等石器计16件，青铜刀1件及装饰品若干⑤。

1956年，吉林省文化局派李莲调查了延边朝鲜族自治州汪清县天桥岭乡附近的一处墓群。这处墓群的墓葬都是由石灰岩块砌成，已被破坏，根据现场观察，约有7座墓，报告称之为“石圹墓”。出土遗物也已混乱或流散，经清理和回收

① 吉林省博物馆、吉林大学考古专业：《吉林市骚达沟山顶大棺整理报告》，《考古》1985年10期，901～907页；段一平、李莲、徐光辉：《吉林市骚达沟石棺墓整理报告》，《考古》1985年10期，885～900页。

② 康家兴：《吉林两半山发现新石器时代文化遗址》，《考古通讯》1955年4期，60页；张忠培：《吉林两半山遗址发掘报告》，《考古》1964年1期，6～12页。

③ 王亚洲：《吉林汪清县百草沟遗址发掘简报》，《考古》1961年8期，411～422页。

④ 王亚洲：《吉林汪清县百草沟古墓葬发掘》，《考古》1961年8期，423、424页。

⑤ 康家兴：《吉林江北土城子附近古文化遗址及石棺墓》，《考古通讯》1955年1期；吉林省博物馆：《吉林江北土城子古文化遗址及石棺墓》，《考古学报》1957年1期，42～52页。

后统计共60余件，其中石器包括斧、锛、刀、矛、箭头等计27件，装饰品30余件，余者为少量陶器残部[①]。

1957年，吉林省文物工作队对吉林市北郊长蛇山遗址进行清理，发掘石棺墓2座；1963年，吉林大学历史系师生等又在该地清理了土圹墓2座。其中一座石棺墓出土石斧、石刀各1件，一座土圹墓出土青铜矛和玛瑙管各1件，其余两墓无随葬品。报告将长蛇山遗址的年代定在战国时期[②]。

1959年，吉林省博物馆清理发掘了永吉县旺起屯的一处石棺墓群，共清理发掘9座石棺墓。出土遗物46件，其中陶器包括壶、罐、纺轮、网坠等计21件，石器包括刀、斧、镞、锛、凿等计25件。报告认为该墓群是新石器时代晚期墓葬群[③]。

1962年，吉林省博物馆对蛟河县山头屯和小南沟附近的石棺墓进行了清理。山头屯地点发现石棺墓4座，石棺已毁，墓内未发现任何遗物。小南沟地点发现石棺墓10余座，本次清理了保存较好的2座。1号墓出土2件陶器及斧、锛、凿、镞等5件石器；2号墓出土斧、镞等共6件。两墓均未见青铜器。报告分析此两处地点的石棺墓与吉林永吉旺起屯的石棺墓很相近，并推测可能为当时氏族公共墓地[④]。

2.2.3　综合研究

1957年，佟柱臣在《吉林新石器文化的三种类型》一文中，将以延吉小营子和吉林西团山为代表的遗存划分为不同考古学文化，并通过石棺的墓葬结构、器物组合等推定了几处石棺墓的早晚关系[⑤]。

1961年，三上次男出版《满鲜原始墳墓の研究》一书，该书为中国东北地区石棺墓研究的第一本论著。书中以1960年前的考古资料为基础，将中国东北地区的石棺墓遗存划分为五区，并认为不同区的文化内涵存在一致性，认为该地区石棺墓是貊族遗存，提出东北地区石棺墓的年代始于公元前10世纪前半叶，消亡于公元前4～前3世纪[⑥]。

新中国成立以来的考古发掘工作逐渐展开，但是对考古资料的分析和认识却

① 李莲：《吉林延边朝鲜族自治州汪清县附近发现石圹墓》，《考古通讯》1956年6月，58～61页。

② 吉林省文物工作队：《吉林长蛇山遗址的发掘》，《考古》1980年2期，123～134页。

③ 刘法祥：《吉林省永吉县旺起屯新石器时代石棺墓发掘报告》，《考古》1960年7期，27～30页。

④ 匡瑜：《吉林蛟河县石棺墓清理》，《考古》1964年2期，73～75页。

⑤ 佟柱臣：《吉林新石器文化的三种类型》，《考古学报》1957年3期。

⑥ 〔日〕三上次男：《满鲜原始墳墓の研究》，吉川弘文馆，1961年。

十分薄弱。此时除陆续发现一些零散的石棺墓和含有青铜短剑的墓葬以外，还发现并正式发掘了吉林省的几处大型石棺墓地，辽宁省内的青铜短剑、青铜斧和弦纹壶等标志性器物也陆续被发现。而对于经一系列发掘获得的考古资料的认识，多以简要的通讯或报道的形式公布于世，正式的发掘报告极少。在少数关于石棺墓遗存的讨论中，国内学者将吉林地区发现的若干石棺墓遗存均划分至新石器时代，而日本学者在对东北地区的石棺墓遗存进行研究以后，得出了石棺墓的起始时间为公元前10～前3世纪的结论。

2.3　第三阶段：1964～1988年

这一时期长白山地及其延伸地带青铜时代墓葬的考古工作进入大规模的发掘和大量考古调查阶段，尤其是对永吉星星哨、吉林猴石山、大连于家村砣头、双砣子与岗上、本溪马城子洞穴等墓地的大规模考古发掘，以及基于发掘资料积累所开展的学术研究，将该地区青铜时代考古工作推到一个新的高度。

2.3.1　辽宁省

1964年，清原县清理了斗虎镇白灰厂石棺墓，此墓被毁，仅残存一角，出土陶壶1件。同年，清理了南八家乡吴家堡子石棺墓1座，回收剑柄加重器1件[①]。

1964～1965年，中国社会科学院考古研究所东北队第一组，发掘了双砣子遗址、尹家村遗址、将军山积石冢、岗上、楼上、卧龙泉积石墓地。1964年5月，中国社会科学院考古研究所东北考古队调查了大连市甘井子区营城子乡后牧城驿村北的双砣子山腰的一处遗迹，发现青铜短剑、陶罐、石器等遗物共5件，经发现者介绍，这批遗物同出一处，还见零碎人骨，显然是一座墓葬。报告认为此墓年代应与岗上相当，即公元前8～前7世纪。同时，对后牧城驿村东楼上山丘上的一处积石墓地也进行了正式发掘。楼上墓地原于1960年清理过3座墓，但未进行全面揭露，加之此次发掘的7座墓，共计10座。该墓地受破坏严重，从墓葬分布情况来看，东部和南部原应还有墓葬。此次发掘的遗物主要有陶壶、陶罐各1件，青铜器21件、石器11件、装饰品100件。在测量后牧城驿附近地形时，在岗上山丘上发现一处积石墓地，共有墓葬23座，以中心大墓为基点，呈放射状分布。岗上墓地随葬品包括陶器、青铜器、石器、骨器以及各种质料的装饰品共计870余件。报告认为岗上墓地同楼上墓地一样，应为氏族公共墓地，其年代相当

① 佟达、张正岩：《辽宁抚顺大伙房水库石棺墓》，《考古》1989年2期，139～148页。

于公元前七八世纪，楼上墓地年代可能稍晚。同步发掘的还有金县董家沟乡卧龙泉村的一处积石墓地，共发现墓葬5座。随葬品有青铜短剑、铜斧、铜马具、石器及装饰品若干。经过发掘清理，卧龙泉墓地的结构、墓葬习俗和随葬器物均与岗上、楼上墓地一致，同时也存在一定的自身特点。1964年10月，中国社会科学院考古研究所东北考古队又对大连市旅顺口区将军山积石冢（M1）进行发掘。M1共有九个墓室，墓内出土陶器共20余件，石器、玉器各1件。据报告介绍，在1963年的调查中，将军山山脊上有20余处积石冢，多数已被破坏。报告认为，以将军山积石冢为代表的遗存接受了山东龙山文化的浓厚影响，但仍属于辽东土著的史前遗存。1964年9月，中国社会科学院考古研究所东北考古队在调查的基础上清理了大连市旅顺口区尹家村的4座墓葬。其中3座为土坑墓，保存不佳，墓葬均为火葬，未见随葬品；另1座被称为“土坑石椁墓”，随葬品有青铜短剑、陶罐、陶豆及石棍棒头等共计8件。此外，在1963年调查时也曾在此发现2座火葬土坑墓及一处瓮棺葬，被毁严重。报告认为，经调查及发掘的5座火葬土坑墓应为同一时期，可归入尹家村一期文化，年代约相当于春秋中、晚期；而“土坑石椁墓”和瓮棺葬应属于尹家村二期文化，年代接近战国早期①。

1964年，凤城县弟兄山公社三家子大队发现石棺墓1座，石棺中发现青铜短剑1把②。

1965年，辽宁省文物工作队等在辽阳市接官厅清理了14座墓。在长约300、宽约30米的范围内，露出26座石棺墓，这14座包含其中，余者皆只存残迹。出土了壶、罐、钵等陶器，青铜饰品和猪骨。陶器较普遍，一般只出现一两件罐和壶。此次发掘，为辽东地区石棺墓遗存的多元性和年代问题，提供了重要线索③。

1965年，沈阳故宫博物馆等在沈阳市郑家洼子第三地点发现14座墓葬。14座墓葬分南、北两区，北区为密集的12座小型土坑墓，南区是单独埋葬的两座大型棺椁墓。1975年的简报只报道了南区的M6512和北区的M659号墓。M6512为木棺木椁，墓中出土铜器、陶器、石器、骨器共797件；M659为土坑墓，出土陶壶1件、骨剑1件、骨环1件。报告认为该地点的墓葬应早于汉代，有别于燕，暂定为春秋末期到战国初期④。1989年的简报又报道了3座墓，其中两座土坑墓、1座瓮棺葬。其中土坑墓M2出土青铜短剑、石枕状器、陶壶、陶纺轮各1件。报告根

① 中国社会科学院考古研究所：《双砣子与岗上——辽东史前文化的发现和研究》，科学出版社，1996年。

② 许玉林、王连春：《丹东地区出土的青铜短剑》，《考古》1984年8期，712～714页。

③ 辽阳市文物管理所：《辽阳市接官厅石棺墓群》，《考古》1983年1期，72～74页。

④ 沈阳故宫博物馆、沈阳市文物管理办公室：《沈阳郑家洼子的两座青铜时代墓葬》，《考古学报》1975年1期，141～155页。

据瓮棺的陶器特征将瓮棺葬推定为西汉初期①。

1972年以来，清原县发现一批石棺墓，大部分被破坏，报告仅发表4座。1972年，清理土口子中学石棺墓1座，回收陶壶、石斧、石锛各1件。1974年，清理湾甸子公社小错草沟石棺墓1座，回收石剑2把。1975年，在北三家公社李家堡发现石棺墓1座，出土纺轮2件及部分陶片。1978年，在李家堡东北1千米的大葫芦沟口坡地上出土石棺墓4座，其中3座已被破坏，另一座出青铜短剑、铜钺各1件，铜矛2件。1976年，在夏家堡公社马家店发现石棺墓1座，出土陶壶、石刀各1件。由于未经正式发掘，这批石棺墓的年代报告未给出定论②。

1973年，铁岭地区文物组清理了铁岭县树芽屯的1处石棺墓，出土陶器14件，还有一些残碎的陶片。报告推测，其年代大致相当于战国至汉初③。

1973～1975年，旅大市文物管理组发掘了老铁山、将军山、刁家村北山一带积石墓计6座，均分布于山脊之上，大部分积石墓被破坏过。墓内分数量不等的墓室，有单排，也有多排。随葬品有陶器包括罐、杯、豆、壶、盆、盘、三足器、纺轮等50余件，石器包括矛、锛、凿、网坠、纺轮等计7件，此外还发现滑石珠1串。墓内出土陶器具有山东龙山文化的风格，报告认为，该群积石墓可能是郭家村遗址上层文化人们的公共墓地④。

1974年，大连新金王屯发现2座石棺墓，出土壶、罐等陶器共5件，并征集到原出于墓中的斧、钺、锛等石器若干。报告根据墓内所出陶罐的形制特征推断其年代在春秋前后⑤。

1974年、1975年，在本溪明山区梁家村先后发现2座墓葬，由于墓葬已毁具体形制不清，仅从顶石判断为石棺，M1出土曲刃青铜短剑、剑柄加重器、双纽铜镜各1件；M2出土直刃铜剑1把及一些人骨。报告认为，M1的年代相当于十二营子墓，约为春秋中晚期，M2年代略晚，约至战国初期⑥。

1974年，本溪县泉水乡刘家哨村发现石棺墓，回收石器4件；1976年，发现泉水县蜂蜜砬子村石棺墓，回收陶器2件；1978年，发现碱厂镇元宝山石棺墓，

---

① 中国社会科学院考古研究所东北工作队：《沈阳肇工街和郑家洼子遗址的发掘》，《考古》1989年10期，885～892页。

② 清原县文化局、抚顺市博物馆：《辽宁清原县近年发现一批石棺墓》，《考古》1982年2期，164、211、212页。

③ 辽宁铁岭地区文物组：《辽北地区原始文化遗址调查》，《考古》1981年2期，106～110页。

④ 旅大市文物管理组：《旅顺老铁山积石冢》，《考古》1978年2期，80～85页。

⑤ 刘俊勇、戴廷德：《辽宁新金县王屯石棺墓》，《北方文物》1988年3期。

⑥ 魏海波：《辽宁本溪发现青铜短剑墓》，《考古》1987年2期；魏海波：《本溪梁家出土青铜短剑和双钮铜镜》，《辽宁文物》1984年6期，25、26页。

回收石器2件；1982年，发现小市镇观音阁石棺墓，回收铜斧1件；1983年，发现清河城镇孟家堡子石棺墓，回收陶壶和陶纺轮各2件，于清河城镇望城岗子发现石棺墓并回收铜矛1件，于田师傅镇全堡村发现石棺墓，出土陶壶2件、陶罐1件、石剑1件；1987年，于连山关镇摩天岭村虎沟发现石棺墓，出土陶壶2件，石斧、石锛各1件；1988年，在清河城镇孟家村丁家峪发现石棺墓2座，回收陶壶、陶罐各1件，石斧2件。同年，在本溪市西湖区东风乡沙窝村发现石棺墓，回收青铜短剑1件①。

1975年，辽阳市文物管理所清理了2座石棺墓，这两座墓葬位于曾发现的一处石棺墓群内。在此东西宽20、南北长约100米的墓地内露出石棺墓20多座，多数被毁。其中M1出土陶壶、青铜短剑、青铜斧、青铜凿、滑石斧镞范各1件，陶豆2件。另外还从零乱的石棺中采集到陶壶和陶罐各1件。报告认为，墓中所出陶器与青铜短剑共存的现象在辽宁境内尚不多见②。

1975年，铁岭地区文物组在开源县李家台村发现石棺墓2座，M1出土陶罐1件、滑石范1合，M2出土形制相同的陶罐1件及网坠1件。报告认为，该墓葬可以划归西团山石棺墓所代表的文化③。

1976年，清原土口子公社门脸大队发现2座石棺墓，两墓形制相同，四壁、盖、底均用整块石板筑成，发现时墓葬已被破坏，回收曲刃青铜短剑、铜斧、石镞及横桥耳弦纹壶等各1件④。

1976年，旅顺博物馆在新金县碧流河清理11座大石盖墓，为大石板盖石地下墓室墓葬在此地区的首次发现。报告提出此墓地的墓葬形制有别于石棺和石棚等，并据墓葬出土石斧范和筒形罐，推断年代为西周至春秋⑤。

1976年，清原县南口前乡任家堡大南沟、西山头、康家堡分别发现石棺墓。其中，在康家堡原为1处石棺墓群，当地村民掘毁30多座石棺墓，仅回收陶钵1件⑥。

1977年，辽宁省博物馆、旅顺博物馆发掘了于家村砣头积石墓，共58个墓室。整个积石冢平面呈三角形，冢上用小海卵石封顶，墓室为单室。墓内出土

---

① 梁志龙：《辽宁本溪多年发现的石棺墓及其遗物》，《北方文物》2003年1期，6～14页。

② 辽阳市文物管理所：《辽阳二道河子石棺墓》，《考古》1977年5期，302～305页。

③ 辽宁铁岭地区文物组：《辽北地区原始文化遗址调查》，《考古》1981年2期，106～110页。

④ 清原县文化局：《辽宁清原县门脸石棺墓》，《考古》1981年2期，189页；抚顺市博物馆考古队：《抚顺地区早晚两类青铜文化遗存》，《文物》1983年9期，58～65页。

⑤ 旅顺博物馆：《辽宁大连新金县碧流河大石盖墓》，《考古》1984年8期，708～714页。

⑥ 佟达、张正岩：《辽宁抚顺大伙房水库石棺墓》，《考古》1989年2期，139～148页。

陶器包括罐21件、壶11件，盆、杯、豆、钵、纺轮等70余件；石器包括斧、锛、刀、矛、纺轮等计20件；青铜器包括镞、泡饰、鱼钩、环等计6件；此外还有大量装饰品。报告从墓葬形制的比对认为墓地与同地区早期青铜短剑墓相似，并将墓地年代推断为商末周初①。

1977年、1978年，辽宁省博物馆等清理发掘了长海县上马石遗址，清理瓮棺墓17座，出土壶、罐、碗等陶器及石镞、装饰品等。清理土坑墓10座，仅有3座发现随葬品，有陶壶及青铜短剑。报告认为瓮棺墓的年代晚于上马石上层，其年代应与单砣子一、二号墓相同，土坑墓的年代则为战国初期②。

1978年，宽甸县长甸公社发现石棺墓，棺内曾出土铜矛2件，现征集到1件③。

1978年，在新宾县大四平公社马架子发现石棺墓1座，石棺由石板构筑，棺内出土青铜短剑1把④。

1978年，本溪市博物馆调查了本溪县富楼乡刘家哨村石棺墓，该墓葬已被破坏，出土青铜短剑3件、铜矛1件、剑钩1件、剑镖1件、铜镜1件、铜环1件、兽形饰2件。报告认为，该墓葬年代约为战国晚期或稍后⑤。

1979年，辽宁省有关单位发掘了本溪县庙后山B洞（即山城子B洞），揭露墓葬11座，同年有学者初步认为该洞穴遗存的年代应在新石器时代晚期⑥。

1981年、1982年，清理了西丰县和隆公社阜丰屯、忠厚屯的两座石棺墓。阜丰屯石棺墓曾出土青铜矛、镞、短剑各1件，陶器4件。清理前这些器物已散失。后又清理出青铜斧、镞各1件及一些陶器残片。忠厚屯石棺墓由棺、椁两部分组成，出土青铜斧1件、残陶片3件⑦。

1979年，许玉林等调查发现了普兰店市安波镇小刘屯石棚⑧。

---

① 旅顺博物馆、辽宁省博物馆：《大连于家村砣头积石墓地》，《文物》1983年9期，39～47页。

② 旅顺博物馆、辽宁省博物馆：《辽宁长海县上马石青铜时代墓葬》，《考古》1982年6期，591～595页。

③ 许玉林、王连春：《丹东地区出土的青铜短剑》，《考古》1984年8期，712～714页。

④ 抚顺市博物馆考古队：《抚顺地区早晚两类青铜文化遗存》，《文物》1983年9期，58～65页。

⑤ 梁志龙：《辽宁本溪刘家哨发现青铜短剑墓》，《考古》1992年4期，315～317页。

⑥ 李恭笃、刘兴林：《关于庙后山洞穴遗址新石器时代文化初步探讨》，《庙后山人》1979年9月。

⑦ 裴跃军：《西丰和隆的两座石棺墓》，《辽海文物学刊》1986年1期，30、31页。

⑧ 许玉林、许明纲：《辽东半岛石棚综述》，《辽宁大学学报（哲学社会科学版）》1981年1期。

1979年，抚顺市博物馆对市东郊甲邦村发现的1座石棺墓做了调查，收集了青铜短剑1件、陶壶2件。报告认为，该墓年代相当于春秋时期①。

1982年，辽宁省博物馆等发掘了庙后山C洞（即山城子C洞），揭露墓葬12座。于1985年发表了发掘简报，提出了“庙后山文化类型”的观点②。同年，李恭笃在《辽宁东部地区青铜文化初探》一文中强调了“庙后山文化类型”，并把这一类型的文化内涵做了相应的界定③。

1983年，李恭笃、刘兴林等发掘了本溪县南甸乡马城子村A、B洞，分别揭露墓葬29、14座。自此以后，“洞穴墓”经常被学者们提及④。

1983年，本溪县小市张家堡村发现1座墓葬，结构已不清楚，出土陶壶1件、陶罐2件、陶豆柄1件、明刀币20余枚。报告推测，该墓为战国晚期⑤。

1984年，刘兴林、齐俊清理发掘了经本溪市博物馆文物普查发现的北甸A洞，揭露墓葬4座；1985年，李恭笃等又在马城子C洞揭露墓葬23座；1986年，于张家堡A洞揭露墓葬52座。在马城子村、北甸村和张家堡村的3个洞穴中，发现了新石器时代与青铜时代相叠压的地层关系，所揭露的墓葬均叠压于新石器时代的居址之上⑥。

1980～1982年，大连市文物普查队对大连地区石棚进行复查，在普兰店市双塔镇、安波镇，庄河市票子房等地发现石棚十几座⑦。

1980年，许玉林调查发现了普兰店市安波镇双房西山石棚群。同年，许玉林、许明纲发掘9座墓葬，其中6座为石棚墓。其中M2保存较好，壁石大半露于地表，见有烧骨、陶圈足鼓腹壶、石纺轮⑧。

1980年，在清原县甘井子乡大庙村石棺墓中回收石斧1件、石凿3件⑨。

---

① 徐家国：《辽宁抚顺市甲邦发现石棺墓》，《文物》1983年5期，44页。

② 辽宁省博物馆、本溪市博物馆、本溪县文化馆：《辽宁本溪县庙后山洞穴墓地发掘简报》，《考古》1985年6期。

③ 李恭笃：《辽宁东部地区青铜文化初探》，《考古》1985年6期。

④ 齐俊：《本溪地区太子河流域新石器至青铜时期遗址》，《北方文物》1987年3期，6～14页。

⑤ 齐俊：《本溪地区发现青铜短剑墓》，《辽海文物学刊》1994年2期，99、100页。

⑥ 辽宁省文物考古研究所、本溪市博物馆：《马城子——太子河上游洞穴遗存》，文物出版社，1994年。马城子A、B、C洞在以往发表的材料中曾被称为东崴子A、B、C洞，当地居民亦称捕鸽洞、蝙蝠洞、狼洞。其中马城子A、B洞在齐俊的《本溪地区太子河流域新石器至青铜时期遗址》（《北方文物》1987年3期）一文中曾被称为老砬背洞和三角洞。

⑦ 大连市文物普查资料。

⑧ 许玉林、许明纲：《新金县双房石棚和石盖石棺墓》，《文物资料丛刊》1983年7期。

⑨ 佟达、张正岩：《辽宁抚顺大伙房水库石棺墓》，《考古》1989年2期，139～148页。

1980年，发现清理了新金县双房西山石棚和石棺墓群，共有石棚6座、石棺墓3座，均被破坏，仅第6号石棺墓残存，出土青铜短剑1件、滑石斧范1件、陶罐和陶壶各2件。报告认为，此墓葬中发现的青铜短剑年代大致相当于西周晚期至春秋早期，而其陶器与上马石上层和于家村上层年代相当，属于商末周初时期，因而其年代也有向前提的可能①。

1981年，戴廷德在普兰店市安波镇北台屯西山、下八家屯西山、四道河子、乐果乡长发李下等地发现石棚②。

1982年，抚顺市博物馆考古队在对抚顺地区的文物普查过程中，于大伙房水库发现了一组保存较好的石棺墓。在大伙房水库南岸小青岛、东岸八宝沟、北岸祝家沟共清理6座墓，共出石器6件、陶罐4件、铜斧2件、铜矛1件。1983～1986年，分别在大四平乡、南杂木镇、汤图乡河西村清理石棺墓3座。1981年，新宾县红山南坡下出土1座石棺墓，出土陶壶及网坠各1件。在该墓附近，还有1座石棺墓被破坏，回收石斧2件、石剑1件以及部分陶片。同年，在抚顺县兰山农场石棺墓内回收剑柄加重器1件；于顺城区塔峪乡发现土坑墓1座，出土陶罐1件。1982年，在清原县夏家堡乡马家堡村半道沟石棺墓回收2件陶壶。1984年，在抚顺市碾盘乡茨沟石棺墓出土陶罐、陶壶各1件。另外，抚顺县李家乡莲花堡发现一批石棺墓，报告介绍了其中出土的6件完整陶器，陶罐4件、陶壶2件③。

1982年，抚顺市博物馆考古队清理了新宾县永陵公社色家大队石棺墓1座，出土青铜刀1件，石斧、石铲、石锛、石镞各1件④。

1985年，凤城县文物保管所对凤城县草河乡西赫家堡村南山头发现的墓群进行调查。墓群基本可以分为两组，共计25座。随葬品仅见陶器和石器，此次清理器物共18件。报告认为墓葬年代大约为新石器晚期到青铜时代⑤。

1986～1990年，有关单位对1983年发现的法库县石砬子遗址附近的石棺墓遗迹进行了调查，共发现石棺墓13座。墓葬分为三个地点，黄花山3座，长条山9座，小坨子地1座，而这13座墓葬多数被当地村民掘毁，经正规清理的仅有3座，余者随葬品仅征集到少数。墓葬合计出土陶器7件、装饰品4件。通过对陶器的比对分析，报告认为该群石棺墓的大致年代最早可达春秋早、中期，最晚不过战国

---

① 许明纲、许玉林：《辽宁新金县双房石盖石棺墓》，《考古》1983年4期，293～295页。

② 戴廷德调查材料。

③ 佟达、张正岩：《辽宁抚顺大伙房水库石棺墓》，《考古》1989年2期，139～148页。

④ 张波：《新宾县永陵公社色家发现石棺墓》，《辽宁文物》1984年6期，24页。

⑤ 崔玉宽：《凤城县南山头古墓调查》，《辽海文物学刊》1987年1期，26～29页。

早、中期①。

1986年，昌图县文物管理所工作人员调查了昌图县翟家村后托拉山的1处墓葬，墓葬破坏严重，从附近散布的砾石来看，作者推测为早期的砾石墓，与集安五道沟门发现的青铜短剑墓相似。出土青铜短剑3把、铜镞11件、铁镬5件、骨箭头1件。报告认为，铁镬的出现，为判断墓葬的年代提供了重要依据②。

1987年，丹东市文物普查队清理了岫岩县兴隆乡白家堡子村太老坟石棚，石棚内出土火化人骨，说明石棚性质是墓葬。石棚填土内出土陶片、石刀等遗物③。

1987年，本溪县连山关镇摩天岭村虎沟北山坡上发现了1座石棺墓。墓内出土陶壶2件，石斧、石锛各1件。报告认为该墓的文化性质与庙后山文化类型较为接近，年代约为本地青铜文化的中期④。

1988年，由辽宁省文物考古研究所主持发掘了盖州九寨伙家窝棚的5座石棚。5座石棚均顺山脊走向，壁石大部分露于地表，1、3号石棚保存较好，出土磨制石斧、石锛、石镞、石凿、重唇长腹罐、斜口壶等遗物。报告认为，这些石棚内出土的一些陶器在上马石上层文化中有所发现，其年代应在距今3000年左右⑤。

2.3.2　吉林省

1975年、1976年，吉林市文物管理委员会等对永吉星星哨水库暴露的37座石棺墓进行了两次清理发掘，此37座墓分布在三个区域，A区17座、B区6座、C区14座。墓内共出土陶器包括壶、罐、钵、纺轮等计38件，石器包括斧、刀、锛、凿等计22件，青铜矛1件及装饰品2件。报告推论该墓地年代下限可能在战国到秦汉之际。1978年，吉林市博物馆等再次发掘永吉星星哨墓地，清理石棺墓49座，A区18座、C区9座、D区22座。墓内出土陶器包括壶、罐、钵、碗、鼎计83件，青铜器包括短剑、矛、泡形饰、手镯计10件，石器包括斧、锛、刀、凿、纺轮、磨棒、砺石等计59件，另见木梳、木环、毛布巾各1件。报告将清理墓葬分为石板立砌和块石垒砌两类，指出二者间存在早晚关系或等级关系。报告认为西团山

---

① 许志国、庄艳杰、魏春光：《法库石砬子遗址及石棺墓调查》，《辽海文物学刊》1993年1期，1～7页。

② 李矛利：《昌图发现青铜短剑墓》，《辽海文物学刊》1993年1期，16～18页。

③ 许玉林：《辽宁省岫岩县太老坟石棚发掘简报》，《北方文物》1995年3期，78、79页。

④ 魏海波：《本溪连山关和下马塘发现的两座石棺墓》，《辽海文物学刊》1991年2期，10、11页。

⑤ 许玉林：《辽宁盖县伙家窝堡石棚发掘简报》，《考古》1993年9期，800～804页。

墓地的年代要早于星星哨墓地，星星哨墓地年代在西周早期到春秋早期，并且与中原同时期文化具有一定联系①。

1975年，吉林省文物管理委员会在吉林猴石山遗址清理石棺墓3座，包括壶、盅等陶器和青铜刀、石斧及装饰品等随葬品共计17件。1979年、1980年，吉林省文物工作队等又对猴石山遗址进行发掘，共发掘石棺墓157座，此次发掘共划分三个工作区。Ⅰ区为氏族公共墓地，共分东、西、南三个墓地，分别发现墓葬20座、121座、14座；Ⅲ区发现墓葬2座。出土随葬品共计1551件，其中包括石器94件、陶器115件、铜器68件及装饰品1274件，各墓之间随葬品相差较悬殊。在此次地点首次发现西团山文化遗存间的叠压打破关系，报告将猴石山遗址分为早、中、晚三期，将石棺墓遗存归属于晚期②。

1977～1979年，延边朝鲜族自治州博物馆三次派人调查和清理了延吉县德新公社金谷墓地，先后共清理墓葬14座，均受到不同程度的破坏。各墓内随葬品的数量和种类没有明显差别，共出土石器391件、陶器7件、骨器2件、铜器2件、各类装饰品140余件。报告将这批墓葬分为石棺墓、土坑墓和介于石棺墓和土坑墓之间的中间型墓三类，并认为此墓地文化性质与小营子、百草沟石棺墓属同一文化系统，应属于同一时期的氏族公社的公共墓地③。

1978年，吉林省文物工作队等清理了集安县太平公社发现的一组青铜器，在清理时发现该处为一座早期遭到破坏的正方形方坛阶梯积石墓。在墓北5米东12米处发现青铜剑、斧、矛、镜等11件青铜器和2件铁箭头。报告认为，所见短剑约当是战国晚期以后，这组青铜器既受到辽东半岛燕文化的影响，又有自身特点。这次发现可将方坛阶梯积石墓的上限年代推到战国时期，为积石墓断代提供了新的材料④。

1979年，吉林省考古训练班在延边朝鲜族自治州汪清县东光公社金城屯发现一处墓地，并清理墓葬7座，1980年，又在此做了小规模的发掘，两次发掘共清理墓葬40座。此群墓葬形制均为土坑，以大小不等的鹅卵石和山石封盖墓口，有单人葬，也有多人合葬，报告称之为“土坑封石墓”。该墓群共出土遗物530

① 吉林市文物管理委员会、永吉县星星哨水库管理处：《永吉星星哨水库石棺墓及遗址调查》，《考古》1978年3期，145～150页；吉林市博物馆、永吉县文化馆：《吉林永吉星星哨石棺墓第三次发掘》，《考古学集刊（3）》，中国社会科学出版社，1983年，109～125页。

② 吉林地区考古短训班：《吉林猴石山遗址发掘简报》，《考古》1980年2期，135～141页；吉林省文物考古研究所、吉林市博物馆：《吉林市猴石山遗址第二次发掘》，《考古学报》1993年3期，311～348页。

③ 延边朝鲜族自治州博物馆：《延吉德新金谷古墓葬清理简报》，《东北考古与历史（第1辑）》，文物出版社，1982年，191～199页。

④ 集安县文物保管所：《集安发现青铜短剑墓》，《考古》1981年5期，467～470页。

件，其中陶器包括盆、钵、罐、碗、杯计18件，石器包括斧、矛、刀、镞、锛、凿、铲、锄、磨盘等计300余件，骨器包括锥、骨板计8件，青铜泡2件及装饰品100余件。报告从出土遗物的对比结果推测，金城墓地的年代大体相当于春秋战国之际①。

1980年，吉林省文物工作队对吉林磐石县吉昌公社小西山发现的一批石棺墓进行了清理，共清理两处墓葬，第一墓区2座石棺墓，第二墓区4座石棺墓。出土器物27件，其中陶器包括罐、罐形鼎、碗各1件，青铜器包括短剑、扇形斧、镞各1件，石器包括斧、凿、镞、枪头、配饰计18件。报告分析小西山石棺墓的年代大抵在春秋时期，与西团山墓地同属一个文化类型②。

1980年，延边朝鲜族自治州文物管理委员会与延边朝鲜族自治州博物馆部分同志清理了位于图们市新华街的1座墓葬。由于墓葬受到破坏，报告由现场保存状况推测此墓是单人葬，称“土坑封石墓”。墓内出土石器包括镞、斧、锛、凿、矛、戈等计47件，陶器未见完整器皿。报告分析该墓葬出土遗物与金城墓地相类似，年代亦大体相当③。

1980年、1981年，吉林省文物工作队对舒兰县法特公社黄鱼圈珠山断崖上的一些遗迹进行了抢救性清理，其中包括墓葬1座。该墓四壁均以自然山石垒成，棺内随葬陶器包括豆、罐、壶、杯等共12件，石镞1件。报告分析此墓与西团山文化具有一定联系，但又有较大差异，作为一种新的文化类型出现，并暂以“石棺墓”命名此墓④。

1981年，延边朝鲜族自治州博物馆对图们市石砚二中后山的一处墓地进行了发掘，清理墓葬12座。随葬石器包括斧、锛、镰、刀、矛、镞、砍砸器等计74件，可复原陶器包括罐、盆、钵、碗、豆、杯、纺轮等10余件，骨器5件，装饰品共计91件。报告将此12座墓葬分为石圹封石墓、土坑封石墓和土坑封土墓三种类型，并推断石砚墓地略晚于新兴洞墓地，当为青铜时代最后时期⑤。

1982年，吉林市博物馆清理了吉林口前蓝旗小团山、红旗东梁岗已暴露出来的12座石棺墓。蓝旗小团山地点共清理石棺墓5座，共出土随葬品14件，其中

---

① 吉林省文物考古研究所：《吉林汪清金城古墓葬发掘简报》，《考古》1986年2期，125～131页。

② 吉林省文物工作队：《吉林磐石吉昌小西山石棺墓》，《考古》1984年1期，51～58页。

③ 呼国柱、赵南实：《图们市发现原始社会墓葬》，《延边文物资料汇编》（内部资料），30～32页。

④ 吉林省文物工作队：《吉林舒兰黄鱼圈珠山遗址清理简报》，《考古》1985年4期，336～348页。

⑤ 侯莉闽、朴润武：《吉林省图们石岘原始社会墓地的调查与清理》，《博物馆研究》1995年2期，54～65页。

壶、罐、钵、纺轮等陶器7件，斧、锛、刀等石器7件。红旗东梁岗共清理石棺墓7座，其中包括壶、钵、碗、盘、鼎、纺轮等陶器计17件，青铜斧和青铜环饰各1件，斧、锛、刀、凿、镞等石器15件，还有装饰品若干。经过对比分析，报告认为此两处地点的石棺墓年代大体在春秋战国之际①。

1983～1987年，吉林省文物工作单位陆续在吉林市郊二道水库狼头山遗址清理石棺墓14座，共计出土各类遗物107件，其中陶器31件、石器22件、铜器11件、装饰品43件。报告分析狼头山石棺墓地为一处青铜时代氏族墓地，其中墓葬形制的不同和随葬品的多寡差别除显示贫富差别和墓主人身份外，也应反映着年代上的差别②。

1985年，吉林省文物考古研究所等对延边、朝鲜族自治州珲春县新兴洞墓地进行了发掘，共清理31座墓葬，其中单人墓16座、合葬墓9座，余者已难辨清。墓葬全部建于山坡基岩上，用天然石块封墓，报告称“竖穴石封墓”。该群墓葬出土器物共计300余件，其中陶器包括碗、罐、盆、纺轮等计12件，石器包括镞、矛、斧、刀、锛、铲等计356件，骨器9件及铜扣1件。报告分析新兴洞墓地与汪清金城墓地、延吉金谷等墓地的文化面貌较为一致，其年代应不会超过商周—战国的范围③。

1986年，吉林省文物考古研究所王洪峰等对辽源市高古村石棺墓群进行了发掘，清理了7座石棺墓，出土铜器、石器、陶器、骨器等随葬品100余件。报告认为，该墓地的年代由于墓葬形制和葬法的复杂状况可能具有早晚变化的意义，认为该墓地在时间上是有一定延续的，年代大致在战国中晚期前后，其中M5、M6年代更晚④。

1986年，长春市有关部门清理了双阳县山河镇八面石村孤顶山的2座石棺墓。1988年，长春市文物管理委员会又在孤顶山顶部清理了1座石棺墓。墓内随葬品有石斧、石刀、陶壶、陶罐、青铜环等。报告分析孤顶山石棺墓属于西团山文化的范畴，年代约相当于春秋战国时期⑤。

---

① 吉林市博物馆：《吉林口前蓝旗小团山、红旗东梁岗石棺墓清理简报》，《文物》1983年9期，51～57页。

② 吉林市博物馆：《吉林市郊二道水库狼头山石棺墓地发掘简报》，《北方文物》1989年4期，3～7页。

③ 吉林省文物考古研究所、延边朝鲜族自治州文物管理委员会、延边朝鲜族自治州博物馆：《吉林珲春新兴洞墓地发掘报告》，《北方文物》1992年1期，3～9页。

④ 吉林省文物考古研究所、辽源市文管会办公室：《吉林省辽源市高古村石棺墓发掘简报》，《考古》1993年6期，518～523页。

⑤ 王晔清：《双阳孤顶山石棺墓清理及遗址调查简报》，《长春文物》1988年2期，30～32页；长春市文物管理委员会办公室：《吉林双阳孤顶山遗址调查试掘简报》，《博物馆研究》1991年1期，74～78页。

1986年，东辽县文物普查队对东辽县泉太镇黎明村发现的3座石棺墓进行了抢救性清理，其中两墓受到破坏。墓中出土壶、罐、纺轮等陶器，还有部分石器和青铜器。其中M2出土的青铜斧已散失。报告认为，该处墓葬应属青铜时代遗存，但是不能划入西团山文化的范围之中，其墓葬结构、随葬器物和埋葬习俗等方面为研究该地区的考古文化提供了新资料①。

1987年，吉林省文物考古研究所等在东丰县大阳镇、横道河镇进行调查，清理了10座盖石墓。墓葬均为深竖穴大石盖，多人多次火葬，出土陶器多为小型明器，铜器有青铜短剑、铜镜、铜饰品等，还发现一墓葬出土铁锛和铁刀。报告认为吉林省内的盖石墓是在一定时期、一定地域内普遍采用的一种葬式，存在着年代和谱系上的差别，由于地域上的原因而互相影响②。

1988年，图珲铁路考古发掘队对珲春市凉水镇河西村北山墓群进行了发掘，清理墓葬21座。墓葬多为长方形土坑竖穴，少数墓圹边缘用不规则石块垒砌，未发现其他葬具痕迹。随葬器物110余件，有罐、碗、豆等陶器，斧、刀、镰、矛、镞、研磨器等石器，纺轮、雕刻骨板等骨器及青铜扣形器1件。报告分析该墓地与图们江流域同时代文化具有很大的一致性，推测其年代在战国中期左右③。

1988年，吉林省文物考古研究所等在珲春市凉水镇迎花村南山遗址进行了发掘，共发掘墓葬3座。墓葬均为长方形，其中两墓人骨有火烧现象。墓葬内均无完整陶器，从陶片来看可辨器形只有罐。此外还有斧、刀、矛、镞等石器、管类装饰品和采集的青铜饰件1件。报告认为其文化内涵上与延吉金谷等墓地相同，且这次发掘的墓葬解决了该种文化墓葬和居址的对应关系问题④。

2.3.3　综合研究

1978年，乌恩发表《关于我国北方的青铜短剑》一文，首次将出土于冀北、内蒙古、辽宁、吉林等地的青铜短剑称为北方青铜短剑，并对北方青铜短剑进行分型和年代推断等方面研究。认为曲刃剑并非起源于中原的柱脊剑，并将辽宁地区出土青铜短剑划分为两个不同青铜文化。是对多无陶器共存关系的东北地区青铜器类型学研究的有益探索⑤。1980年，林沄发表《中国东北系铜剑初论》，对

---

① 于海民：《东辽黎明石棺墓清理》，《博物馆研究》1989年2期，67、68页。

② 金旭东：《1987年吉林东丰南部盖石墓调查与清理》，《辽海文物学刊》1991年2期，12～22页。

③ 图珲铁路考古发掘队：《吉林珲春市河西北山墓地发掘》，《考古》1994年5期，405～412页。

④ 吉林省图珲铁路考古发掘队：《吉林珲春市迎花南山遗址、墓葬发掘》，《考古》1993年8期，701～708页。

⑤ 乌恩：《关于我国北方的青铜短剑》，《考古》1978年5期，324～337页。

东北地区青铜短剑进行类型学研究，又对青铜短剑的分布、演变进行系统分析，驳斥了东北系铜剑“自西向东流布说”和族属“东胡说”，是东北系铜剑类型学研究的开创性研究成果。1997年，林沄的《中国东北系铜剑再论》，据新发现材料，进一步修正和补充了“初论”中的观点①。1988年，翟德芳《中国北方地区青铜短剑分群研究》一文，将出土于东北和冀北、内蒙古地区的曲刃短剑分为西、中、东三群，并对各群年代进行分析，认为曲刃短剑产生于辽东，后北传至西团山文化，西传至辽西地区，并进一步指出曲刃短剑并非某个民族所特有，应属于一个大民族群②。

1983年，刘景文在《西团山文化墓葬类型及发展序列》一文中，对石棺墓的形制进行类型学研究，并结合随葬器物组合、葬式，对西团山石棺墓进行年代学研究③。

1981年、1985年，许玉林、许明纲撰文对辽东半岛石棚的分布、类型、年代等方面进行研究，将辽东半岛石棚分为大、中、小三类，并据出土遗物，认为其文化性质与上马石上层文化关系密切，推测年代当在距今3000年左右④。

此阶段随着田野考古工作的全面展开，学者们辨识出了千山山地“庙后山类型”和图们江流域具有相同文化面貌的墓地，对吉长地区西团山文化及辽东半岛石棚的年代进行了探讨，并对东北地区的青铜短剑问题进行了专题讨论，形成了关于青铜短剑的东部起源说和西部起源说两种不同的观点。

2.4 第四阶段：1989～2009年

这一时期长白山地及其延伸地带少有大规模关于青铜时代墓葬的田野考古发掘工作和有针对性的专题性调查，主要工作是基于以往田野考古发掘工作基础之上，开始较为深入地研究这一地区青铜文化的分期、分区、族属等问题。

2.4.1 辽宁省

1989年，本溪市南芬区下马塘镇程家村发现了1座石棺墓。墓内出土陶壶2

① 林沄：《中国东北系铜剑初论》，《考古学报》1980年2期；林沄：《中国东北系铜剑再论》，《考古学文化论集（四）》，文物出版社，1997年。

② 翟德芳：《中国北方地区青铜短剑分群研究》，《考古学报》1988年3期，277～299页。

③ 刘景文：《西团山文化墓葬类型及发展序列》，《博物馆研究》1983年1期，57～64页。

④ 许玉林、许明纲：《辽东半岛石棚综述》，《辽宁大学学报（哲学社会科学版）》1981年1期；许玉林：《辽东半岛石棚之研究》，《北方文物》1985年3期，16～21页。

件，石斧、石锛、石凿各1件。报告认为该墓的文化性质与庙后山文化类型较为接近，年代约为本地青铜文化的中期①。

1989年，辽宁省文物考古研究所等发掘清理了凤城县草河乡管家村东山的一处大石盖墓地。共发掘墓葬11座，清理19座。1992年，凤城市文物管理所又在东山顶部发现了几块大型盖石，发掘墓葬3座，并在附近西山上发掘了5座大石盖墓。在该群墓葬中未发现青铜器，代表性陶器有竖桥耳壶和横桥耳壶，除此之外还有斧、锛、凿、刀等石器。报告认为这批大石盖墓与辽东半岛南部地区的大石盖墓和辽东地区的石棺墓均有一定联系，其年代应在距今3000年左右②。

1990年，辽宁省文物考古研究所等对抚顺山龙墓地进行了发掘。报告认为，该墓地1、2号墓从外形看应属石棚，但又不同于以往发现的石棚，其年代应为春秋早期或已到战国；4、5号积石墓从结构上看同高句丽时期的积石墓相近，不同于大石盖墓，其年代应为战国晚期或汉初比较合适；6号积石墓压在5号墓之上，其年代应更晚③。

1990年，本溪市明山区新立屯村发现石棺墓，出土铜斧1件；1992年，本溪市平山区代家堡子村发现石棺墓，出土陶壶3件、陶罐和陶纺轮各1件。同年，在西湖区东丰乡龙头山发现石棺墓，出土陶壶1件、陶罐2件；1994年，平山区桥头镇花房沟发现石棺墓，回收铜矛1件；1998年，在西湖区石桥子镇下石村发现石棺墓，回收陶壶1件④。

1991年，辽宁省文物考古研究所等对大连市金州区七顶山乡土龙积石墓地1号积石冢进行了清理。1号冢平面呈半圆形，依山势分为东、西、北三个平台，西南处已被毁。冢内破坏严重，原有墓葬总数已不可知，现可辨墓葬共17座。冢内出土器物不见完整器，均为陶片，可辨器形有盆、罐等。报告分析，该冢由几个相对早晚关系的台地构成，这在大连地区同时期墓地中尚属首次发现，且与附近同时期的几处墓地有所区别⑤。

1991年、1992年，辽宁省文物考古研究所等两次对大连市王宝山积石墓进行了试掘和清理，共清理积石墓3座，编号M5、M7、M8。出土的陶片和石器主要

① 魏海波：《本溪连山关和下马塘发现的两座石棺墓》，《辽海文物学刊》1991年2期，10、11页。

② 许玉林、崔玉宽：《凤城东山大石盖墓发掘简报》，《辽海文物学刊》1990年2期，1~11页；崔玉宽：《凤城东山、西山大石盖墓1992年发掘简报》，《辽海文物学刊》1997年2期，30~35页。

③ 武家昌：《抚顺山龙石棚与积石墓》，《辽海文物学刊》1997年1期，13~18页。

④ 梁志龙：《辽宁本溪多年发现的石棺墓及其遗物》，《北方文物》2003年1期，6~14页。

⑤ 华玉冰、王瑽、陈国庆：《辽宁大连市土龙积石墓地1号积石冢》，《考古》1996年3期，4~7页。

来自M7内，主要包括环、锛、镞等石器4件，陶片可见器形有罐、壶和器盖。报告认为三座积石墓内出土的陶片绝大部分时代较晚，推测此处应为台山遗址晚期人们的墓地，年代为双砣子三期文化时期①。

1991～1992年，在西丰县县城消防队院内发现石棺墓1座，出土陶壶、陶钵各1件，石斧1件；平岗镇金山屯后山发现1座石棺墓，出土陶壶、罐、钵各1件；振兴镇诚信村发现石棺墓1座，有主、副两个棺室。据调查得知，此处当为一墓群，共出土陶器、青铜器、石器32件，其中包括斧、镞、石范1合。报告认为，消防队院内石棺墓年代大约在春秋早中期，金山屯石棺墓年代界定在战国至汉初比较合适，诚信村石棺墓推定在两周之际②。

1992年，抚顺市考古队对新宾县老城发现的石棺墓地进行抢救性清理，共发现4座墓，墓葬中随葬品有陶器和石器两类，不见青铜器。报告从墓葬形制和出土陶器分析，认为老城石棺墓具有较多西团山文化的特征，也有独特的地方因素，初步推断该群石棺墓的年代在距今3000年前后③。

1993年，本溪市博物馆调查了本溪市南芬火车站附近1座土坑墓，出土青铜短剑1件，报告认为，此剑与吉林桦甸西荒地出土的青铜短剑相似，时代应为战国晚期④。

1994年，本溪市博物馆在本溪县山城子乡朴堡村调查了一座石棺墓，该墓葬已被破坏，墓内遗物多已散失，墓葬形制均由发现者介绍。经回收和采集到的遗物仅有数件铜器和部分陶器残片。陶器可辨器形有陶罐，青铜器有铜剑、铜镜、铜环各1件。报告推论该墓可能是接受了燕、汉文化影响的貊人晚期遗存⑤。

1995年，本溪县上堡村发现两座石棺墓，分别出土青铜短剑、铁凿、陶罐等遗物。1996年，本溪市博物馆派人前往现场进行调查，并对该处墓地进行清理，又发现两座墓葬，亦出土陶罐。此四座墓均为石棺墓，四座墓葬出土遗物共计15件，其中有4件泥质绳纹陶罐，均轮制，平底略凸。报告认为，该墓地的调查和清理对探讨本溪地区土著文化与燕国和汉代文化相互融合等问题具有一定的价值⑥。

1997年，铁岭市博物馆发掘开原市建材村石棺墓群，整个墓群顺山坡成排分

---

① 王冰、万庆：《辽宁大连市王宝山积石墓试掘简报》，《考古》1996年3期，1～3页。
② 辽宁省西丰县文物管理所：《辽宁西丰县新发现的几座石棺墓》，《考古》1995年2期，118～123页。
③ 李继群、王伟臣、赵维和：《新宾老城石棺墓发掘报告》，《辽海文物学刊》1993年2期，9～14页。
④ 齐俊：《本溪地区发现青铜短剑墓》，《辽海文物学刊》1994年2期，99、100页。
⑤ 梁志龙、魏海波：《辽宁本溪县朴堡发现青铜短剑墓》，《考古》2005年10期，88～90页。
⑥ 魏海波、梁志龙：《辽宁本溪县上堡青铜短剑墓》，《文物》1998年6期，18～22页。

布，墓上都有大小不等的石堆，现共有墓葬35座，其中包括大石板立砌的石棚墓和大量盖石墓。发掘墓葬3座，均为板石立支、块石垒砌混筑四壁，墓底以不规则石块和黄土铺地，墓内仅见石器。另在墓地周边采集双横桥耳弦纹壶1件，弧背、弧刃铜刀1件①。

1999年，铁岭市博物馆工作人员对铁岭市清河区九登山南坡的两座石棺墓进行了清理，M1未见随葬品，M2发现了陶器口沿和器底残片，两座墓形制较为完好。报告认为，此类遗存上限约在春秋战国之际，下限则晚至汉初，此墓葬的发现为我们分析这种墓葬与弦纹壶—积石墓的关系提供了有益的启示②。

2003年，辽宁省文物考古研究所等对抚顺市关山水库区内赵家坟石棚进行了抢救性清理，石棚内共出土随葬器物8件，陶壶、陶罐、陶器底各1件，各类饰品4件、石纺轮1件。报告认为该石棚属于墓葬，其年代大体是在西周中期到春秋时期，且与凤城东山大石盖墓在文化性质上具有一定联系③。

2004年、2005年，辽宁省文物考古研究所发掘了抚顺县高丽营子村河夹心石棚群。共发掘石棚4座，石棚建筑方法相同，均建于基岩之上，底铺石板，板石立砌为壁，壁石外堆积河卵石。发掘时均不同程度倒塌，石棚内见烧骨、陶片等遗物，M2内出土鼓腹罐、铁镬、铜铎、石管、石纺轮等遗物④。

2005年，大连市文物管理委员会等对大连市金州区七顶山乡土龙子积石墓地进行了抢救性清理。经考古勘察，坐落于土龙子山冈上的积石冢共计7座，其中1号冢已于1991年被清理，其余6座仅有2座保存较为完整。在此次经发掘的4～7号墓中，共发现墓室18个。墓内出土遗物以陶器残片居多，经过复原的有罐、碗各1件，其余陶片可辨器形有盆、壶、钵等。装饰品有大量贝饰370余枚，此外还有采集到的石器包括斧和纺轮各1件。报告认为，土龙子积石冢的文化面貌应与大嘴子青铜时代遗址第三期文化和庙山青铜时代遗址一致，应是庙山遗址上层文化时期的墓葬，年代距今约3000年⑤。

2006年，辽宁省文物考古研究所发掘本溪县新城子大片地墓地，发掘墓葬16座。墓葬建于河岸以卵石堆积而成的岗地之上，在原地表向下挖出墓穴，利用河

① 许志国：《辽宁开原市建材村石棺墓群》，《博物馆研究》2000年3期，64～70页。

② 王奇：《辽宁铁岭市清河区九登山发现两座石棺墓》，《博物馆研究》2001年2期，63～66页。

③ 辽宁省文物考古研究所、抚顺市博物馆：《赵家坟石棚发掘简报》，《北方文物》2007年2期，20～22页。

④ 熊增珑：《辽宁发现一处石棚墓地》，《中国文物报》2006年8月30日第2版；熊增珑：《抚顺市河夹心石棚与石板墓地》，《中国考古学年鉴（2006）》，文物出版社，2007年。

⑤ 吴青云：《辽宁大连市土龙子青铜时代积石冢群的发掘》，《考古》2008年9期，3～10页；吴青云：《大连土龙子积石冢》，《大连文物》2008年28期，39～45页。

卵石和规整石块砌筑石棺，部分墓葬顶部保存高于原地表的整块大石板盖顶石，部分墓葬受到晚期人为破坏，盖石不存。墓地出土陶壶14件，发掘者据器耳有无或形态分为单横桥耳壶、双横桥耳壶、无耳小壶三型。此次发掘发现弦纹壶与素面壶共存，对此类文化遗存属性和来源的学术研究提供了重要线索①。

2.4.2 吉林省

1990年，辽源市文物管理委员会对东辽县平岗镇公安村东高丽坟山顶部的2座石棺墓进行了清理。两墓共出陶壶、罐、杯等5件，属青铜时代②。

1990年，延边朝鲜族自治州博物馆对延吉市长白乡和龙村新龙屯3座被破坏的石棺墓进行了清理，并认定这里是一处青铜时代墓群。1991年，延边朝鲜族自治州博物馆再次清理了该墓群中即将受到破坏的墓葬8座。此8座墓均为大面积的封石覆盖，墓内人骨多层叠压，各墓葬的随葬情况基本相同。墓内出土陶器、石器、骨器、玉器等共338件，还有23件出于墓葬填土中。通过比较分析，报告意图将该墓地划入兴城文化的范畴，所属年代当在夏商时期③。

1991年，辽源市文物管理所在东丰县大阳镇宝山村狼洞山发现一处石棺墓群。该墓群部分墓葬已遭严重破坏，仅清理了4座石棺墓，其中2座已被全部挖空，另外2座仅残存一半，出土陶壶、陶纺轮各1件及石斧1件。报告从墓内所出遗物特征推断这几座石棺墓年代约相当于战国中期前后④。

1993年，辽源市有关部门在辽源市龙首山南大庙清理了1座石棺墓，墓内出土陶壶、陶罐、陶纺轮各1件。报告根据石棺内所出遗物特征推断其年代大致相当于春秋早期⑤。

2003年、2004年，吉林省文物考古研究所等对延边朝鲜族自治州安图县仲坪遗址进行了发掘，发现瓮棺墓1座。该墓葬具为两口相对的折沿大陶罐，罐底外侧有陶碗1件。该瓮棺墓的形制、结构与和龙兴城的瓮棺墓相近⑥。

---

① 发掘简报暂未发表，墓葬信息引自华玉冰：《中国东北地区石棚研究》，吉林大学博士学位论文，2008年，56～61页。

② 据《中国文物报》1990年8月20日。

③ 侯莉闽：《吉林延边新龙青铜墓葬及对该遗存的认识》，《北方文物》1994年3期，2～14页。

④ 唐洪源：《吉林省东丰县狼洞山石棺墓调查与清理》，《北方文物》1999年1期，6～10页。

⑤ 唐洪源：《辽源脂首山再次考古调查与清理》，《博物馆研究》2000年2期，44～55页。

⑥ 吉林省文物考古研究所、安图县文管所：《吉林安图县仲坪遗址发掘》，《北方文物》2007年4期，13～23页。

2004年，吉林省文物考古研究所等清理了通化市东山的1座石棚墓，出土壶、罐、碗等陶器各1件，绿松石坠1件和绿松石管4件、青铜管状饰1件。报告认为该石棚年代应在春秋战国之际①。

2004年，吉林省文物考古研究所对吉林永吉红旗东梁岗遗址进行了较为全面的发掘。此次发掘共清理墓葬19座，仅1座土坑竖穴墓，余者皆为石棺墓。随葬陶器墓葬共有15座，一墓一壶现象最为常见。除陶壶之外，随葬陶器还包括罐、钵、碗、鼎、纺轮等，石器包括斧、刀、锛、铲、凿等，此外还有大量装饰品。该墓地出土的陶器和已发掘的西团山文化其他墓地出土陶器基本一致②。

2.4.3　综合研究

1989年，李恭笃发表《本溪地区三种原始文化的发现及研究》中，进一步明确了庙后山文化的内涵，提出庙后山文化由洞穴墓葬和遗址（居住址）两部分组成，认为此类型文化下限可达春秋时期③。

1990年，许明纲在《大连古代石筑墓葬研究》一文中，对辽东半岛石筑墓葬进行综合研究，认为大连地区石筑墓葬中积石墓出现最早，其次为石棚，再次为盖石墓，石椁墓出现最晚，并认为石棚和石盖墓应为同族遗存④。

1991年，翟德芳发表《关于东北地区石棺墓遗存的几个问题》一文，文中将东北地区石棺墓遗存分为5群，并对各群年代和文化内涵进行分析，驳斥了石棺墓起源于石棚和大石盖墓的观点，提出东北地区石棺墓起源多元论。除石棺墓的源流外，对石棺墓的族属提出了一些观点⑤。

1992年，许玉林《对辽东半岛石棚有关问题的探讨》一文，通过与辽东半岛其他墓葬形制的比较分析，认为在辽东半岛积石墓出现最早，其次为洞穴墓、石棚和大石盖墓，石棺墓出现最晚⑥。

1994年，《马城子——太子河上游洞穴遗存》综合发表了10年来太子河上游

① 吉林省文物考古研究所等：《通化市东山石棚墓调查清理简报》，（待刊）。

② 李光日：《从东梁岗墓葬看西团山文化墓葬的分期与断代》，吉林大学硕士学位论文，2006年。

③ 李恭笃：《本溪地区三种原始文化的发现及研究》，《辽海文物学刊》1989年1期，102～110页。

④ 许明纲：《大连古代石筑墓葬研究》，《博物馆研究》1990年2期，62～72页。

⑤ 翟德芳：《关于东北地区石棺墓遗存的几个问题》，《东北亚历史与文化》，辽沈书社，1991年。

⑥ 许玉林：《对辽东半岛石棚有关问题的探讨》，《环渤海考古国际学术讨论会论文集》，知识出版社，1996年。

地区发现的7处重要洞穴墓地的145座墓葬，报告对马城子文化又重新做了完整的界定和命名，并将此7处墓地的墓葬分为早、中、晚三期，探讨了这批洞穴墓葬与石棺墓的关系。报告的发表对于千山山地乃至辽东地区原始文化序列的建立都具有重要意义①。

1994年，《辽东半岛石棚》一书，首先对1994年之前辽东半岛发现的石棚分地区进行概述，又对石棚的类型、建筑特点、年代、性质等问题进行了一定程度的探讨。又通过与辽东半岛包括积石墓、大石盖墓、洞穴墓、石棺墓等其他类型墓葬进行比较研究，探讨石棚的源流和与其他墓葬形制的关系。又对吉林省的通化、梅河口、柳河、东丰地区，以及浙江省瑞安地区的石棚进行了简要介绍，并对辽东半岛和国内其他各省发现的石柱以及世界各地发现的巨石建筑进行简要的介绍，并与石棚进行简单的比较研究。《辽东半岛石棚》一书是首部关于石棚的学术专著，较全面系统地收集了辽东半岛石棚资料，为东北地区石棚研究的深入展开，提供了可贵的基础资料②。

1995年，许明纲发表《大连地区石棚研究》一文，简述了大连地区石棚的发现、分布，进一步总结了大连地区石棚的建筑特点和建筑方法，进而进一步简论了石棚的性质和年代问题，并提出石棚与青铜短剑墓所代表的考古学文化应属同一民族文化③。

1996年，中国社会科学院考古研究所出版《双砣子与岗上——辽东史前文化的发现和研究》。该书整理了1963～1964年在辽宁大连市发掘的双砣子、将军山、岗上、楼上、卧龙泉和尹家村等六处遗址和墓葬的考古发掘报告。报告确立了双砣子一、二、三期文化和尹家村一、二、三期文化的谱系序列，对辽东史前文化的序列和源流进行了系统的分析④。

1996年、1998年，王嗣洲撰文对大石盖墓进行综合研究，认为大石盖墓存在盖石由厚渐薄，由地上到地下的演变趋势。认为大石盖墓由积石墓发展而来，起源于辽东半岛，推测其族属为秽貊族遗存⑤。

2002年，中国社会科学院的韩国留学生郑大宁完成博士论文《中国东北地区青铜时代石棺墓遗存的考古学研究》，以石棺墓为研究对象，初步建立了东北地区

---

① 辽宁省文物考古研究所、本溪市博物馆：《马城子——太子河上游洞穴遗存》，文物出版社，1994年。

② 辽宁省文物考古研究所：《辽东半岛石棚》，辽宁科学技术出版社，1994年。

③ 许明纲：《大连地区石棚研究》，《博物馆研究》1995年1期。

④ 中国社会科学院考古研究所：《双砣子与岗上——辽东史前文化的发现和研究》，科学出版社，1996年。

⑤ 王嗣洲：《试论辽东半岛石棚墓与大石盖墓的关系》，《考古》1996年2期，73～77页；旅顺博物馆：《论中国东北地区大石盖墓》，《考古》1998年2期，53～63页。

石棺墓遗存的时空框架，着重讨论了这类遗存的地域性特征和多元性结构，对东北地区石棺墓遗存进行了较为综合的研究。此文以对东北地区石棺墓的分区研究为基础，进一步探讨了各区的分期与年代、石棺墓的葬制、葬俗，以及石棺墓遗存的源流和演变。此文以田野考古资料为基础，在前人研究基础上，对东北地区石棺墓进行了系统的综合性研究，对东北地区青铜时代的考古学研究有重要意义①。

2005年，赵宾福先生的博士论文《中国东北地区夏至战国时期的考古学文化研究》的问世为学者们的专题探讨构建了一个平台。此文所包含的时空范围已经将本书覆盖其中，赵宾福先生构建的时空框架为本书进行墓葬的年代划分起到了重要的参考作用，也正是因为站在这个平台之上，本书对长白山两翼及其延伸地带青铜时代墓葬的讨论才能更加深入②。

2006年，李光日完成硕士论文《从东梁岗墓葬看西团山文化墓葬的分期与断代》一文，以作者2004年对红旗东梁岗遗址第二次考古发掘所获得的一批新的西团山文化墓葬材料为基础，通过对东梁岗墓葬出土陶器的分段研究，并结合以往研究成果，通过与星星哨、骚达沟等西团山文化典型墓葬的综合比较分析，将西团山文化分为早、中、晚三期，又简单探讨了西团山文化墓制、葬式等问题，此文是关于西团山文化分期的一项新学术成果③。

2008年，华玉冰完成博士论文《中国东北地区石棚研究》，对石棚的概念进行了重新界定，并以考古发现为依据，通过对石棚结构的讨论，参照以往研究成果初步建立了石棚研究的框架体系，对整个中国东北地区各类石棚墓葬的数量、分布形态、形制演变、文化内涵、时空关系等问题进行了详细讨论，初步解决了东北地区石棚研究中的一些重要问题。论文通过对石棚墓葬的类型划分，分别探讨了各类型墓葬分区和年代等问题，并将辽东地区夏至战国初期划分为三个文化系统：双砣子-尹家村文化系统、伙家窝堡-双房文化系统、马城子-新城子文化系统④。

此阶段在东北东部地区的洞穴墓、积石墓、石棺墓、石棚等墓葬的专题讨论和考古学文化时空框架的构建方面取得了令人瞩目的成果。另外，一些日、韩学者也积极参与研究，使得东北东部地区的考古学研究具有了更为广阔的视角，也上升到一个新的台阶。

---

① 〔韩〕郑大宁：《中国东北地区青铜时代石棺墓遗存的考古学研究》，中国社会科学院研究生院博士学位论文，2002年。

② 赵宾福：《中国东北地区夏至战国时期的考古学文化研究》，吉林大学博士学位论文，2005年。

③ 李光日：《从东梁岗墓葬看西团山文化墓葬的分期与断代》，吉林大学硕士学位论文，2006年。

④ 华玉冰：《中国东北地区石棚研究》，吉林大学博士学位论文，2008年。

第3章 墓葬类型

长白山地及其延伸地带青铜时代的墓葬复杂多样，但就其特征不同可以划分为若干不同的类型，不同类型的墓葬分布区域和内涵各具特点。总结现有的墓葬材料，根据墓葬的埋藏环境和葬具特点，可以把该地区青铜时代的墓葬分为以下八类：洞穴墓、石棺墓、石棚墓、积石墓、大石盖墓、封石墓、土坑墓、瓮棺墓。

3.1 洞 穴 墓

3.1.1 洞穴墓的分布与特征

洞穴是我国古代先民遗留下的最古老的居住形式，多数旧石器时代的居址都存在于洞穴之中，如北京山顶洞、江西万年仙人洞、营口金牛山等，这种居住方式为旧石器时代的先民提供了基本的安全保障，也是人类适应自然环境的结果。北京山顶洞和江西万年仙人洞等还出现了洞口为居住区、洞内深处为墓葬区的布局。到了新石器时代，随着人们居住方式的进步，南方出现了杆栏式建筑，北方则出现了半地穴式房屋，人们的居住水平有了明显提升，于是，一些洞穴就由原来废弃的居住址演化成了墓地。

在东北东部长白山余脉千山山地，太子河上游地区，分布着很多喀斯特地貌的天然洞穴，在很长一段时间，延续了一种洞穴文化现象。这些洞穴多分布于河流两岸的山坡或断崖上，在若干洞穴的堆积中发现了青铜时代的墓葬和新石器时代的居住址相叠压的地层，也有青铜时期墓葬单独存在于洞穴中的现象。也就是说，进入青铜时代以后，随着居住条件的改善，天然洞穴已经不再作为人们居住的场所，而被重新开辟为墓地。我们将这种存在于洞穴之中的墓葬称之为洞穴墓葬。洞穴墓葬在西南地区也有发现，这种墓葬形式是特殊地貌的产物，不同地区的洞穴墓葬内涵差异很大。

该地区的洞穴墓分布地区集中于千山山地太子河上游的本溪、新宾地区。主要地点有本溪县张家堡A洞，山城子B、C洞，马城子A、B、C洞，北甸A

洞[①]；本溪县近边寺A、B洞墓[②]，本溪县后沟村狐狸洞墓[③]，本溪市老虎洞墓[④]，新宾县东升洞穴[⑤]，墓葬特点主要为不挖穴，不封土，以拣骨火葬墓及原地火葬墓为主，存在一定数量的非火葬墓，有些洞穴的墓葬出现了石圹、石棺或墓底铺石板的现象[⑥]。石圹的出现比较原始，在本溪县山城子B洞穴清理的所有墓葬都有石圹[⑦]，这种石圹应该是在洞穴环境里划清墓葬范围的标志或是家族的传统，尚不能视为独立葬具。同样，洞穴内也发现了以石棺划分墓域的现象，在洞穴墓内明确发现石棺的墓例有5例[⑧]，用石板砌成长方形石棺，较浅部分嵌入地下，其上没有棺盖。这种简易的石棺是洞穴墓地特有的产物，带有这种简易石棺的墓葬尚不能称之为石棺墓，仍然属于洞穴墓的范围，但不排除此种简易石棺与典型的石棺墓具有某种联系。

还有报道称洞穴墓地发现“积石墓”的现象，这批资料来自抚顺市新宾县大四平乡的三处地点：小红石砬子洞穴、东山洞穴和南屯洞穴[⑨]。清理简报没有发表，只是做了概要性的介绍。在洞穴中以石堆为墓，相互连成一片，无规整的墓室，人骨都为火烧的二次葬，陶器大多破碎，观察陶器形制与本溪地区马城子洞穴墓葬A、B、C洞陶器近似。个别积石堆石块经过垒砌，排列整齐。另外，在本

① 辽宁省文物考古研究所、本溪市博物馆：《马城子——太子河上游洞穴遗存》，文物出版社，1994年。另，张家堡A洞即单洞，出自高美璇：《本溪县单洞洞穴墓地》，《中国考古学年鉴（1987）》，文物出版社，1988年，124页。马城子A、B、C洞在以往发表的材料中曾被称为东崴子A、B、C洞，当地居民亦称捕鸽洞、蝙蝠洞、狼洞，其中马城子A、B洞亦被称为老砬背洞和三角洞。

② 高美璇：《本溪县近边寺石器时代洞穴遗址》，《中国考古学年鉴（1988）》，文物出版社，1989年，136页。

③ 高美璇：《本溪县后沟村狐狸洞墓地》，《中国考古学年鉴（1994）》，文物出版社，1997年，158页。

④ 高美璇：《本溪老虎洞青铜时代洞穴墓地》，《中国考古学年鉴（1993）》，文物出版社，1995年，121页。

⑤ 抚顺市博物馆、新宾满族自治县文物管理所：《辽宁新宾满族自治县东升洞穴古文化遗存发掘整理报告》，《北方文物》2002年1期，1～8页。

⑥ 辽宁省文物考古研究所、本溪市博物馆：《马城子——太子河上游洞穴遗存》，文物出版社，1994年。

⑦ 辽宁省文物考古研究所、本溪市博物馆：《马城子——太子河上游洞穴遗存》，文物出版社，1994年。

⑧ 辽宁省文物考古研究所、本溪市博物馆：《马城子——太子河上游洞穴遗存》，文物出版社，1994年。

⑨ 武家昌、萧景全：《新宾县龙湾洞穴青铜时代积石墓》，《中国考古学年鉴（2002）》，文物出版社，2003年，169页。

溪望海楼和小孤家子的山坡上，均发现了汉代的积石墓，小孤家子墓用石块堆成圆丘状，“中间有石砌墓室，墓底为一形同梯形的大石板”①；望海楼“积石墓为椭圆形……墓室开在石堆的中部，近方形……不见人骨”②。目前两地点均没有发掘报告面世，故具体细节还有待考证。推测新宾龙湾发现的洞穴积石墓应该和这两处汉代积石墓有渊源关系，其洞穴内原地积石为墓的形式可能与东北地区高句丽时期单室积石墓具有某种关联，由于没有详细资料，我们对这类墓葬暂不予讨论。

综上所述，洞穴墓是以洞穴为埋葬环境的墓葬，常以墓群的形式出现于墓地中。千山山地太子河上游地区的洞穴墓葬以天然的洞穴为保护屏障，不挖穴，不封土，埋葬形式多为火葬，且具有自身特色的葬俗、葬式，随葬品的面貌亦较为一致。

3.1.2　洞穴墓的形制

该地区洞穴墓葬结构比较简单，各墓地包含的墓葬数量各异。根据墓地内墓葬的存在方式，我们可以将洞穴墓地分四型：无葬具墓、石板铺底墓、石圹墓、简易石棺墓（图3-1）。

Ⅰ型：无葬具墓。平地火葬、拣骨火葬或仰身直肢葬，无任何葬具。

墓葬举例：张家堡A洞M47，侧身火葬。

Ⅱ型：石板铺底墓。拣骨火葬或仰身直肢葬，人骨下局部或全部铺石板，为使石板平稳，下面铺垫一层薄沙。计8座。

墓葬举例：张家堡A洞M20，屈肢火葬。

Ⅲ型：石圹墓。平地火葬、拣骨火葬、仰身直肢葬或屈肢葬，用自然石块平地摆砌一层墓圹，墓圹一般呈长方形，高20～30厘米。计15座。

墓葬举例：山城子B洞M5，拣骨火葬；张家堡A洞M42，屈肢葬。

Ⅳ型：简易石棺墓。拣骨火葬或仰身直肢火葬，用页岩石板立砌成长方形或不规则形石棺，石板略微嵌入地下，棺壁高40～50厘米。计5座。

墓葬举例：张家堡A洞M39，仰身直肢火葬。

---

① 武家昌：《本溪小孤家子青铜时代积石墓、石棺墓墓地》，《中国考古学年鉴（1994）》，文物出版社，1997年，150页。

② 武家昌：《本溪望海楼青铜时代遗址》，《中国考古学年鉴（1994）》，文物出版社，1997年，160页。

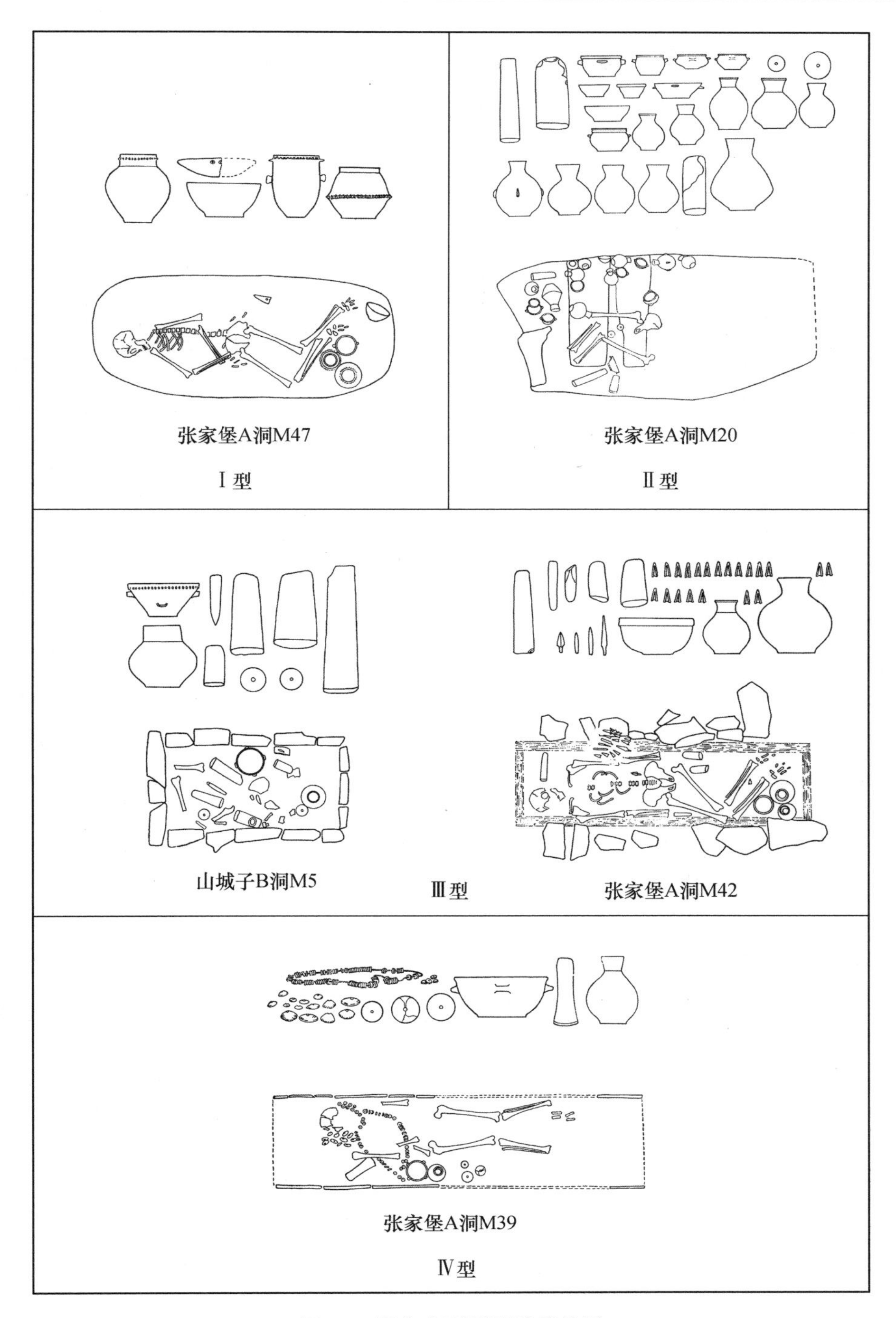

图3-1 洞穴墓形制及随葬品图

3.2　石　棺　墓

3.2.1　石棺墓的分布与特征

对于东北地区石棺墓的材料自20世纪20年代就有介绍，其间在一些发掘报告的章节中也有研究，而作为专题性的研究却是于20世纪90年代初才开始的。在东北地区，对于石棺墓的研究通常是包含在“石墓”或者“石构墓葬”当中的。很多研究都是将石棺墓、积石冢、石棚、大石盖墓等相提并论，探讨其相互关系、渊源流变。但是，在研究石棺墓时，关于石棺墓内涵的界定始终没有作为研究课题被充分讨论。石棺墓的名称开始是伴随着零星发现为了区别于土坑墓而提出的，随着石棺墓遗存的大规模发现，这个名词又有了深刻的含义，因为它发现于一定区域，存在于一定时间，跨越了多种文化且具有自身的特色。

对于石棺墓特征的描述在以往研究中是有所提及的。翟德芳首先开始了对东北地区石棺墓的专题性讨论，他对石棺墓的特征是这样描述的：“基本上都是指那种在地面上先挖出土圹，然后以石板或石块砌出四壁，上搭盖石、长二米上下的仅可容人的单室墓，并且有的墓底还铺砌石块。”① 郑大宁在《中国东北地区青铜时代石棺墓遗存的考古学研究》一文中对东北地区的石棺墓有了一个较为全面的、概括性的研究②。杨荣昌对石棺墓葬比较集中的辽东地区内的石棺墓进行了较为深入的探讨，认为石棺墓是“以石板或石块构筑墓棺；数块或整块大石板封盖；均以土掩埋于地下；个别石棺还带有副棺；出土遗物多以罐、壶与青铜短剑、青铜斧、矛、铜镜为组合，并呈现出区域性的变化”③。几位学者在研究石棺墓时总结了石棺墓的特征，通过总结出的这些特征，基本能明确地将石棺墓和石棚、大石盖墓区别开来。

长白山地及其延伸地带青铜时代石棺墓葬具有以下特征：平地向下挖长方形穴，以石板或石块构筑墓棺，数块或整块大石板封盖后掩埋地下而形成的墓葬。具体地说，需要四个要素：一是向下挖穴并埋入地下，二是以石构壁，三是板石为盖，四是独立成墓。带有石棺的墓葬不一定都称为石棺墓，符合以上四个要

---

① 翟德芳：《关于中国东北地区石棺墓遗存的几个问题》，《东北亚历史与文化》，辽沈书社，1991年，115～131页。

② 〔韩〕郑大宁：《中国东北地区青铜时代石棺墓遗存的考古学研究》，中国社会科学院研究生院博士学位论文，2002年。

③ 杨荣昌：《辽东地区青铜时代石棺墓葬及相关问题研究》，《北方文物》2007年1期，11～21页。

素才可视为石棺墓。通常来说，石棺墓随葬品的特征和组合会呈现出区域性的变化。在我国北方、西北、西南等地也发现了一些石棺墓，也有学者专门将几地的石棺墓进行了比较研究①。尽管几地的石棺墓形制相近，但是所出随葬品截然不同，且石棺这种墓葬类型的出现，与当地的自然环境不无关系。这几地石棺墓与本地区石棺墓之间是否有渊源尚无有力证据，故文中对石棺墓特征的概括只针对东北地区，而对于其他地区的石棺墓不一定适用。

东北东部地区的石棺墓主要分布在辽宁和吉林两省的部分地区。辽宁省内石棺墓包括本溪、沈阳、抚顺、铁岭、开原，西至辽阳，东至丹东，南部包括辽东半岛的大部分地区。主要地点有本溪通江峪石棺墓、观音阁石棺墓、沙窝石棺墓、望城岗子石棺墓、花房沟石棺墓、王沟玉岭石棺墓、新立屯石棺墓、东沟石棺墓、刘家哨石棺墓、北台石棺墓、代家堡子石棺墓、孟家堡子石棺墓、丁家峪石棺墓、蜂蜜砬子石棺墓、下石石棺墓、龙头山石棺墓②；本溪市虎沟石棺墓、程家村石棺墓③；本溪市南芬西山石棺墓群④、本溪市梁家村石棺墓⑤、本溪县上堡石棺墓⑥、本溪市望海楼石棺墓⑦、本溪市小孤家子石棺墓⑧、宽甸县双山子公社赵家堡子石棺墓、宽甸县长甸公社四平街石棺墓、岫岩县大房身公社大甸子石棺墓、凤城县弟兄山公社三家子石棺墓⑨；新宾老城石棺墓群⑩、新宾永陵色家石棺墓⑪、新宾县城红山石棺墓、清原北三家公社李家堡大葫芦沟石棺

---

① 杨楠：《中国东北与东南地区古代石构墓葬的比较分析》，《考古与文物》1998年5期，31、60～67页；郑绍宗：《中国长城地带石棺墓之研究》，《文物春秋》1993年2期；童恩正：《试论我国从东北至西南的边地半月形文化传播带》，《文物与考古论集》，文物出版社，1987年，17～43页。

② 梁志龙：《辽宁本溪多年发现的石棺墓及其遗物》，《北方文物》2003年1期，6～14页。

③ 魏海波：《本溪连山关和下马塘发现的两座石棺墓》，《辽海文物学刊》1991年2期，10、11页。

④ 万欣、梁志龙、马毅：《本溪南芬西山石棺墓》，《辽宁考古文集》，辽宁民族出版社，2003年，44～54页。

⑤ 魏海波：《本溪梁家出土青铜短剑和双钮铜镜》，《辽宁文物》1984年2期，25、26页。

⑥ 魏海波、梁志龙：《辽宁本溪县上堡青铜短剑墓》，《文物》1998年6期，18～30页。

⑦ 武家昌：《本溪望海楼青铜时代遗址》，《中国考古学年鉴（1994）》，文物出版社，1997年，160页。

⑧ 武家昌：《本溪小孤家子青铜时代积石墓、石棺墓墓地》，《中国考古学年鉴（1994）》，文物出版社，1997年，150页。

⑨ 许玉林、王连春：《丹东地区出土的青铜短剑》，《考古》1984年8期。

⑩ 李继群、王维臣、赵维和：《新宾老城石棺墓发掘报告》，《辽海文物学刊》1993年2期。

⑪ 张波：《新宾县永陵公社色家发现石棺墓》，《辽宁文物》1984年6期，24页。

墓、夏家堡公社马家店石棺墓、清原县土口子中学石棺墓、湾甸子公社小错草沟石棺墓、清原北三家公社李家堡耕地石棺墓①；清原县门脸石棺墓②、清原县斗虎屯镇白灰厂石棺墓、清原县夏家堡公社马家店石棺墓、清原县南口前乡康家堡石棺墓群、新宾大四平乡马架子石棺墓、新宾县南杂木镇西山石棺墓、抚顺县李家乡莲花堡石棺墓群、抚顺市抚顺区碾盘乡茨沟石棺墓、抚顺市大伙房水库石棺墓群③；抚顺市大伙房北山坡石棺墓④，抚顺市前甸公社甲邦石棺墓⑤，开原建材村石棺墓⑥，开原李家台石棺墓，铁岭树芽屯石棺墓⑦，铁岭九登山石棺墓⑧，法库石砬子石棺墓群⑨，西丰和隆公社阜丰屯、忠厚屯石棺墓⑩，西丰金山屯石棺墓，诚信村石棺墓，消防队院内石棺墓⑪，西丰小育英屯石棺墓⑫，辽阳杏花村石棺墓⑬，辽阳市接官厅石棺墓群⑭，辽阳二道河子石棺墓群⑮，新金碧流河核桃沟石棺墓⑯，新金王屯石棺墓⑰，新金双房石棺墓等⑱。

---

① 清原县文化局，抚顺市博物馆：《辽宁清原县近年发现的一批石棺墓》，《考古》1982年2期，211、212页。

② 清原县文化局：《辽宁清原县门脸石棺墓》，《考古》1981年2期，189页。

③ 佟达、张正岩：《辽宁抚顺大伙房水库石棺墓》，《考古》1989年2期，139～148页。

④ 孙守道、徐秉琨：《辽宁寺儿堡等地青铜短剑与大伙房石棺墓》，《考古》1964年6期，277～285页。

⑤ 徐家国：《辽宁抚顺市甲邦发现石棺墓》，《文物》1983年5期，44页。

⑥ 许志国：《辽宁开原市建材村石棺墓群》，《博物馆研究》2000年3期，64～70页。

⑦ 辽宁铁岭地区文物组：《辽北地区原始文化遗址调查》，《考古》1981年2期，106～110页。

⑧ 王奇：《辽宁铁岭市清河区九登山发现两座石棺墓》，《博物馆研究》2001年2期，63～66页。

⑨ 许志国、庄艳杰、魏春光：《法库石砬子遗址及石棺墓调查》，《辽海文物学刊》1993年1期。

⑩ 裴跃军：《西丰和隆的两座石棺墓》，《辽海文物学刊》1986年1期，30、31页。

⑪ 辽宁省西丰县文物管理所：《辽宁西丰县新发现的几座石棺墓》，《考古》1995年2期，118～123页。

⑫ 铁岭市博物馆、西丰县文物管理所：《西丰钓鱼乡小育英屯石棺墓清理报告》，《博物馆研究》2004年2期，72～75页。

⑬ 梁振晶：《辽阳杏花村青铜时代石棺墓》，《辽海文物学刊》1996年1期，56页。

⑭ 辽阳市文物管理所：《辽阳市接官厅石棺墓群》，《考古》1983年1期，72～74页。

⑮ 辽阳市文物管理所：《辽阳二道河子石棺墓》，《考古》1977年5期，302～305页。

⑯ 《普兰店市核桃沟石盖石棺墓清理简报》，《大连文物》2000年，48页。

⑰ 刘俊勇、戴廷德：《辽宁新金县王屯石棺墓》，《北方文物》1988年3期。

⑱ 许明纲、许玉林：《新金双房石棚和石盖石棺墓》，《辽宁文物》1980年1期；许明纲、许玉林：《辽宁新金县双房石盖石棺墓》，《考古》1983年4期，293～295页。

吉林省内石棺墓主要分布于西流松花江流域，以吉林市为中心，辐射长春、辽源、蛟河、磐石等地区。主要地点有吉林西团山石棺墓地[①]、骚达沟石棺墓地[②]、猴石山遗址石棺墓[③]、长蛇山遗址石棺墓[④]、狼头山石棺墓地[⑤]、泡子沿前山[⑥]、土城子石棺墓地[⑦]、两半山遗址石棺墓[⑧]，永吉星星哨石棺墓地[⑨]、旺起屯石棺墓[⑩]，口前蓝旗小团山、口前红旗东梁岗石棺墓地[⑪]，磐石小西山石棺墓[⑫]、汶水后山石棺墓[⑬]，

---

① 杨公骥：《西团山史前文化遗址初步发掘报告》，《东北日报》1949年2月11日；李洵：《一九四八、一九四九年西团山发掘记录整理》，《西团山考古报告集》，《江城文博丛刊（第一辑）》，1987年，11～21页；佟柱臣：《一九五〇年西团山发掘报告资料摘录》，《西团山考古报告集》，《江城文博丛刊（第一辑）》，1987年，46～95页；东北考古发掘团：《吉林西团山石棺墓发掘报告》，《考古学报》1964年1期，29～48页；吉林大学历史系文物陈列室：《吉林西团山子石棺墓发掘记》，《考古》1960年4期，35～37页。

② 段一平、李莲、徐光辉：《吉林市骚达沟石棺墓整理报告》，《考古》1985年10期，885～900页；吉林省博物馆、吉林大学考古专业：《吉林市骚达沟山顶大棺整理报告》，《考古》1985年10期，901～907页。

③ 吉林地区考古短训班：《吉林猴石山遗址发掘简报》，《考古》1980年2期；吉林省文物考古研究所、吉林市博物馆：《吉林市猴石山遗址第二次发掘》，《考古学报》1993年3期，311～348页。

④ 吉林省文物工作队：《吉林长蛇山遗址的发掘》，《考古》1980年2期，123～134页。

⑤ 吉林市博物馆：《吉林市郊二道水库狼头山石棺墓地发掘简报》，《北方文物》1989年4期，3～7页。

⑥ 吉林市博物馆：《吉林市泡子沿前山遗址和墓葬》，《考古》1985年6期，497～506页。

⑦ 康家兴：《吉林江北土城子附近古文化遗址及石棺墓》，《考古通讯》1955年创刊号，34～38页。

⑧ 康家兴：《吉林两半山发现新石器时代文化遗址》，《考古通讯》1955年4期，60页；张忠培：《吉林两半山遗址发掘报告》，《考古》1964年1期，6～12页。

⑨ 吉林市文物管理委员会、永吉县星星哨水库管理处：《永吉星星哨水库石棺墓及遗址调查》，《考古》1978年3期，145～157页；吉林市博物馆永吉县文化馆：《吉林永吉星星哨石棺墓第三次发掘》，《考古学集刊（3）》，中国社会科学出版社，1983年，109～125页。

⑩ 刘法祥：《吉林省永吉旺起屯新石器时代石棺墓发掘简报》，《考古》1960年7期，27～30页。

⑪ 吉林市博物馆：《吉林口前蓝旗小团山、红旗东梁岗石棺墓清理简报》，《文物》1983年9期，51～55页。

⑫ 吉林省文物工作队：《吉林磐石吉昌小西山石棺墓》，《考古》1984年1期，51～58页。

⑬ 张志立、王洪峰：《磐石县汶水后山石棺墓清理简报》，《西团山文化考古报告集》，《江城文博丛刊（第二辑）》，1992年，70、71页。

双阳万宝山石棺墓①、东丰狼洞山②、辽源高古村石棺墓群③、龙首山南大庙石棺墓④、桦甸二道甸子石棺墓⑤、延吉金谷石棺墓⑥、延吉小营子石棺墓等⑦。

3.2.2　石棺墓的形制

该地区石棺墓数量众多，分布范围最广，且形制也最为复杂，呈现出时间和地域性的变化。根据石棺墓的构造方式可以分四型。

Ⅰ型：板石立砌墓。板石立支形成墓壁，板石封盖，或有铺底石和副棺（图3-2）。可以分四亚型。

Ⅰa型：以大块规整板石立支，整块或两块板石覆盖，板石规格不够者以小型板石补齐。板石厚薄均匀，形制规整，棺体严密如箱。有的有副棺。

墓葬举例：法库石砬子黄花山M1（无副棺）、西丰诚信村石棺墓（有副棺）。

Ⅰb型：多块小型规整板石立支，整块板石覆盖，无副棺。

墓葬举例：阜丰屯石棺墓（无副棺）。

Ⅰc型：板石立支，多块板石并排覆盖，有的有副棺。

墓葬举例：星星哨DM21（无副棺）、西团山50M1。

Ⅰd型：薄板石多层立支，多块小型板石叠错覆盖。

墓葬举例：延吉金谷M11。

Ⅱ型：块石垒砌墓。四壁或两壁以块石垒砌，板石为盖，或有底石和副棺（图3-3）。可以分四亚型。

Ⅱa型：块石垒砌两壁或四壁，整块或两块板石覆盖，浅穴。无副棺。

墓葬举例：南芬西山M2（无副棺）。

Ⅱb型：块石垒砌两壁或四壁，数块板石覆盖，浅穴。有的有副棺。

墓葬举例：星星哨AM19（无副棺）、吉昌小西山乙M3（有副棺）。

---

① 许彦文：《吉林双阳万宝山石棺墓》，《黑龙江文物丛刊》1984年3期，48～50页；双阳太平公社石棺墓、刘景文：《双阳考古调查》，《博物馆研究》1982年创刊号，83、84页。

② 唐洪源：《吉林省东丰县狼洞山石棺墓调查与清理》，《北方文物》1999年1期。

③ 吉林省文物考古研究所、辽源市文管会办公室：《吉林省辽源市高古村石棺墓发掘简报》，《考古》1993年6期，518～523页。

④ 唐洪源：《辽源龙首山再次考古调查与清理》，《博物馆研究》2000年2期，44～55页。

⑤ 康家兴：《吉林省桦甸二道甸子发现石棺墓》，《考古通讯》1956年5期，44、45页。

⑥ 延边朝鲜族自治州博物馆：《延吉德新金谷古墓葬清理简报》，《东北考古与历史（第1辑）》，文物出版社，1982年，191～198页。

⑦ 〔日〕藤田亮策：《延吉小营子遗迹调查报告》，满洲国文教部，1943年。

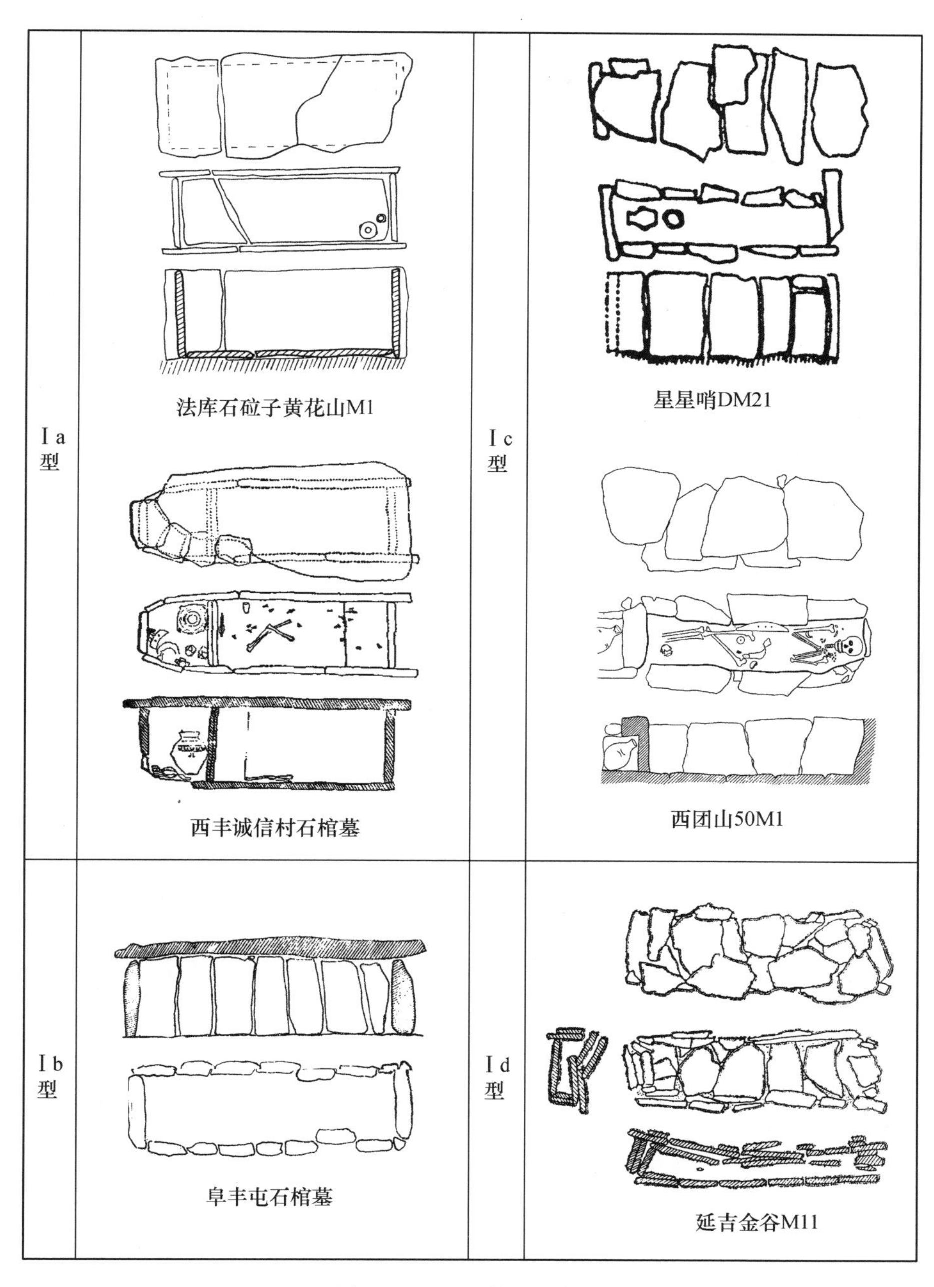

图3-2 Ⅰ型石棺墓形制图

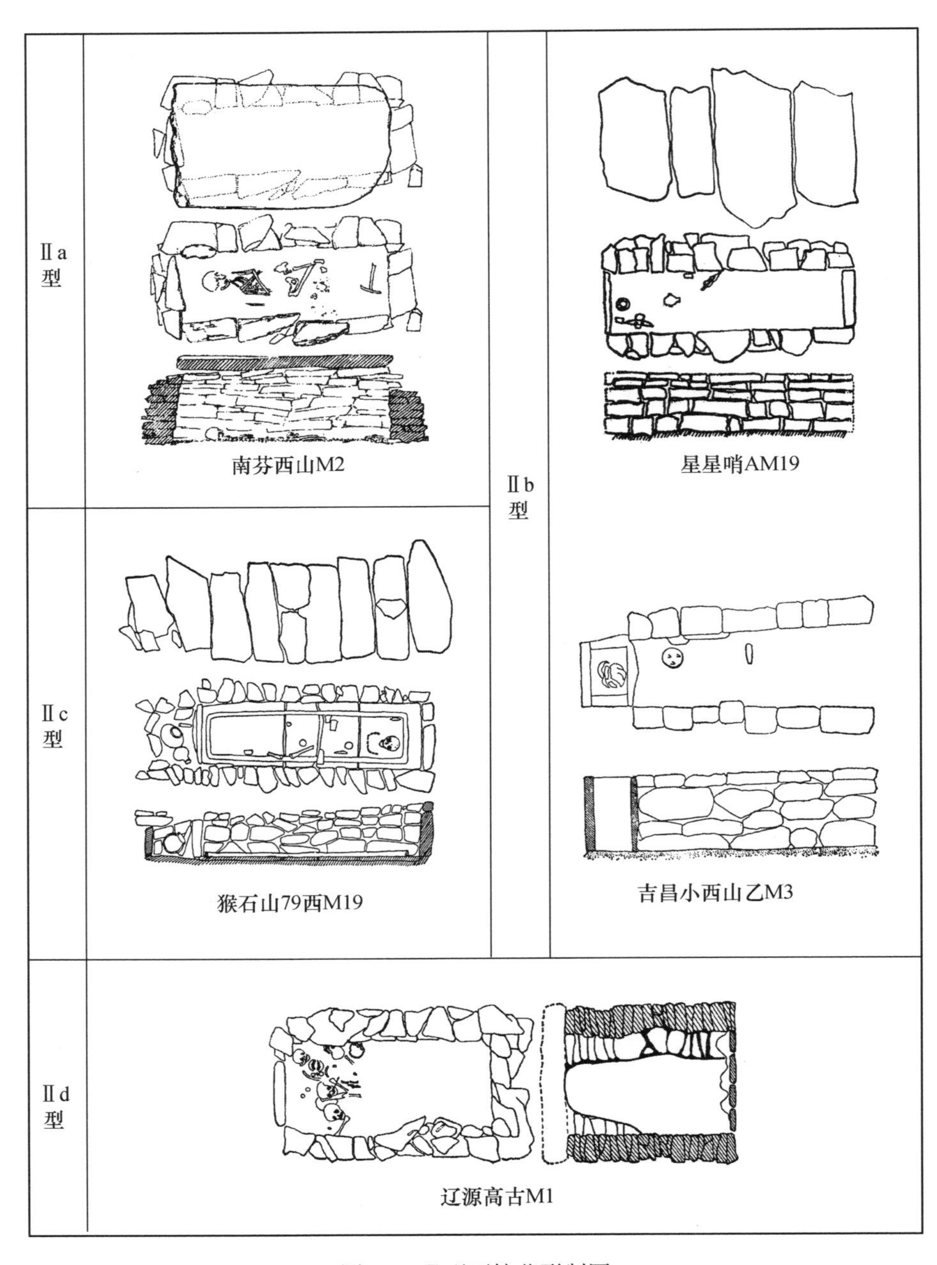

图3-3　Ⅱ型石棺墓形制图

Ⅱc型：块石垒四壁，棺底筑泥框或黄泥土台，数块板石覆盖。有的有副棺。

墓葬举例：猴石山79西M19（有副棺）。

Ⅱd型：块石垒砌四壁，整块板石覆盖，深穴。

墓葬举例：辽源高古M1。

Ⅲ型：板块结合砌筑墓。板石立支与块石或条石垒砌相结合，形成混合式墓壁，或有副棺和底石（图3-4）。可以分二亚型。

Ⅲa型：一壁为大型板石立砌，另一壁以块石垒砌组棺，上覆整块或两块石板。

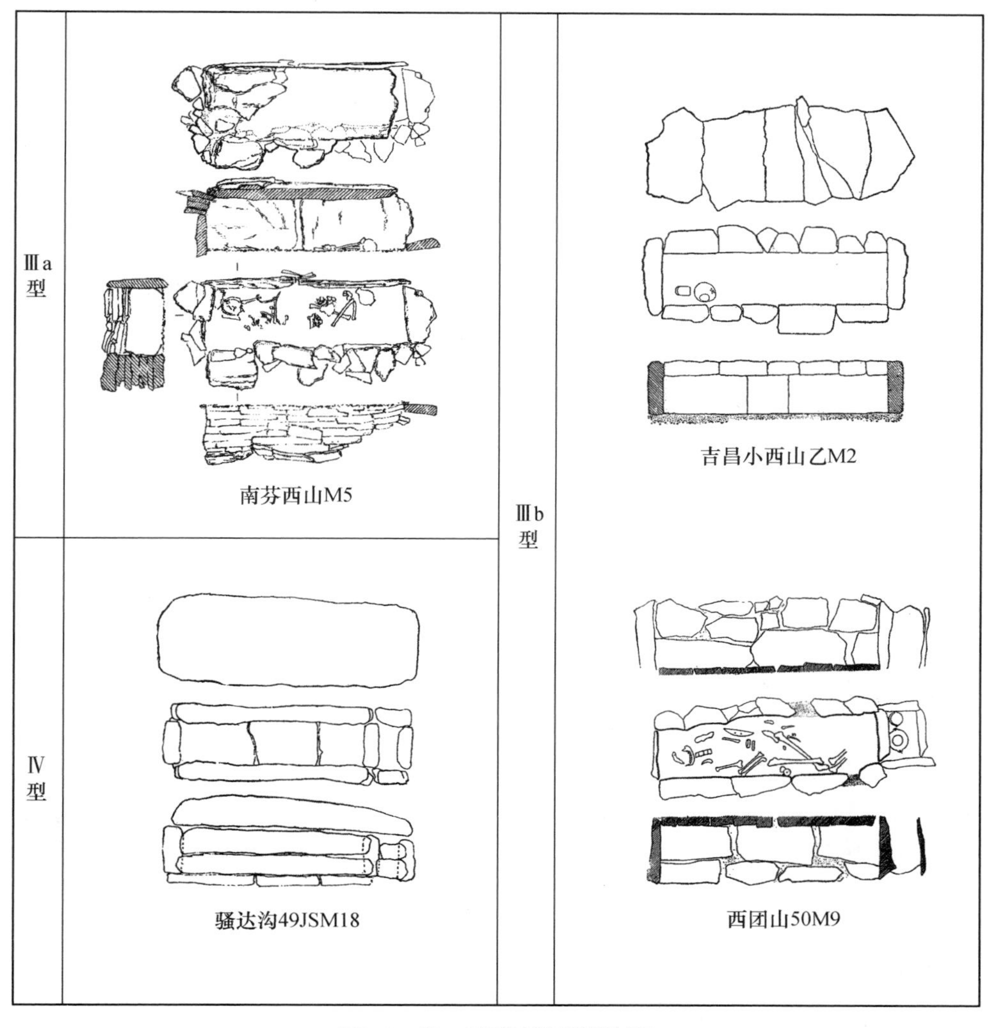

图3-4　Ⅲ、Ⅳ型石棺墓形制图

墓葬举例：南芬西山M5（无副棺）。

Ⅲb型：棺壁下部以石板立支，石板立面上部续垒块石，上覆数块板石。有的有副棺。

墓葬举例：吉昌小西山乙M2（无副棺）、西团山50M9（有副棺）。

Ⅳ型：条石或大型块石垒砌墓。棺壁以大型条石横置或大型规整块石垒砌而成，上或以整块石板覆盖。有的有副棺（图3-4）。

墓葬举例：骚达沟49JSM18（有副棺）。

3.3 石 棚 墓

3.3.1 石棚墓的分布与特征

石棚因存在于地上，由若干大石搭砌成棚，气势宏伟，很久以前就引起了人们的注意，形象地把这种富有特色的巨石建筑称之为“石棚”。古代文献《鸭江行部志》中有所记载：“石室上一石纵横可三丈，厚二尺许，端平莹滑，状如棋局。其下壁立三石，高广丈余，深亦如之，无瑕隙，亦无斧凿痕，非神功鬼巧不能为也。土人谓之石棚。”[①]“土人谓之石棚”，土人应该是指当地居民，可见“石棚”一词应为古代先民口口相传，应该比文献记载更加久远。20世纪初，在一些日本学者对辽东地区进行考古调查的过程中，一些石棚相继问世，日本学者鸟居龙藏发表《中国石棚之研究》一文，三宅俊成著《满洲考古学概说》，相继报道了辽东半岛一些石棚。20世纪五六十年代，中国学者又在辽东半岛地区发现了一系列石棚，为石棚的专题研究奠定了基础。20世纪70年代末至80年代，随着辽宁省文物普查的准备和开始，大量的石棚被发现，之后还有一些石棚经过了正式发掘，这些都为辽东地区的石棚研究补充了非常重要的新资料。石棚的发现不只局限于辽东半岛地区，在北部的抚顺、新宾、岫岩、开原地区均有发现，向北一直延伸至吉林省的通化、柳河、东丰等地。在地域上，西北朝鲜的“支石墓”的分布也与中国辽东地区的石棚分布相接壤。另外，在我国东南沿海地区也发现有石棚[②]。随着国内外石棚资料的不断充实，很多学者对石棚进行了专题研究，研究的重心在于石棚的定义、分布范围、性质、不同地区间石棚的关系、石棚的类型等问题。

---

① （金）王寂撰：《鸭江行部志》，黑龙江人民出版社，1989年。

② 杨楠：《中国东北与东南地区古代石构墓葬的比较分析》，《考古与文物》1998年5期，31、60～67页；陈元甫：《浙江石棚墓研究》，《东南文化》2003年11期，31～38页。

关于石棚的含义学界有多种界定。童恩正指出："大石墓或称石棚，其基本结构是以巨石竖立做四壁，顶部再覆以大石，构成方形或长方形墓穴。"① 徐光辉认为："石棚多修筑在丘陵台地上，壁石的大部分突出在地表之上，上覆巨大的盖石，其四边向外伸展，形成棚檐，故而才得石棚之名。"② 王嗣洲在讨论辽东半岛石棚时认为："其主要特征是均裸露于地表上，盖石与壁石多经加工，墓底皆铺有底石，一般是单个地分布在较高的丘陵或台地上。"③ 陈元甫解释浙江地区发现的石棚时认为："石棚墓，是用独块巨石盖顶、有多块立石作为墓壁支撑盖石的一种形制独特的墓葬，是巨石文化遗存的一种，其形制既像棚子，又似桌子。"④ 其中，许玉林在《辽东半岛石棚之研究》一文中讨论石棚性质时，认为石棚的性质应该属于墓葬⑤。当然，也有学者认为石棚的性质是祭坛或是原始社会氏族公共活动场所。武家昌认为："凡顶部有盖石，下部以三块壁石做支石，一面为短壁或半壁，建于地上或埋入地下一部分的这种巨石建筑方可称之为石棚。"⑥ 对于石棚性质讨论的分歧，华玉冰提出了自己的看法，他对以往学者关于石棚所做的广义和狭义的概念进行比较分析后，将石棚的内涵界定为："石棚，是中国境内以整块巨石作为顶石的一类墓葬和相关的祭祀设施的总称，主要流行于青铜时代，主要分布于中国的东北地区东南部、山东半岛东端以及浙江南部的沿海地区。"⑦

"石棚"在广义的范围内，可包含两个层次的含义，即石棚和石棚墓。从目前所发现的石棚的存在环境、形制特点和出土遗物来看，其性质可能不是很单一的，有些属于墓葬，而个别石棚似有特殊用途，故而应该把二者分开讨论。本书将具有墓葬意义的石棚称为"石棚墓"，即指以若干大型石材构筑方形空间，上以大石封盖，形成棚状露于地上以埋葬死者之用的墓葬。石棚墓具有以下特征：一是部分或全部露于地上，二是整石立支成棚，三是盖石封顶，四是棚内有埋葬死者之痕迹。对于广义石棚的研究可以包括石棚和石棚墓，而专题研究墓葬则应排除与墓葬性质不同的其他石棚。由于本书的中心议题是墓葬，所以重点探讨的

---

① 童恩正：《试论我国从东北至西南的边地半月形文化传播带》，《文物与考古论集》，文物出版社，1987年，17～43页。

② 徐光辉：《辽东石构墓葬的类型及相互关系》，《环渤海考古国际学术讨论会论文集》，知识出版社，1996年，205～210页。

③ 王嗣洲：《试论辽东半岛石棚墓与大石盖墓的关系》，《考古》1996年2期，51、73～77页。

④ 陈元甫：《浙江石棚墓研究》，《东南文化》2003年11期，31～38页。

⑤ 许玉林：《辽东半岛石棚之研究》，《北方文物》1985年3期，16～21页。

⑥ 武家昌：《辽东半岛石棚初探》，《北方文物》1994年4期，13～17页。

⑦ 华玉冰：《中国东北地区石棚研究》，吉林大学博士学位论文，2008年，164页。

是明确具有墓葬意义的石棚，也就是石棚墓。

东北东部地区的石棚数量众多，但由于石棚特殊的存在方式和结构特点，大多保存不好，目前发现的石棚可以明确界定为石棚墓者也属少数。石棚保存较为完整及随葬品可辨者主要有盖县伙家窝堡石棚墓①、新金县双房石棚墓②、瓦房店铧铜矿石棚墓③、抚顺赵家坟石棚墓④、抚顺河夹心石棚墓⑤、岫岩县太老坟石棚墓⑥、通化市东山石棚墓等⑦。

3.3.2　石棚墓的形制

就目前发表资料而言，长白山地及其延伸地带明确存有人骨及随葬品的石棚计有7处，列举如下。

3.3.2.1　盖县伙家窝堡石棚墓

1号石棚为长方形，方向300°，用加工的扁平花岗岩厚石板作为壁石、盖石和铺底石，石棚由东南西北四面壁石和铺底石构成，墓室呈长方形，两长壁石夹两短壁石。南壁石长197、高130、厚16～20厘米，北壁石长217、残高117、厚15～18厘米，东壁石宽65、高95、厚12厘米，西壁石较矮，仅高出铺底石10厘米，长67、高20～25、厚9厘米。铺底石长150、宽70、厚6厘米。盖石残长176、宽165、厚25厘米。西壁石外可能有封门石。盖石呈椭圆形，已离开顶部错位，如盖石归位压在壁石上，盖石四边应伸出壁石之外，有小棚檐。整个棚室长160、宽72、高106厘米。石棚立于地上，壁石嵌入地下20～30厘米，露出地表1米左右。随葬品均分布在铺底石上，大多在南部和东部。出土遗物有石斧、玉石

① 许玉林：《辽宁盖县伙家窝堡石棚发掘简报》，《考古》1993年9期。

② 许明纲、许玉林：《辽宁新金县双房石盖石棺墓》，《考古》1983年4期；许明纲、许玉林：《新金双房石棚和石盖石棺墓》，《辽宁文物》1980年1期；许玉林、许明纲：《新金双房石棚和石盖石棺墓》，《文物资料丛刊》1983年7期。

③ 〔日〕三上次男：《満洲コオケル支石墓，在リ方》，《考古学杂志》，38卷4号；〔日〕三宅俊成：《在満洲十六年一遺迹探査と我ガ人生の回想》，1985年。

④ 辽宁省文物考古研究所、抚顺市博物馆：《赵家坟石棚发掘简报》，《北方文物》2007年2期。

⑤ 熊增珑：《辽宁发现一处石棚墓地》，《中国文物报》2006年8月30日第2版；熊增珑：《抚顺市河夹心石棚与石板墓地》，《中国考古学年鉴（2006）》，文物出版社，2007年。

⑥ 许玉林：《辽宁省岫岩县太老坟石棚发掘简报》，《北方文物》1995年3期。

⑦ 吉林省文物考古研究所等：《通化市东山石棚墓调查清理简报》（待刊）。

凿、叠唇筒形罐、陶壶。此外，在西壁石外，还发现一些陶器碎片。室内发现几块火烧人骨。

2号石棚，方向290°，长方形，石棚已被破坏，现仅存南壁石和东壁石。南壁石长200、高76、厚15～30厘米，东壁石仅为一小块，长35、高45、厚11厘米，壁石原埋于地下20厘米，露出地表60厘米。石棚内靠近东壁石处，发现5块夹砂黑陶叠唇筒形罐陶片，在棚室上部发现有孔石刀1件，残。

3号石棚，方向东偏南35°，石棚已倒塌，现存北、南、东壁石及铺底石，西壁石和盖石不见，北壁石长180、高91、厚20厘米，南壁石长200、宽85、厚20厘米，东壁石宽57、高57、厚15～50厘米，铺底石为两块长方形石板，东石板长98、宽52、厚30厘米，西石板长95、宽54、厚30～40厘米。铺底石上发现随葬品26件，有石斧、石凿、石锛、石镞、陶罐、陶壶等。

4号石棚，东西向，现已向南倾斜倒塌，存有南北两块壁石和盖石，南壁石长220、高88、厚约20厘米，北壁石长182、高89、厚12～20厘米，盖石长215、宽135、厚38厘米。棚室内发现少量夹砂红陶和褐陶片，器形可看出叠唇罐和壶。

5号石棚，东距1～4号石棚2200多米，长方形，东西向，石棚现已倒塌，现存东、南、北壁石及铺底石，盖石已落地，西壁石不存。南壁石长185、高62、厚10厘米，北壁石长140、高78、厚23厘米，东壁石长80、高62、厚19厘米。铺底石长163、宽77、厚18厘米，盖石长190、宽130、厚约20厘米。铺底石上发现火化人骨，可辨出有颅骨、肢骨、胸骨、尺骨等残块。发现4块夹砂陶片，皆为叠唇筒形罐口沿和腹部残片。

第1、2、3、5号石棚，西壁石较矮，或为石块，可能是封门石或挡石，石棚门可能在西面。

3.3.2.2 新金县双房石棚墓

此处共有石棚6座，均被破坏，仅列举残存的第2号石棚。

双房2号石棚，残存四壁石和铺底石，墓室呈长方形，两长壁间嵌两堵石，形成“H”形。北壁石长185、高190、厚25～42厘米，南壁石残长130、高190、厚24～36厘米，东壁石残长140、高33、厚30厘米，西壁石长120、宽60、厚25厘米，铺底石长175、宽100、厚25厘米。

铺底石上出土了火烧人骨，夹砂红陶壶1、石纺轮1。

3.3.2.3 瓦房店铧铜矿石棚墓

此处石棚附近共发现4座，现均不存。1939年曾清理发掘一处。从发表的资料看，此处石棚两侧壁石少部嵌入地下，墓底无铺石，四壁首尾相援，套合成箱形，盖石为圆角方形，伸出壁石之外形成棚檐。石棚高约140厘米，盖石长约

240、宽约240、厚25厘米。

石棚内发现人骨，出土青色瘤状石棍棒头和3件陶器，其中2件陶器是叠唇筒形罐，高约20厘米；另1件是高领鼓腹壶，红褐色，素面磨光，高15厘米。

3.3.2.4　抚顺赵家坟石棚墓

石棚裸露于地表，方向248°，平面呈长方形，东西长250、南北宽180～200、高190厘米。东、南、北三面石板保存较好，西壁石残，盖石残破较重。铺底石长172、宽70、厚12～20厘米；西壁立石平面近梯形，长170、高190、厚30～80厘米；北壁石长70、高140、厚30厘米；东壁石长172、高160、厚20～40厘米；南壁石为墓门，长76、高150、厚30～46厘米。从整体看，壁石套合不甚整齐，所用石料为天然花岗岩，未经修饰。

石棚内发现人头骨残片，另出随葬器物有陶壶1、陶罐1、器底1、管饰1、配饰1、鱼形饰1、纺轮1。

3.3.2.5　抚顺河夹心石棚墓

此处石棚共4座，均建于河边台地上，多接近南北向。4座石棚从外观看，仅见巨大顶石及其周围的积石，4座石棚皆建于基岩之上，筑法相同，以花岗岩大石板作为壁石，壁石外侧堆积鹅卵石，形成丘状积石堆。石棚现多已倒塌，平面多为长方形，底铺大石板。M1铺底石长约324、宽150厘米，壁石高约105厘米。M2铺底石长约260、宽约140厘米，壁石高约112厘米。M3铺底石长约240、宽约130厘米，壁石高约84厘米。M4铺底石长约230、宽140厘米，壁石高120厘米。

M1、M2均发现人骨残迹，M1人骨已成粉末，M2发现人头骨残片，有明显的火化痕迹，各石棚内均发现陶片，其中M4出土陶片可见壶、罐、豆等器形，M2出土陶罐1件、小铜铎1件、石纺轮2件、石饰4件，此外，在M2墓外积石中出土铁镬。

3.3.2.6　岫岩县太老坟石棚墓

此石棚位于石棚群及遗址区域内，已遭破坏，盖石不存。石棚结构为长方形，南北向，东壁石长240、高90、厚15～21厘米，西壁石长205、高70、厚22～25厘米，壁石深入铺底石以下，尚有50厘米深，北壁石长210、宽130、厚27厘米，南壁石长75、高95、厚17厘米。南壁石直立靠在西壁上，并伸出西壁石10厘米左右，可能是封门石。铺底石长200、宽85～120、厚35厘米。整个棚室长220、宽130、高90厘米。

室内填土中发现夹砂红陶、红褐陶、黑陶陶片，器形可见折沿罐、叠唇筒形罐、小口直领壶等，发现梳齿纹陶片1件，并发现石灰岩弧背单面直刃残石刀1件。石棚近底部发现四段肢骨及一些火化碎骨。

3.3.2.7 通化东山石棚墓

位于吉林省通化市区新站广场东面的山梁上，现已倾斜倒塌，但未有被盗迹象。石棚坐北朝南，东、西壁立壁石，南、北壁立堵石，墓底铺石，巨大盖石封顶。盖石长230、宽195、厚30～45厘米，东壁石长230、高130、厚40厘米，北立堵石高130、宽74、厚16厘米，南立堵石残高72、宽74、厚15厘米。墓底铺板石13块，南北长200、东西宽74厘米，人骨及随葬品均出于此上。

石棚内部所葬人骨较为零乱，可见火葬和未火葬之人骨，另出人牙齿26颗，数颗较小，未发现完整头骨及脊椎骨和肋骨。由人骨和牙齿可见，此石棚当为多人二次葬。墓内出土随葬品9件，陶壶、罐、碗各1件，绿松石饰件5件，青铜管1件。

根据墓葬结构特征的不同，以上石棚墓可以分四型（图3-5）。

Ⅰ型：墓室正方形，巴式结构，四壁大石规整，首尾相接，咬合紧密。墓底无铺石，大型圆角正方形盖石，大棚檐。

墓葬举例：瓦房店铧铜矿石棚墓。

Ⅱ型：墓室长方形，“H”形结构，壁石嵌入地下少许，两长壁间嵌两堵石构成墓室，墓底铺石，盖石与长壁石长度相若，略大于长壁石。堵石不及壁石高，与盖石之间留有空间，其中一侧壁石较另一侧更矮，也称“封门石”。石棚整体形状较为规整，壁石经人工雕琢。

墓葬举例：盖县伙家窝堡石棚墓M1。新金双房石棚墓M2亦属此型。

Ⅲ型：两壁大石板竖立，堵石立于壁石两端外缘，形成“]C”形，墓室呈长方形，底铺大石板，上覆大石板，两端堵石略矮，一侧堵石为墓门。壁石未经修整，厚薄不均，四壁套合不整齐，大石用料不足者以小石补齐。壁石嵌入地表少许，嵌入处以小石填封固定。

墓葬举例：抚顺赵家坟石棚墓。

Ⅳ型：建于基岩之上，外观见巨大顶石及其周围的积石。石棚以大石板作为壁石，平面呈长方形，底铺大石板，壁石外侧堆积鹅卵石，形成丘状积石堆。

墓葬举例：抚顺河夹心石棚墓[①]。

---

① 石棚墓图引自华玉冰：《中国东北地区石棚研究》，吉林大学博士学位论文，2008年，50页。

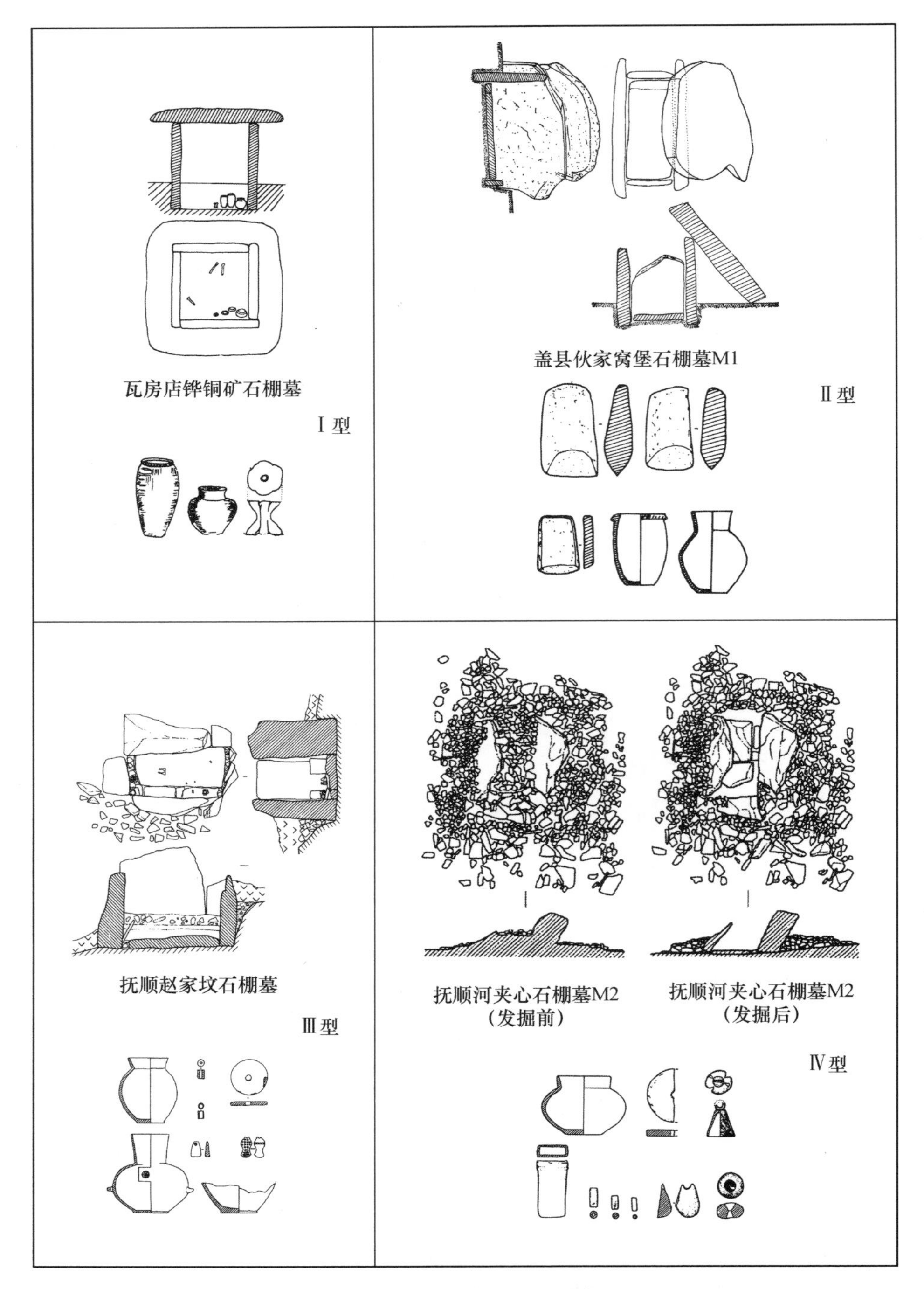

图3-5　石棚墓形制及出土遗物图

3.4 积 石 墓

3.4.1 积石墓的分布与特征

辽宁牛河梁红山文化积石冢群① 应是东北地区发现的年代最早的积石冢。虽然它位于辽西地区，但是与辽东地区发现的积石墓却有很大的相似点。共同点之一就是“积石墓是一种地表墓葬型式，其墓底都在所选地点的表土之上”②，这一点是基本能被学术界所认同的。王嗣洲将史前时期辽东半岛的积石墓葬称为积石冢，“是用石块构筑并封顶的多室墓”，“因为冢内分布着排列有序的多个墓室，倘若称积石墓，易混淆于一般个体的单室墓葬”③。华玉冰认为：“积石墓是指单体的积石墓葬，而积石冢是指由多个单体积石墓或其他类型墓葬组合成整体的一种类型。”④

在中国东北地区，积石墓的存在时间很长，从新石器时代红山文化的积石冢到高句丽时期的大型单室积石墓，都可称之为广泛含义的积石墓。在东北东部地区，燕文化到来之前青铜时代的积石墓与后来的高句丽积石墓应该存在某种渊源关系，但却具有自身的鲜明特征和演变过程。本书旨在总结青铜时代积石墓的主要特征和内涵，故所述积石墓是狭义上的高句丽积石墓以前的积石墓葬。

东北东部地区青铜时代的积石墓主要分布在辽东半岛南端大连、旅顺一带，经常分布于各个山脊上或砣地土岗上，目前发现的有几百座以上。经正式发掘的主要有旅顺口区老铁山、将军山（1973年）、刁家村北山⑤、大连市营城子四平山⑥、旅顺口区铁山镇于家村砣头积石⑦、旅顺口区将军山（1964年）、大连市

---

① 辽宁省文物考古研究所：《辽宁牛河梁红山文化“女神庙”与积石冢群发掘简报》，《文物》1986年8期，1～16页。

② 徐光辉：《辽东石构墓葬的类型及相互关系》，《环渤海考古国际学术讨论会论文集》，知识出版社，1996年，205～210页。

③ 王嗣洲：《辽东半岛积石冢研究》，《旅顺博物馆馆刊》2006年创刊号，23～35页。

④ 华玉冰：《中国东北地区石棚研究》，吉林大学博士学位论文，2008年。

⑤ 旅大市文物管理组：《旅顺老铁山积石墓》，《考古》1978年2期，80～85、118页。

⑥ 〔日〕澄田正一、秋山进午、冈村秀典：《1941年四平山积石墓的调查》，《考古学文化论集（四）》，文物出版社，1997年，38～48页。

⑦ 旅顺博物馆、辽宁省博物馆：《大连于家村砣头积石墓地》，《文物》1983年9期，39～50页。

甘井子区后牧城驿岗上、楼上、金县董家沟乡卧龙泉①、大连市金州区七顶山乡土龙②、大连市金州区大魏家镇王宝山③ 等地点的部分积石墓葬。

3.4.2　积石墓的形制

许明纲在《大连古代石筑墓葬研究》④ 一文中对于大连地区的积石墓做过形制研究和年代讨论。文中将大连地区的积石墓划分为四种类型：第一种以将军山和老铁山为代表，年代在距今4000～3000年；第二种以于家村砣头积石墓地为代表，年代在距今3000年左右，相当于商周时期；第三种以城山积石墓⑤为代表，年代距今3000年或稍晚；第四种以岗上墓地为代表，年代大约在春秋—战国末年。

徐光辉在《辽东石构墓葬的类型及相互关系》⑥ 一文中对辽东地区的积石墓有所论及。文中将辽东地区的积石墓分为A、B、C、D四型，A型积石墓面积大，内设多个墓室，其上填满碎石，如将军山、老铁山、四平山、于家砣头、岗上、楼上、卧龙泉等均属此型。B型可统称圆丘形积石墓，内设1～2室，凤城胡家堡M1、M2⑦ 和桓仁高力墓子12号墓属之。C型则出现若干类似方坛的阶台，以桓仁高力墓子23号墓为代表。D型特点在于长方形阶台和半圆丘呈南北连筑状，以桓仁高力墓子19号墓为代表⑧。对于A型墓葬，文章认为其延续年代应在距今4000年的新石器时代晚期至战国晚期。A型墓葬出现时间最早，其主要分布在旅大地区南部，以后逐渐向山区腹地传播，最终给高句丽积石墓的形成和发展

---

① 中国社会科学院考古研究所：《双砣子与岗上——辽东史前文化的发现和研究》，科学出版社，1996年。

② 华玉冰等：《辽宁大连市土龙积石墓地1号积石冢》，《考古》1996年3期，4～7页；吴青云：《大连土龙积石冢》，《大连文物》总第二十八期，2008年，39～45页；吴青云：《辽宁大连市土龙子青铜时代积石冢群的发掘》，《考古》2008年9期，3～10页。

③ 王冰、万庆：《辽宁大连市王宝山积石墓试掘简报》，《考古》1996年3期，1～3页。

④ 许明纲：《大连古代石筑墓葬研究》，《博物馆研究》1990年2期，62～73页。

⑤ 许明纲：《大连古代石筑墓葬研究》，《博物馆研究》1990年2期，62～73页。

⑥ 徐光辉：《辽东石构墓葬的类型及相互关系》，《环渤海考古国际学术讨论会论文集》，知识出版社，1996年，205～210页。

⑦ 许玉林、任鸿魁：《辽宁凤城胡家堡、孟家积石墓发掘简报》，《博物馆研究》1991年2期，74～81页。

⑧ 陈大为：《桓仁县考古调查发掘简报》，《考古》1960年1期，5～10页；陈大为：《试论桓仁高句丽积石墓的类型、年代及其演变》，《辽宁省考古、博物馆学会成立大会会刊》，1981年。

带来深远的影响。

许玉林在《辽东半岛石棚》① 一书中将辽东半岛的积石墓划分为辽东和辽南两个区域。将辽南地区的积石墓划分为三种类型，分别为老铁山类型，包括老铁山、四平山等；于家砣头类型，包括于家砣头墓地；岗上类型，包括岗上、楼上、卧龙泉墓地。并且总结了辽南地区积石墓的发展演变过程：从墓地在高山顶部，向高地、台地、坨子，向平地和地下发展；从墓地为并排相连的多室墓，向墓地内墓室分散，最后形成独立的单个墓室发展。

王嗣洲在《辽东半岛积石冢研究》② 一文中将辽东地区青铜时代的积石墓划分为A、B、C、D、E、F、G七型，分别以将军山73M1、将军山64M1、土龙M1、于家村砣头积石冢、王宝山积石冢、城山积石冢、岗上和楼上积石冢为代表。文中阐述了各型积石冢之间的年代早晚关系，从双砣子一期文化到西周晚至春秋中晚期年代依次渐晚，各型墓葬之间未见并行发展之态势。其演变特征是从积石冢群分化出独立的单一冢的多室墓地，出现了比较明显的中心墓，体现出主从关系和等级差别。

本书探讨的是经详细报道的积石墓，对于一些笼统介绍的积石墓仅做参考。根据墓葬的结构、筑造方式及布局特点将辽东地区青铜时代的积石墓划分四型。

Ⅰ型：分布于连绵的山脊或土岗上，就山形地势稍加修整，形成若干并列相邻的积石冢。冢内墓室数量不多，各墓室单排并列分布，排列整齐。墓室以块石垒砌长方形墓壁，墓壁多倾塌，残存较高者约1米以上，上以自然山石封盖。属于此型的积石墓有将军山73M1、老铁山M5、刁家村北山M2、四平山M35③、土龙1号冢等。可以分2式（图3-6）。

1式：分布于山脊之上，单排一次筑成。墓壁不甚规整，相邻墓室墓壁紧密相连，墓底均匀铺垫自然石块。墓内少有发现人骨，亦未发现火葬及多人合葬的现象。

墓葬举例：将军山73M1。

2式：分布于土岗之上，单排多次筑成。墓壁垒砌规整，首次筑成的墓室外壁有相对整齐的墙面，二次筑成者在墙面之外接筑墓室，余者如法依次筑成，个别墓底叠压石板。墓内见人骨碎片及残段，同一墓室葬有数人，为多人二次葬。

墓葬举例：土龙4号冢。

---

① 辽宁省文物考古研究所：《辽东半岛石棚》，辽宁科学技术出版社，1994年。

② 王嗣洲：《辽东半岛积石冢研究》，《旅顺博物馆馆刊》2006年创刊号，23～35页。

③ 四平山积石墓的器物图出自郭大顺、马沙：《以辽河流域为中心的新石器文化》，《考古学报》1985年4期。

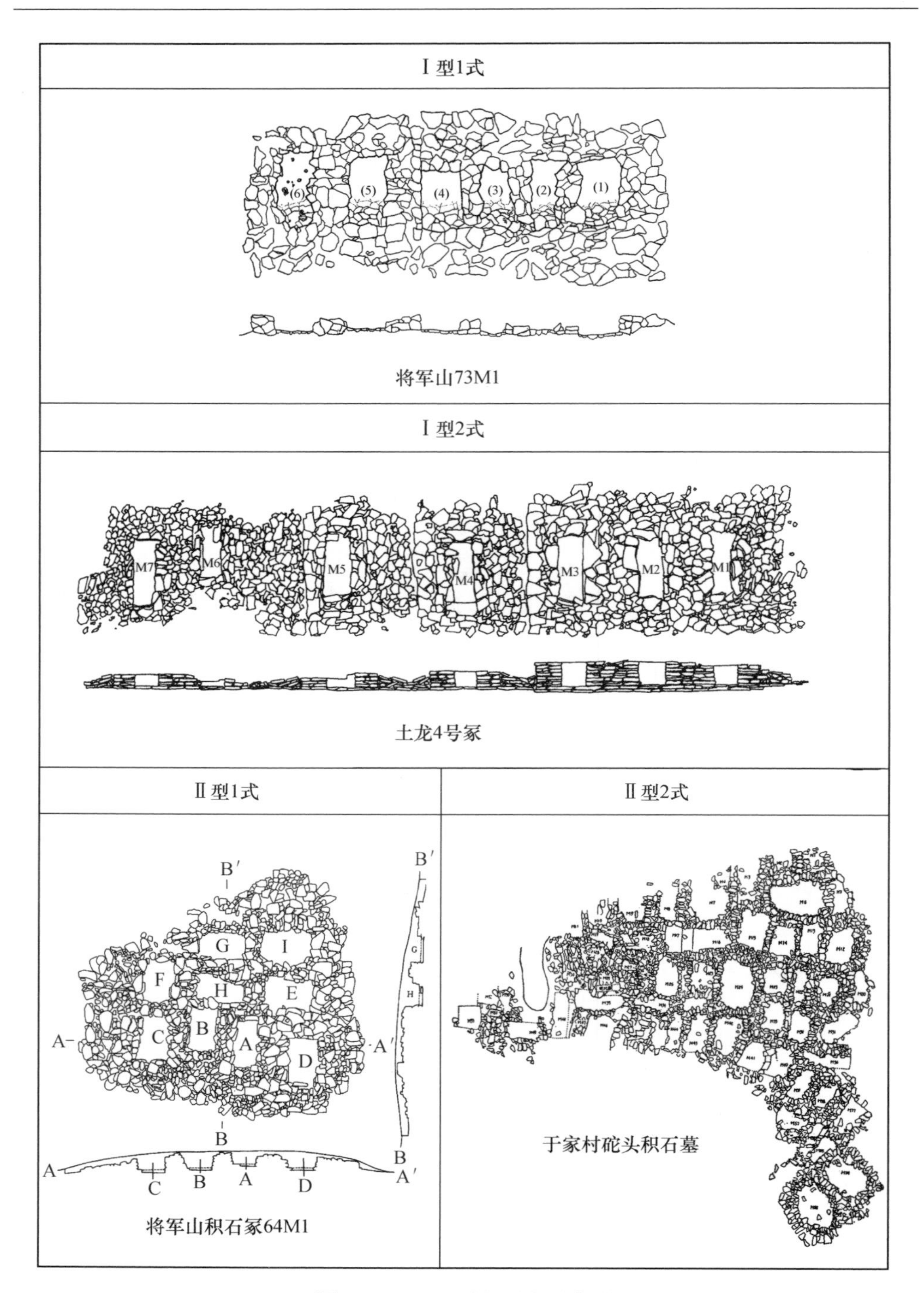

图3-6　Ⅰ、Ⅱ型积石墓型式图

Ⅱ型：分布于山脊或砣地上，就地形而建形成墓地，墓地整体形状不规则。建筑时用大小石块垒砌墓室，上以积石封顶，有的以块石作为标记。各墓室连成一片，大致分成数排。属于此型的积石墓有将军山积石冢64M1、64M6，老铁山M3，于家村砣头墓地等。可以分2式（图3-6）。

1式：位于山脊之上，平面近三角形，规模较小，与单排一次筑成的积石冢成群分布。墓室多排，大小相若，紧密相连，方向南北、东西不同，但排列整齐。部分墓室底部可见石块，墓内人骨罕有保存。

墓葬举例：将军山积石冢64M1。

2式：位于低矮的砣地之上，平面近三角形，墓室众多，连接紧凑，少数墓葬之间存在打破关系。墓底铺石块，墓室内人骨多人火葬，也有少数二次葬，其埋葬方式应是按个体死后分次埋入，葬式多为仰身直肢葬。

墓葬举例：于家村砣头积石墓。

Ⅲ型：分布于山脊或土岗之上，长方形墓室，多次筑成，每次数排，每排数座。首次筑成后墓壁一侧筑规整石墙，二次以石墙为壁接筑，形成“片接式”的构造特点。可以分2式（图3-7）。

1式：分布于山脊之上，平面呈长方形，每排墓室连接紧密，排列整齐有序。墓内少有发现人骨，亦未发现火葬及多人合葬的现象。

墓葬举例：老铁山M4。

2式：分布于土岗之上，平面近半圆形，首次筑一排墓室，一侧垒砌规整石墙，余者据山势依石墙接筑数排，方向大致相同，部分墓室共用墓壁。墓底多铺石块或石板，墓内人骨为多人火葬或二次葬。

墓葬举例：土龙1号冢。

Ⅳ型：分布于相对独立的低矮土丘之上，大致呈圆角方形，墓区形状较为规整，以大墓为中心，向四周建放射状石墙，石墙之间建造小墓，墓区边缘筑石围墙，墓底多铺砾石，上以黑土砾石封盖。墓区内规划有序，各墓葬相对独立，并保留一定距离。墓室内人骨多为火葬，多人合葬。属于此型墓葬的有岗上积石墓地、楼上积石墓地等（图3-7）。可以分2式。

1式：平面呈圆角方形，主体部分中心为一座规模最大的石板底墓，周围分布规格不等墓室，分为若干区域，边缘以石墙围砌。墓葬绝大多数为火葬，由数人甚至十余人叠压在一起焚烧，每座墓室葬入人数不同。

墓葬举例：岗上积石墓。

2式：在土丘上修建圆角方形平台，中间建两座中心大墓，均为石椁墓，另有中小型板石底墓、砾石底墓，台下筑一周石围墙。

墓葬举例：楼上积石墓。

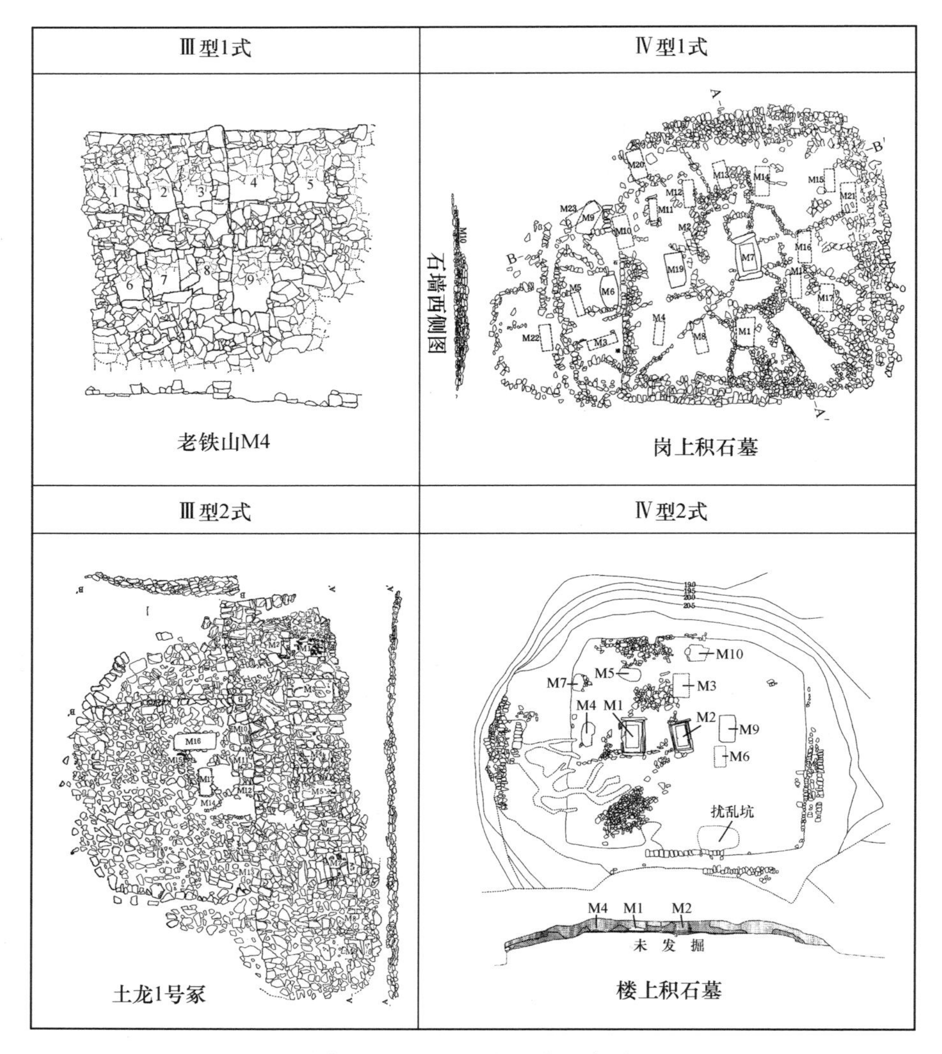

图3-7　Ⅲ、Ⅳ型积石墓型式图

3.5　大石盖墓

3.5.1　大石盖墓的分布与特征

在中国东北东部地区，随着石棚的不断发现，大石盖墓也陆续被发现。到目前为止，大石盖墓的发现不算少数，但是多数大石盖墓受到很大破坏，保存不甚完好，因而对大石盖墓的发掘报告及介绍性资料很少对其进行详细、完整的报道。关于大石盖墓的专题性研究不多，在相关的研究文章中，对大石盖墓内涵的界定也存在不同的观点。许明纲认为大石盖墓的普遍特征应该是“墓室在地下，上面盖一个大于墓室的盖石，石盖一般不加工，盖石都露在地表面”①。他把大连地区的大石盖墓分为两种类型，并举例说明，但并没有对墓室内的特征做出总结。徐光辉指出“大石盖墓和石棺墓往往深入地下，……而前者的盖石通常为一整块巨石，且与周围的地面大致保持同一个平面”，同样以举例说明的方式划分了大石盖墓的具体类型②。许玉林在论述辽东地区大石盖墓时做出总结：“辽东半岛大石盖墓是用规则或不规则的大石盖放在地上，下面盖有土圹、积石、石板、石棺等不同形制的墓室。”他大致概括了大石盖墓的几种类型，但是未明述大石盖墓的突出特点③。王嗣洲则否定了大石盖墓为地下筑构墓葬形式的观点。他认为：“从形制上的总体特征而论，石棚墓与大石盖墓都是裸露于地表的一种地上墓葬形制，属于同一种类型的巨石墓葬，所不同的是墓室距地表的深与浅，结构精致与粗陋。”他虽然没有明确地对大石盖墓的定义进行界定，但是文中隐含了大石盖墓的主要特征，即大石盖墓是一种裸露于地表较浅的巨石墓葬④。华玉冰则称之为“盖石墓”，“将墓室建于地下，以整块巨石为顶石，顶石置于原地表之上者界定为盖石墓”⑤。此种解释对于大石盖墓的总结较为全面，故文中亦采用此种界定方式，为了强调此类墓葬的突出特点，仍称之为“大石盖墓”。大石盖墓的特征要素有如下几点：一是墓穴置于地下，二是大石封盖，三是无封土，四是墓壁土石结构的主要用途为支撑顶石而非盛纳人骨。有学者认为大石盖墓有一种类型为墓上封土⑥，此种说法还有待商榷，目前还没有明确报道称大石盖墓上有封土，所谓大石盖墓封土的情况很有可能是因为长期以来地层自然积累的结果。目前的材料显示，大石盖墓多为多人二次葬，可见其应该裸露于地表，且无封土，可反复掀开石盖，多次放入人骨。

东北东部地区青铜时代的大石盖墓形制多样，不同地区的大石盖墓差异很大，墓葬形制和随葬品均体现出迥异的风格。主要发现于以下地点：凤城东

① 许明纲：《大连古代石筑墓葬研究》，《博物馆研究》1990年2期，14、62~73页。

② 徐光辉：《辽东石构墓葬的类型及相互关系》，《环渤海考古国际学术讨论会论文集》，知识出版社，1996年，205~210页。

③ 辽宁省文物考古研究所：《辽东半岛石棚》，辽宁科学技术出版社，1994年，97页。

④ 王嗣洲：《试论辽东半岛石棚墓与大石盖墓的关系》，《考古》1996年2期，51、73~77页。

⑤ 华玉冰：《中国东北地区石棚研究》，吉林大学博士学位论文，2008年，164页。

⑥ 张志立、陈国庆：《东北地区石质葬具综述》，《中国考古学会第六次年会论集》，文物出版社，1990年，83~88页。

山[①]、西山[②]，新金碧流河[③]，桦甸西荒山屯[④]，东丰大阳镇宝山赵秋沟、东山、林场、大阳遗址等[⑤]。

3.5.2　大石盖墓的形制

根据大石盖墓的构建方式和埋葬方式，可将上述大石盖墓分四型。

Ⅰ型：土坑竖穴，浅穴，上盖大石。不见完整人骨，墓内常见木炭。可以分二亚型。

Ⅰa型：长方形土坑，坑口或垫小石块，上盖一或两块盖石（图3-8）。

墓葬举例：凤城东山M6。

Ⅰb型：长方形土坑，部分墓壁块石垒砌，用以加固，整块大石封盖，有的有耳室。

墓葬举例：凤城东山M3。

Ⅱ型：长方形土坑，一侧修建生土二层台，二层台上有小石箱，整块大石封盖，未见完整人骨（图3-8）。

墓葬举例：新金碧流河M24。

Ⅲ型：岩圹竖穴，深穴。墓壁斜直，墓底凿成平面，墓室一端有墓道，窄于墓室，顶部花岗岩石板封盖（图3-8）。

墓葬举例：桦甸西荒山屯M3。

Ⅳ型：长方形竖穴，深穴，一或两块大石封盖。多人火葬，各部骨骼分区堆放。可以分四亚型（图3-9）。

Ⅳa型：土坑或于自然山石中挖穴，边缘和底部为原生土石，墓内填土石，一大石封盖，有的墓口边缘垒砌几层石块，有的墓底边缘有一周长方形木框，经火烧。

---

① 许玉林、崔玉宽：《凤城东山大石盖墓发掘简报》，《辽海文物学刊》1990年2期，1～11页；崔玉宽：《凤城东山、西山大石盖墓1992年发掘简报》，《辽海文物学刊》1997年2期，30～35页。

② 崔玉宽：《凤城东山、西山大石盖墓1992年发掘简报》，《辽海文物学刊》1997年2期，30～35页。

③ 旅顺博物馆：《辽宁大连新金县碧流河大石盖墓》，《考古》1984年8期，708～714页。

④ 吉林省文物工作队、吉林市博物馆：《吉林桦甸西荒山屯青铜短剑墓》，《东北考古与历史（第1辑）》，文物出版社，1982年，141～152页。

⑤ 金旭东：《1987年吉林东丰南部盖石墓调查与清理》，《辽海文物学刊》1991年2期，12～22页。

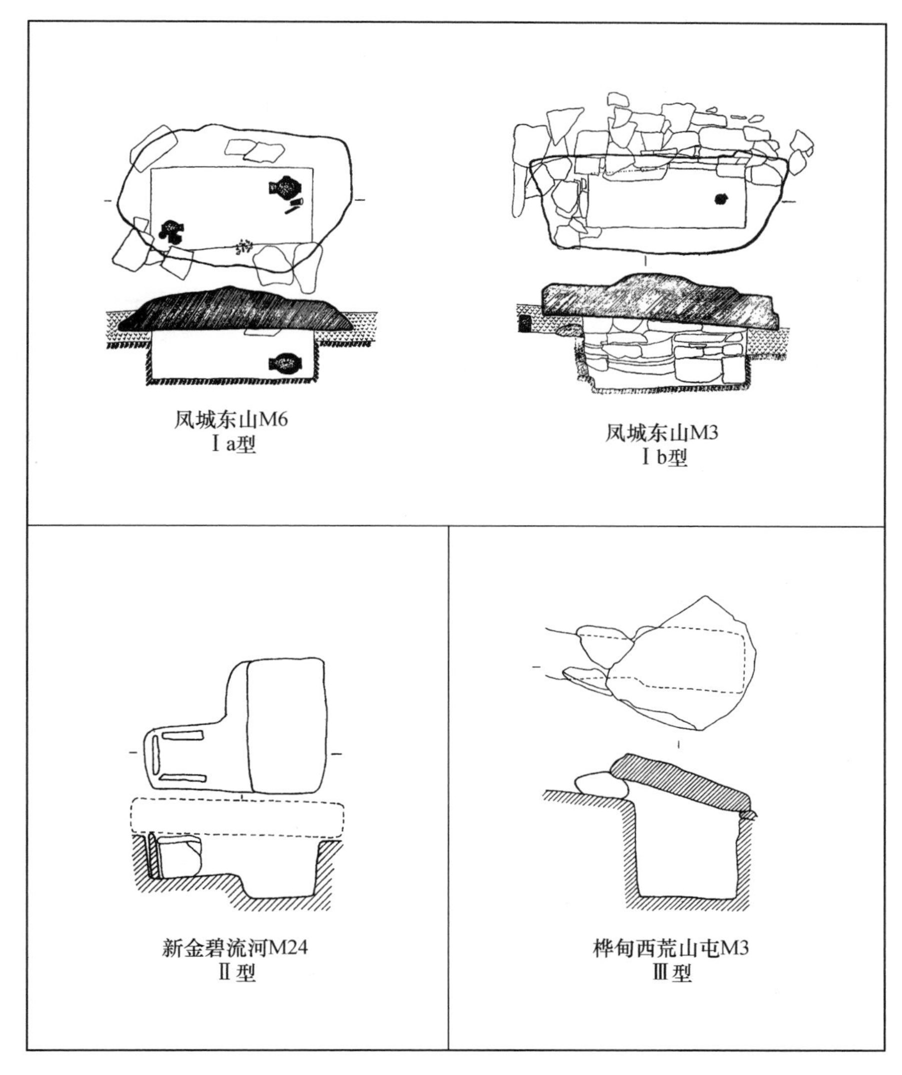

图3-8 Ⅰ、Ⅱ、Ⅲ型大石盖墓形制图

墓葬举例：东丰赵秋沟M1。

Ⅳb型：土坑，四壁立板石，墓底和墓壁均为生土，墓内填土，一大石封盖。墓内底部边缘有木框，经火烧。

墓葬举例：东丰赵秋沟M2。

Ⅳc型：自然山石穴，墓底为坚硬黄沙，墓底边缘有一周长方形木框，经火

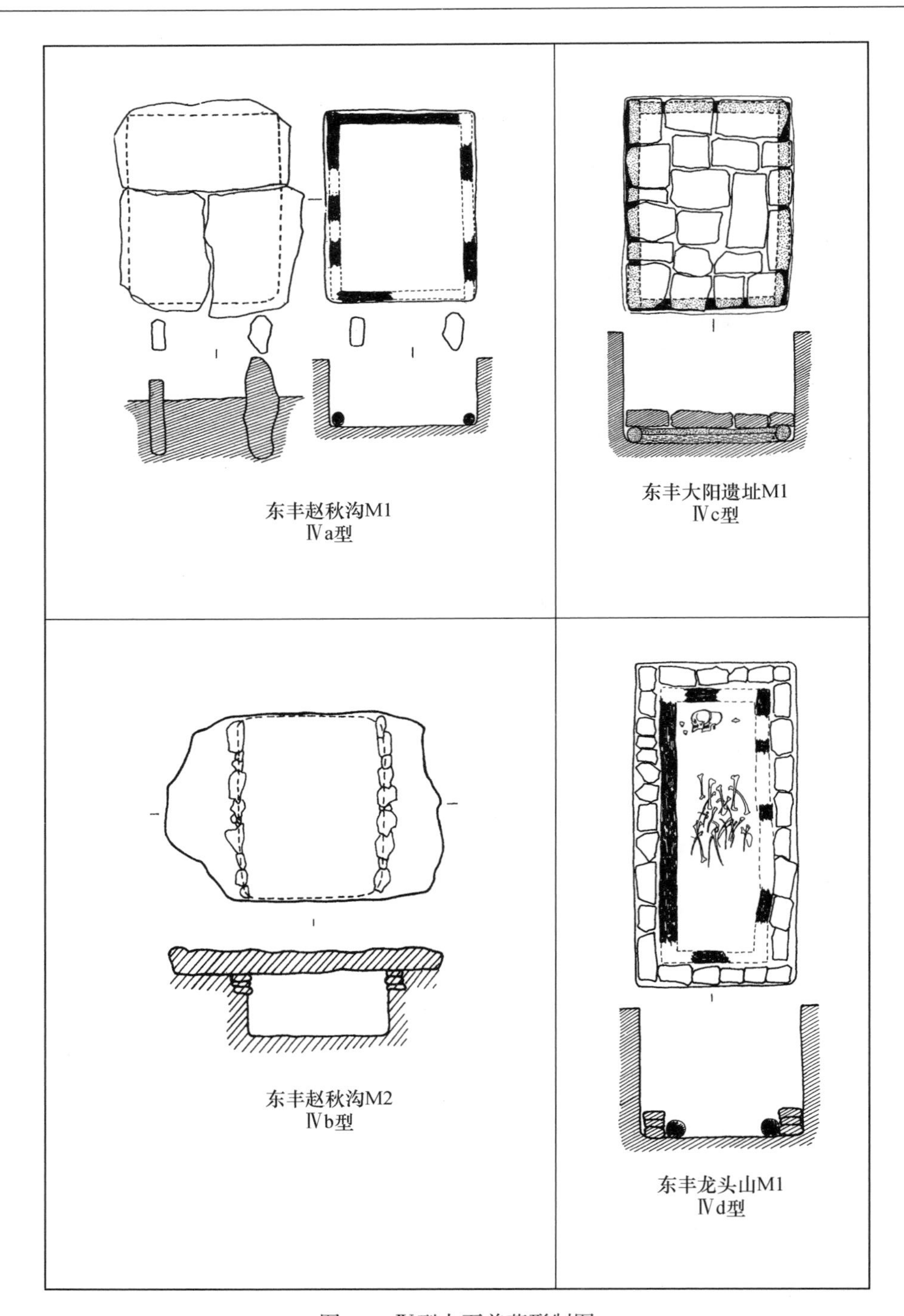

图3-9　Ⅳ型大石盖墓形制图

烧，人骨上部平铺一层规整板石块，墓内填碎石。

墓葬举例：东丰大阳遗址M1。

Ⅳd型：土坑，墓底有不规则石块围成石椁，椁内壁有圆木条残段，有火烧痕迹。

墓葬举例：东丰龙头山M1[①]。

3.6 封 石 墓

3.6.1 封石墓的分布与特征

长白山右翼图们江流域青铜时代流行一种以小型石材填封墓穴的“封石墓”。一般在地表向下挖一个近长方形土坑或构筑矮层石圹，或以墓底铺碎石，入葬后用大小不等的河卵石或自然山石封盖，封石略高于墓口，故称之为“封石墓”。封石墓的特点鲜明，以墓地的形式出现，墓地多选择在山坡上，墓葬沿山势走向排列有序，部分墓葬排列较为密集，形成叠压打破之势。就目前发现材料来看，此类封石墓多被破坏，山坡的水土流失和封石的不稳定结构是造成这种封石墓保存不佳的主要原因。保存尚好的墓顶封石上部堆积很薄，可能为当时浅埋封石之土，亦可能为后期自然形成的次生堆积，目前尚无定论。还有的墓地由于受破坏严重，仅存低浅的墓穴，顶部已不清楚，但从其墓坑底部、口部及随葬品的特征来看，似属于此类封石墓。封石墓内的葬式有单人仰身直肢葬和多人二次迁葬，部分墓葬人骨经过焚烧。封石墓与积石墓在某些方面有相似之处，比如二者都以石封墓，且墓葬集中分布，均出现火葬和二次葬的现象。而二者的相异之处则更加鲜明，封石墓是向下挖穴或平地筑石圹，葬入人骨，封石填埋，部分墓葬紧密连接，多数墓葬保持相对独立，排列有序，规格相近；积石墓是原地起建墓室，各墓间距紧密甚至互借墓壁，且一般墓葬位置和规格有主次之分，墓地讲究布局。此种封石墓为图们江流域青铜时代特有的墓葬形式。

目前明确发现封石墓的地点有汪清金城墓地[②]、珲春新兴洞墓地[③]、图们石

---

① 原报告将此图标注为驼腰村M1，但根据图示及墓葬描述分析，此图应为龙头山M1。

② 吉林省文物考古研究所：《吉林汪清金城古墓葬发掘简报》，《考古》1986年2期，125～131页。

③ 吉林省文物考古研究所、延边朝鲜族自治州文物管理委员会、延边朝鲜族自治州博物馆：《吉林珲春新兴洞墓地发掘报告》，《北方文物》1992年1期，3～9页。

岘墓地[①]、延吉新龙墓地[②]。另外，汪清百草沟新华间北山的墓群[③]位于北山山坡的中下部，风化的花岗岩堆积中，当地称为“石塘”。由于山洪冲击，石塘中的石块下塌致使所有墓葬都遭破坏，但就墓葬残迹来看，墓葬排列有序，部分墓葬由石块垒砌，墓底以碎石平铺，且墓地本就位于石塘之中，推测其封盖之物很可能来自石塘，就近取石，且该墓群所出遗物同上述几处墓地几无区别，故将其墓葬类型划分为封石墓，一并讨论。

3.6.2　封石墓的形制

以上5处墓葬址均发现有封石墓，但在墓葬形制上并不完全相同。不同的墓地墓葬形制存在区别，同一墓地内的墓葬形制亦不完全一致。根据墓葬构成方式不同，可以分三型（图3-10）。

Ⅰ型：土坑封石墓。在山坡地表挖长方形墓坑，墓口略大于墓底，有的墓底铺碎石。墓坑深浅依坡度陡缓而深浅不一；同一墓坑四壁高度亦受坡度影响而不完全一致。

墓葬举例：珲春新兴洞M16。

Ⅱ型：石圹封石墓。用石块垒砌墓圹，以山石填封。可以分二亚型。

Ⅱa型：从地表用石块向上垒砌长方形浅墓圹。

墓葬举例：珲春迎花南山M1。

Ⅱb型：用石块垒砌三壁墓圹，另一壁利用铲挖后的山坡为圹，墓底用碎石铺平，墓圹较深。

墓葬举例：延吉新龙M1。

Ⅲ型：土石结合封石墓。从地表向下挖土坑竖穴，在墓圹一侧或两端摆砌块石，余处保持土圹。可以分二亚型。

Ⅲa型：在坡下方一侧用块石垒砌，以加固墓壁。

墓葬举例：珲春新兴洞M11。

Ⅲb型：在土圹首尾两端摆放块石，用以加固或标记墓葬。

墓葬举例：珲春新兴洞M29。

---

① 侯莉闽、朴润武：《吉林省图们石岘原始社会墓地的调查与清理》，《博物馆研究》1995年2期，54～65页。

② 侯莉闽：《吉林延边新龙青铜墓葬及对该遗存的认识》，《北方文物》1994年3期，2～14页。

③ 王亚洲：《吉林汪清县百草沟古墓葬发掘》，《考古》1961年8期，423、424页；《吉林省文物志》编委会：《汪清县文物志》（内部资料），1984年，26～33页。

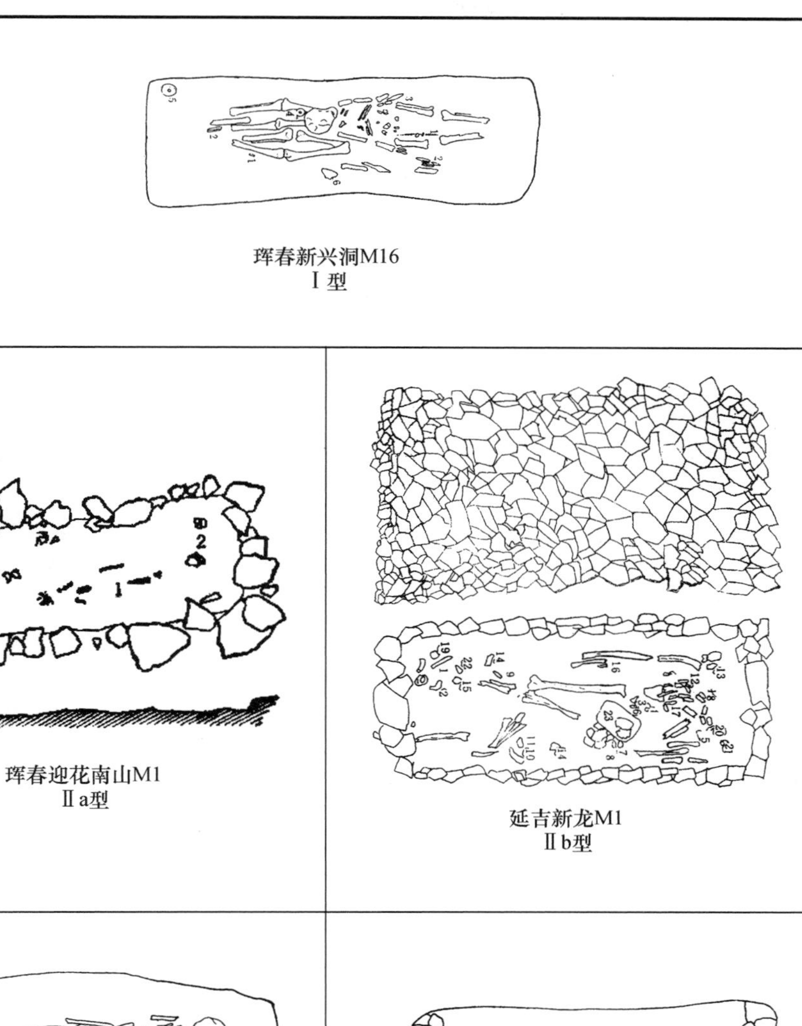

珲春新兴洞M16
Ⅰ型

珲春迎花南山M1
Ⅱa型

延吉新龙M1
Ⅱb型

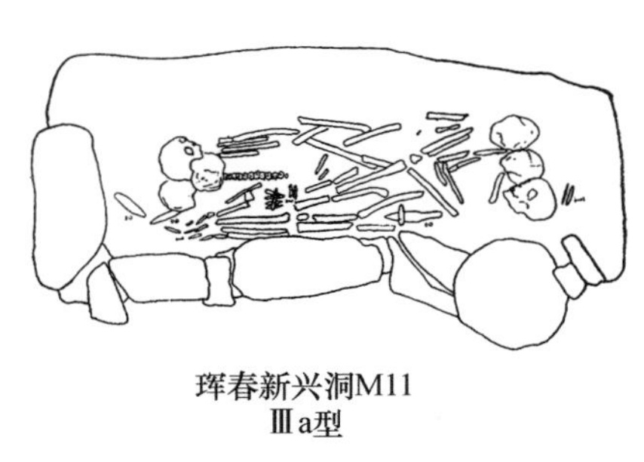

珲春新兴洞M11
Ⅲa型

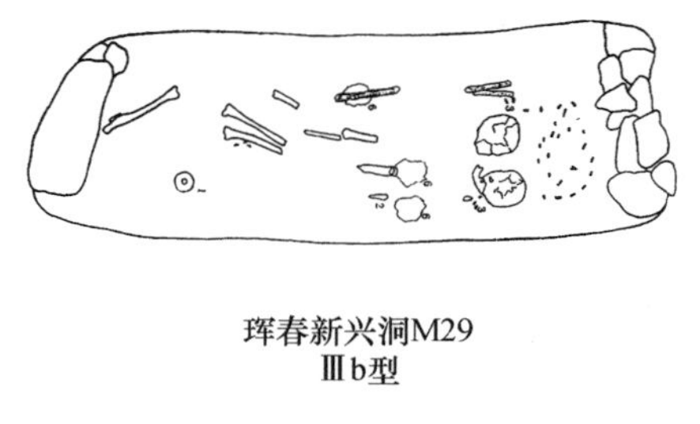

珲春新兴洞M29
Ⅲb型

图3-10 封石墓形制图

3.7　土　坑　墓

3.7.1　土坑墓的分布与特征

土坑墓的出现有着悠久的历史，主要分布于中原和西北的大部分地区，也是自新石器时代起延续时间最长的一种墓葬形式。土坑墓的构造方式是平地向下挖出墓穴，埋入尸体后用土填平或堆封土堆，不同时期各地的土坑墓存在一定区别。东北地区青铜时代的土坑墓在辽西平原和松嫩平原广泛存在，概是受到中原和西部地区影响而形成。在东北东部地区的长白山地及其延伸地带，土坑墓也有发现，但却始终没有成为主流，其共同特点就是墓葬造型简单，平地向下挖穴，墓内填土，无封土堆，墓底无铺石，随葬品亦不丰富。墓葬形制有类中原的典型土坑墓，也有一些充满了地方特色。这些土坑墓存在多种葬式，有单人一次葬，也有多人二次葬，个别墓葬还有火葬痕迹；各地的土坑墓随葬品的面貌也大相径庭，显然是属于不同的文化属性。

该地区的土坑墓没有集中分布的区域，而是零星散布在各个区域，甚至夹杂在石棺墓群之中。经发掘的土坑墓主要有普兰店单砣子M1、M2①，长海上马石M1～M10②，沈阳郑家洼子M1、M2③、M659④，辽阳亮甲山M1～M3、M5～M7（深穴）⑤，抚顺市塔峪乡土坑墓⑥，本溪市南芬火车站A地点土坑墓⑦，永吉东梁岗04ⅡM3⑧，吉林市猴石山79西M83、80东M3⑨，延吉金谷M1～M5、M7、

① 〔日〕滨田耕作：《貔子窝》，《东方考古学丛刊（第一册）》，1929年。

② 旅顺博物馆、辽宁省博物馆：《辽宁长海县上马石青铜时代墓葬》，《考古》1982年6期，591～596页。

③ 中国社会科学院考古研究所东北工作队：《沈阳肇工街和郑家洼子遗址的发掘》，《考古》1989年10期，885～892页。

④ 沈阳故宫博物馆、沈阳市文物管理办公室：《沈阳郑家洼子的两座青铜时代墓葬》，《考古学报》1975年1期，141～155页。

⑤ 孙守道、徐秉琨：《辽宁寺儿堡等地青铜短剑与大伙房石棺墓》，《考古》1964年6期，277～285页。

⑥ 佟达、张正岩：《辽宁抚顺大伙房水库石棺墓》，《考古》1989年2期，139～148页。

⑦ 梁志龙：《辽宁本溪多年发现的石棺墓及其遗物》，《北方文物》2003年1期，6～14页。

⑧ 李光日：《从东梁岗墓葬看西团山文化墓葬的分期与断代》，吉林大学硕士学位论文，2006年。

⑨ 吉林省文物考古研究所、吉林市博物馆：《吉林市猴石山遗址第二次发掘》，《考古学报》1993年3期，311～348页。

M8、M10、M12、M14[①]，珲春河西北山M8～M10[②]。另外，需要说明的是图们石砚T2M5、T2M10[③] 两座墓葬。原报告推测其为土坑封土墓，理由是这两座墓上未发现石封迹象，且有黄褐色五花土，故认为此二座墓为土坑封土墓。从报告发表墓葬图上看，T2M3、T2M4分别打破T2M5两壁，而T2M5南端被破坏，实在难以推测其原始状况；T2M10也如此，分别被T2M6、T2M7打破两壁，南端又被破坏，也难下定论，从整个墓地的状况来看，除此两墓外，全部是封石墓，推测此二墓原为封石墓的可能性很大。

3.7.2　土坑墓的形制

该地区土坑墓的数量虽然有限，但是形制上却存在一定差异。可以分二型。

Ⅰ型：无葬具土坑墓。土坑竖穴，无葬具。可以分三亚型（图3-11）。

Ⅰa型：较规则长方形墓圹，深穴。单人一次葬。

墓葬举例：辽阳亮甲山M5。

Ⅰb型：圆角长方形墓圹，口大于底，浅穴。单人一次葬。

墓葬举例：珲春河西北山M10。

Ⅰc型：不规则形墓圹，浅穴，有的有生土二层台。单人一次葬。

墓葬举例：沈阳郑家洼子M659。

Ⅱ型：长方形竖穴土坑，土石结合。可以分三亚型（图3-11）。

Ⅱa型：在墓边放置若干小石块，有的墓壁有朽木痕。多人二次葬。

墓葬举例：延吉金谷M12。

Ⅱb型：竖穴土坑，在墓两端立多层石板或石块，墓壁有朽木痕。多人二次葬。

墓葬举例：延吉金谷M13。

Ⅱc型：圆角长方形土坑竖穴，部分墓壁上部垒砌石块。单人一次葬。

墓葬举例：珲春河西北山M14。

---

① 延边朝鲜族自治州博物馆：《延吉德新金谷古墓葬清理简报》，《东北考古与历史（第一辑）》，文物出版社，1982年，191～198页。

② 图珲铁路考古发掘队：《吉林珲春市河西北山墓地发掘》，《考古》1994年5期，405～412页。

③ 侯莉闽、朴润武：《吉林省图们石岘原始社会墓地的调查与清理》，《博物馆研究》1995年2期，54～65页。

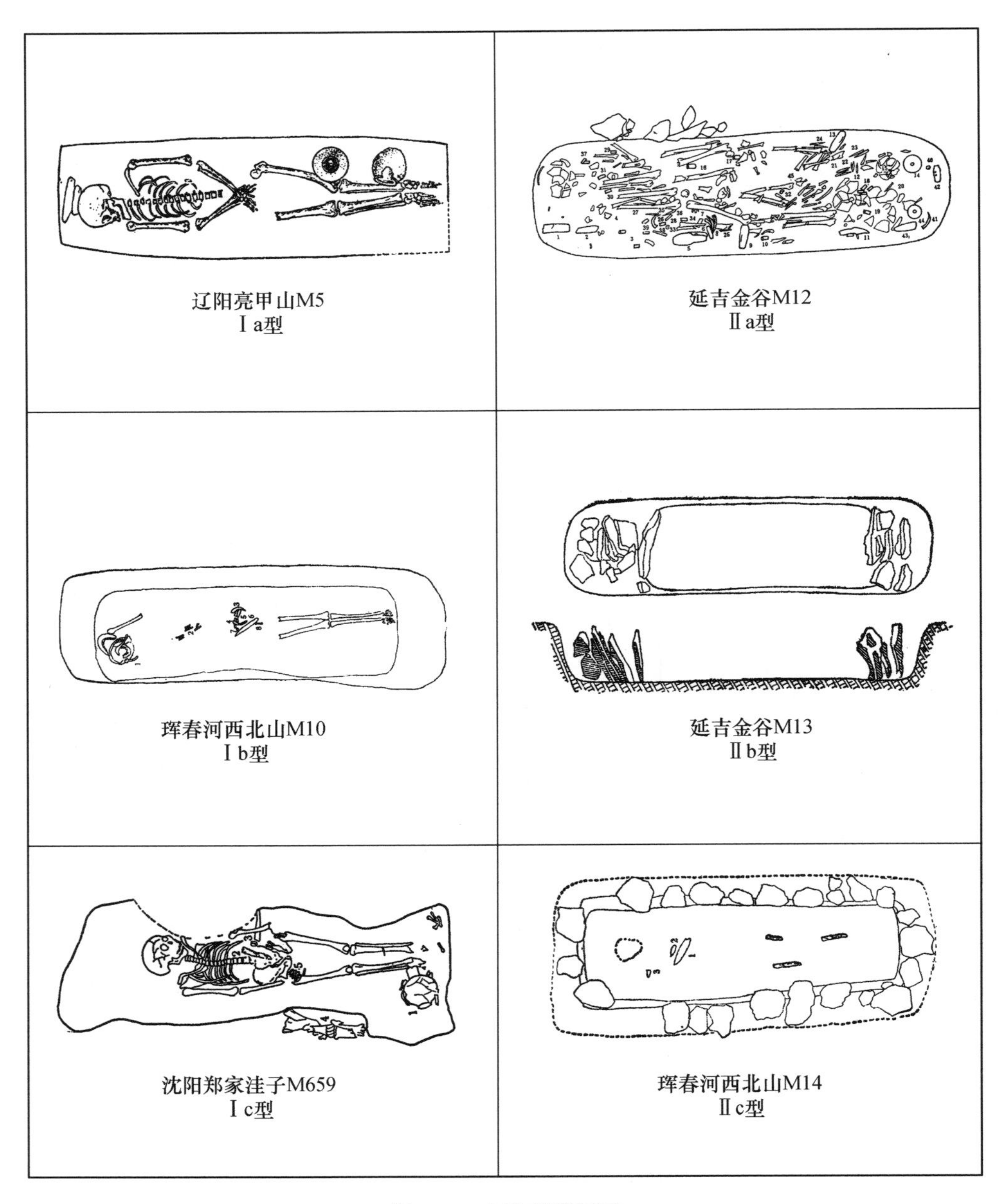
辽阳亮甲山M5
Ⅰa型
延吉金谷M12
Ⅱa型
珲春河西北山M10
Ⅰb型
延吉金谷M13
Ⅱb型
沈阳郑家洼子M659
Ⅰc型
珲春河西北山M14
Ⅱc型

图3-11　土坑墓形制图

3.8 瓮　棺　墓

3.8.1　瓮棺墓的分布与特征

瓮棺墓是一种以大型陶器为棺，内殓人骨的一种墓葬形式，平地挖土穴，置瓮棺于穴中，以土掩埋，多二次葬，一般用于埋葬儿童，随葬品不丰富。因葬骨之棺多为陶罐，且体积较大，故称之为瓮棺，以瓮棺为葬具的埋葬方式被称为瓮棺葬。瓮棺葬最早出现于新石器时代早期，到汉代成为比较流行的葬俗。

该地区青铜时代瓮棺墓发现数量较少，概瓮棺墓原也不是各类墓葬之主流，共发现青铜时代瓮棺墓4处：长海县上马石瓮棺墓[①]、和龙兴城瓮棺墓[②]、安图仲坪瓮棺墓[③]、吉林市泡子沿前山瓮棺墓[④]。

3.8.2　瓮棺墓的形制

根据瓮棺的形制特征，可以将上述瓮棺墓分三型（图3-12）。

Ⅰ型：单体瓮棺。平地挖圆形墓穴，中间立置一大型高领折肩陶罐，口向上或向下，向上者罐口盖石板，向下者未见底部铺石板。罐内置小儿骨骼，为二次葬。

墓葬举例：上马石瓮棺墓M11。

Ⅱ型：套合瓮棺。平地挖近长方形墓穴，中间横置二大型筒腹陶罐，内或盛人骨。两罐口部相对，相互套合，未有其他葬具。

墓葬举例：和龙兴城瓮棺墓87BM1、安图仲坪瓮棺墓2004ⅡW1。

Ⅲ型：残器瓮棺。折肩横桥耳壶打掉颈部以上为葬具，器口盖石板，内葬完整幼儿骨骼，屈肢葬，或有棺骨骼不见。

墓葬举例：吉林市泡子沿W2。

---

① 旅顺博物馆、辽宁省博物馆：《辽宁长海县上马石青铜时代墓葬》，《考古》1982年6期，591～596页。

② 吉林省文物考古研究所、延边朝鲜族自治州博物馆：《和龙兴城——新石器及青铜时代遗址发掘报告》，文物出版社，2001年。

③ 吉林省文物考古研究所、安图县文管所：《吉林安图县仲坪遗址发掘》，《北方文物》2007年4期，13～23页。

④ 吉林市博物馆：《吉林市泡子沿前山遗址和墓葬》，《考古》1985年6期，497～506页。

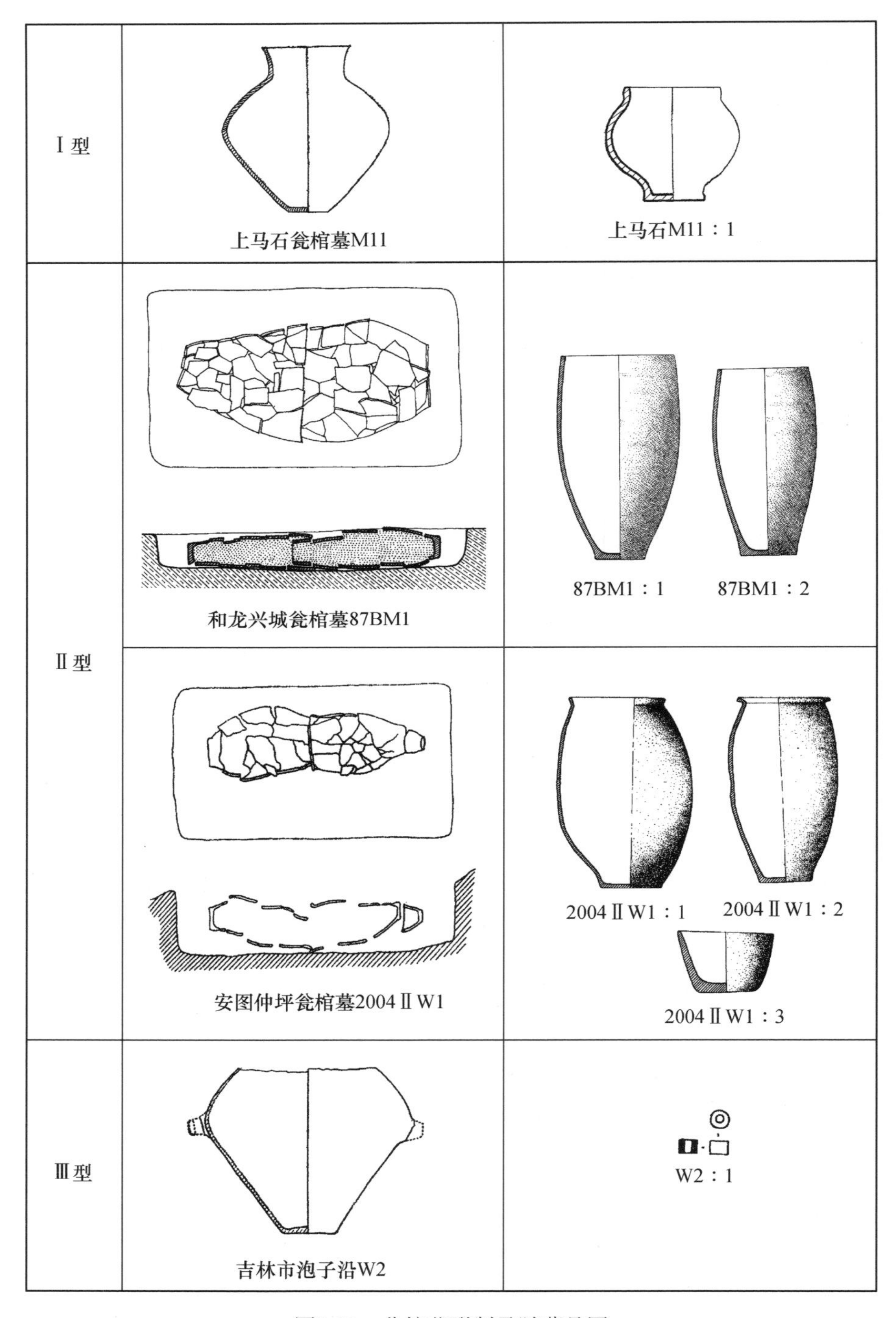

图3-12　瓮棺墓形制及随葬品图

第4章　墓葬分群与分期

长白山地及其延伸地带属于丘陵地区，青铜时期的墓葬很多比较零散，遗址的材料发现较少，且多数墓葬和遗址出土的器物特征和组合差别很大，所以有必要将两者互相参照，分开讨论。本书所探讨的考古学文化现象是墓葬，而不是包含遗址在内的考古学文化，故而本书把分布于一定空间且随葬陶器具有相同文化面貌的墓葬划为一群，群的文化主体是墓葬，分群的主要依据就是墓葬中所出的陶器特征及随葬品的组合关系。

该地区此时期各墓葬中随葬的青铜器十分有限，且含有很多的外来因素，很难进行系统考察。以往对该地区青铜器的研究多包含于大东北地区某一类青铜器的专题中，故文章涉及青铜类制品将借鉴以往研究成果作为参考，不做单独讨论。其中部分青铜器及其组合可具有断代意义，还有很多零散的青铜器，尤其是青铜短剑出土时情况大多不明，很难作为辅助断代的工具。

由于自然环境和人为因素的破坏，很多墓葬难以得到很好的保存。因此，对于墓葬分群及分期时所使用的材料情况需要做如下说明：①保存状况良好、经科学发掘、墓葬形制与随葬品比较清楚的墓葬参与分群。②只保存随葬品，而形制、葬式不清，此类墓葬参与分群，所出陶器可以作为分期依据。③没有经过科学发掘的墓葬采集品，但有明确出土地点的，可参与分期。④墓葬形制、葬具较完整，但无随葬陶器或随葬品散失，此类墓葬不参与分期，也不作为我们分群的范围，仅做参考。⑤只有文字介绍无图片资料者，可供参考。

参照以上标准，经过筛选，我们把长白山地及其延伸地带青铜时代的墓葬划分为A、B、C、D、E、F六群，对每群墓葬分别进行年代学研究。

4.1　A群墓葬及分期

4.1.1　A群墓葬

A群墓葬主要分布于辽东半岛最南端的旅顺、大连地区。该地区西滨渤海，东临黄海遥望朝鲜半岛，南与山东半岛仅一渤海海峡之隔，是史前时代三半岛文化传播的交通要塞。到目前为止，已发表的属于该群墓葬的材料较少，且都为积石墓，其出土遗物明显带有双砣子三期文化的特征。该群墓葬虽然分布范围较小，但是由于其处于辽东半岛最南端，与山东半岛同时期的文化联系紧密且深受其影响，形成了鲜明的文化特征，这种文化特征向北流布，直接影响到千山山地的B群墓葬，同时也成为C群墓葬文化因素的源头之一。

具体地说，A群墓葬是包含在双砣子三期文化之中的遗存群。双砣子三期文化的遗址材料较为丰富，尤其是大连市甘井子区营城子乡后牧城驿村北双砣子遗址三叠层的发现[①]，为双砣子一、二、三期文化早晚关系及绝对年代的界定起到了至关重要的作用。

对于双砣子三期文化的界定目前学术界基本能够达成统一，双砣子遗址上、中、下三叠层的发现为旅大地区澄清了三种文化的早晚关系，并以双砣子三、二、一期文化分别命名三个不同层位的遗存。这使得以往一些文化面貌相同的遗址和墓葬可以随之加入双砣子各期文化中来，建立起辽东半岛青铜时代最重要的文化标尺，该标尺也为相邻地区同时期的考古遗存提供了年代依据。

对于双砣子三期文化的内涵目前学术界几无争议，其典型遗址包括双砣子上层、大嘴子三期、尹家村一期等若干地点的文化遗存；墓葬材料比较有限，主要发现有大连旅顺口区于家砣头积石墓地[②]、大连金州区土龙积石冢[③]、大连市金州区王宝山积石墓等[④]。此类遗存的分布特点是范围小、密度大，迄今发现的遗址材料大多集中于大连地区。墓葬类型包括Ⅰ、Ⅱ、Ⅲ型积石墓，均为2式，多位于低矮的丘地上。墓葬出土遗物呈现的总体特征为：陶器绝大多数为手制细砂灰褐陶，部分口沿经过慢轮修整，个别器物有轮制现象。陶器表面以磨光为主，纹饰以细密的平行横弦纹居多，也有许多刺点纹，还出现了竖行排列的附加堆纹，纹饰多饰于器物口部或肩部。器形以簋、罐、碗、豆、杯等为常见，簋类为大宗，折腹，圈足，口沿部或饰一周附加堆纹。罐类多为小底矮领鼓肩罐，高领的鼓肩壶（原报告称之为罐）也占很大比例。另外，圈足折腹罐及高圈足折腹豆也是该群墓葬的重要器形。石器中长方形扁平石斧、石锛、长方形无孔石刀、石镞、纺轮均有出现；青铜器均为小件，见少量三角形铜镞、铜泡、鱼钩等；装饰品有石串珠和陶串珠。

---

① 中国社会科学院考古研究所：《双砣子与岗上——辽东史前文化的发现和研究》，科学出版社，1996年。

② 旅顺博物馆、辽宁省博物馆：《大连于家村砣头积石墓地》，《文物》1983年9期，39～50页。

③ 华玉冰、王瑽、陈国庆：《辽宁大连市土龙积石墓地1号积石冢》，《考古》1996年3期，4～7页；吴青云：《大连土龙积石冢》，《大连文物》2008年28期，39～45页；吴青云：《辽宁大连市土龙子青铜时代积石冢群的发掘》，《考古》2008年9期，3～10页。

④ 王冰、万庆：《辽宁大连市王宝山积石墓试掘简报》，《考古》1996年3期，1～3页。

根据以上特征，我们可以发现，于家砣头积石墓地、土龙子积石冢、大连市金州区王宝山积石墓所出土的遗物大致符合以上特征，与双砣子三期文化遗址中所出陶器类型和器物组合有很大共性，应该就是该文化的墓葬。虽然目前双砣子三期文化的墓葬材料十分有限，但是鉴于本书是以墓葬为研究对象，我们把以于家砣头积石墓地为代表的这几座积石墓地划分为A群，纳入长白山地及其延伸地带这个三角形区域中进行宏观研究。A群典型器物列举见图4-1。

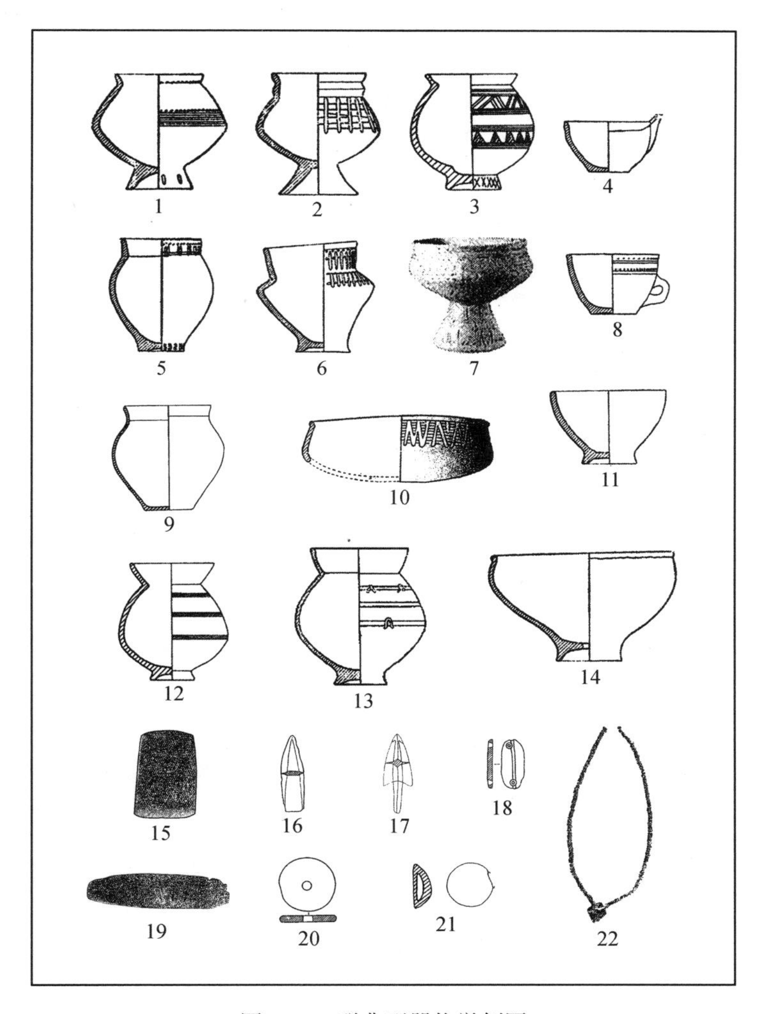

图4-1　A群典型器物举例图

1、2. 簋　3、5、6、9. 罐　4、8. 杯　7. 豆　10. 盆　11、14. 碗　12、13. 壶　15. 石斧　16. 石镞　17. 铜镞　18. 贝珠　19. 石刀　20. 石纺轮　21. 铜泡　22. 石串珠

（9、18、20. 土龙　16. 王宝山　余为于家砣头出土）

4.1.2　陶器型式划分

A群陶器主要出自于家砣头积石墓地。需要说明的是，于家砣头墓地报告发表的壶类资料在近期得到了补充。在掌握第一手资料的前提下，张翠敏发表《于家村砣头积石墓地再认识》[①] 一文，披露了于家砣头墓地报告中未发表的若干器物（图4-2），为进一步研究于家砣头墓地的分期及相关问题提供了实物资料。本书将结合此次新披露的陶器资料，将于家砣头墓地的随葬品重新归类，划分型式。该墓地随葬陶器包括簋、壶、罐、豆、杯、钵、碗、盘等类别，碗和盆完整器各2件，未能看出明显变化，故暂不划分型式，只在图中列出，余者划分如下。

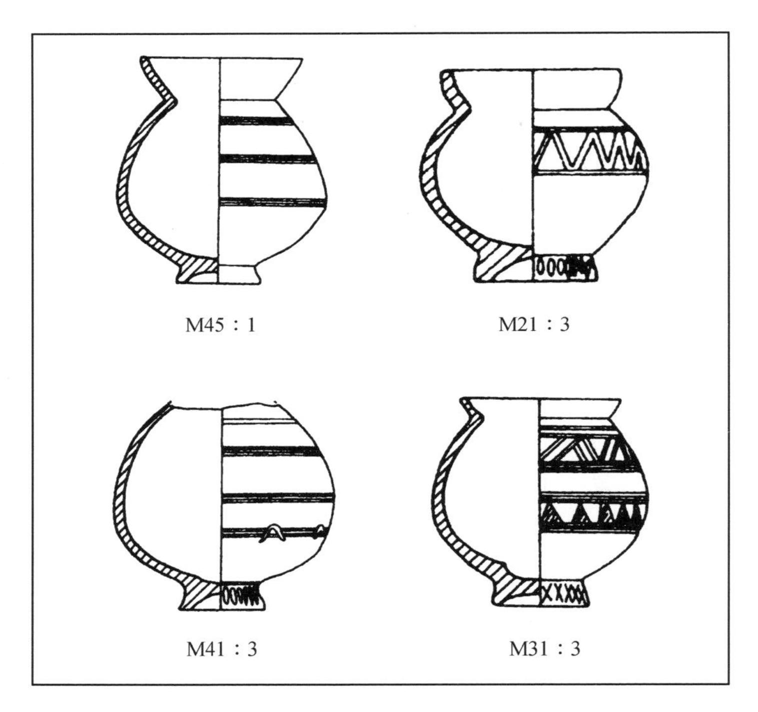

图4-2　于家砣头墓地报告未发表器物图

簋　圈足，折沿。原报告称圈足罐。根据颈部特征不同，可以分二型。

Ⅰ型：高领，口沿处饰一道宽附加堆纹。可以分3式。

1式：以于家村M24：2为代表（图4-3，1）。

① 张翠敏：《于家村砣头积石墓地再认识》，《东北史地》2009年1期，42～48页。

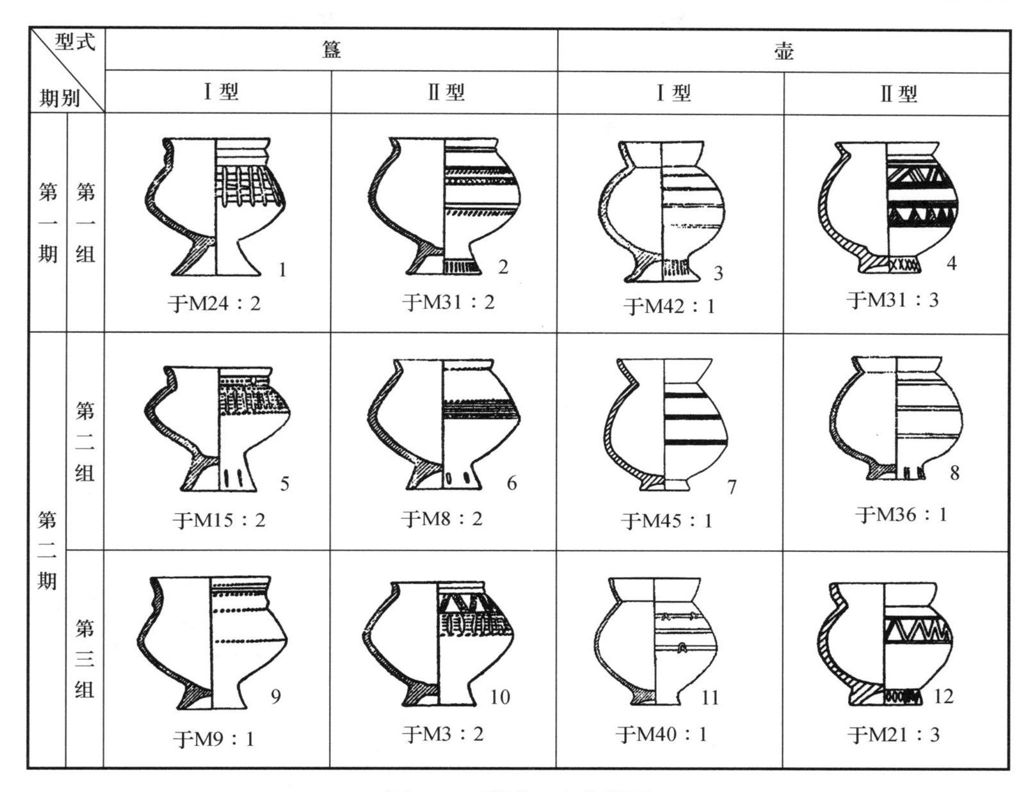

图4-3　A群簋、壶分期图

2式：以于家村M15：2为代表（图4-3，5）。

3式：以于家村M19：1为代表（图4-3，9）。

演变趋势：圈足渐矮、渐内收。

Ⅱ型：矮领，小折沿。可以分3式。

1式：以于家村M31：2为代表（图4-3，2）。

2式：以于家村M8：2为代表（图4-3，6）。

3式：以于家村M3：2为代表（图4-3，10）。

演变趋势：领部渐直，圈足渐矮。

壶　钵口，圈足。根据口部特征不同，可以分二型。

Ⅰ型：大钵口，圈足部急收。可以分3式。

1式：以于家村M42：1为代表（图4-3，3）。

2式：以于家村M45：1为代表（图4-3，7）。

3式：以于家村M40：1为代表（图4-3，11）。

演变趋势：圈足渐矮、渐内收。

Ⅱ型：浅钵口，圈足宽短。可以分3式。

1式：以于家村M31：3为代表（图4-3，4）。

2式：以于家村M36：1为代表（图4-3，8）。

3式：以于家村M21：3为代表（图4-3，12）。

演变趋势：钵口渐深，圈足渐宽短。

罐　按肩腹部特征可以分三型。

Ⅰ型：溜肩，矮领，大口，矮圈足底或凹底。可以分3式。

1式：以于家村M44：3为代表（图4-4，1）。

2式：以于家村M25：1为代表（图4-4，5）。

期别 \ 型式		罐 Ⅰ型	罐 Ⅱ型	罐 Ⅲ型	豆
第一期	第一组	1 于M44：3	2 于M42：8	3 于M24：1	4 于M44：1
第二期	第二组	5 于M25：1	6 于M8：1		
第二期	第三组	7 于M3：3		8 于M48：1	9 于M40：2

图4-4　A群罐、豆分期图

3式：以于家村M3∶3为代表（图4-4，7）。

演变趋势：口部渐大，肩部渐收，圈足渐消失。

Ⅱ型：折肩，折颈，侈口，矮圈足。可以分2式。

1式：以于家村M42∶8为代表（图4-4，2）。

2式：以于家村M8∶1为代表（图4-4，6）。

演变趋势：折沿渐短，圈足退化。

Ⅲ型：折腹，圈足，折沿。可以分2式。

1式：以于家村M24∶1为代表（图4-4，3）。

2式：以于家村M48∶1为代表（图4-4，8）。

演变趋势：腹腔渐浅，口部渐宽。

豆　折腹，高柄。根据豆盘及柄部特征不同可以分2式。

1式：以于家村M44∶1为代表（图4-4，4）。

2式：以于家村M40∶2为代表（图4-4，9）。

演变趋势：柄部渐矮，腹部折角渐大。

杯　根据腹部特征可以分二型。

Ⅰ型：深斜腹。可以分3式。

1式：以于家村M42∶7为代表（图4-5，1）。

2式：以于家村M8∶3为代表（图4-5，4）。

3式：以于家村M11∶1为代表（图4-5，7）。

演变趋势：腹壁渐斜直，腹腔渐浅，底部渐宽平。

Ⅱ型：浅斜腹。可以分3式。

1式：以于家村M51∶5为代表（图4-5，2）。

2式：以于家村M41∶1为代表（图4-5，5）。

3式：以于家村M3∶4为代表（图4-5，8）。

演变趋势：腹壁渐弧，腹腔渐浅。

钵　敛口，鼓肩。根据腹部变化可以分3式。

1式：以于家村M28∶1为代表（图4-5，3）。

2式：以于家村M55∶1为代表（图4-5，6）。

3式：以于家村M38∶3为代表（图4-5，9）。

演变趋势：腹腔渐浅。

此外，还有一些陶器由于器形特殊，未能划分型式，列举如下：钵于M28∶3、单耳杯于M3∶1、壶于M30∶2、钵于M11∶2、双耳杯于M8∶4、舟形碗于M38∶1、碗于M25∶2等（图4-6）。

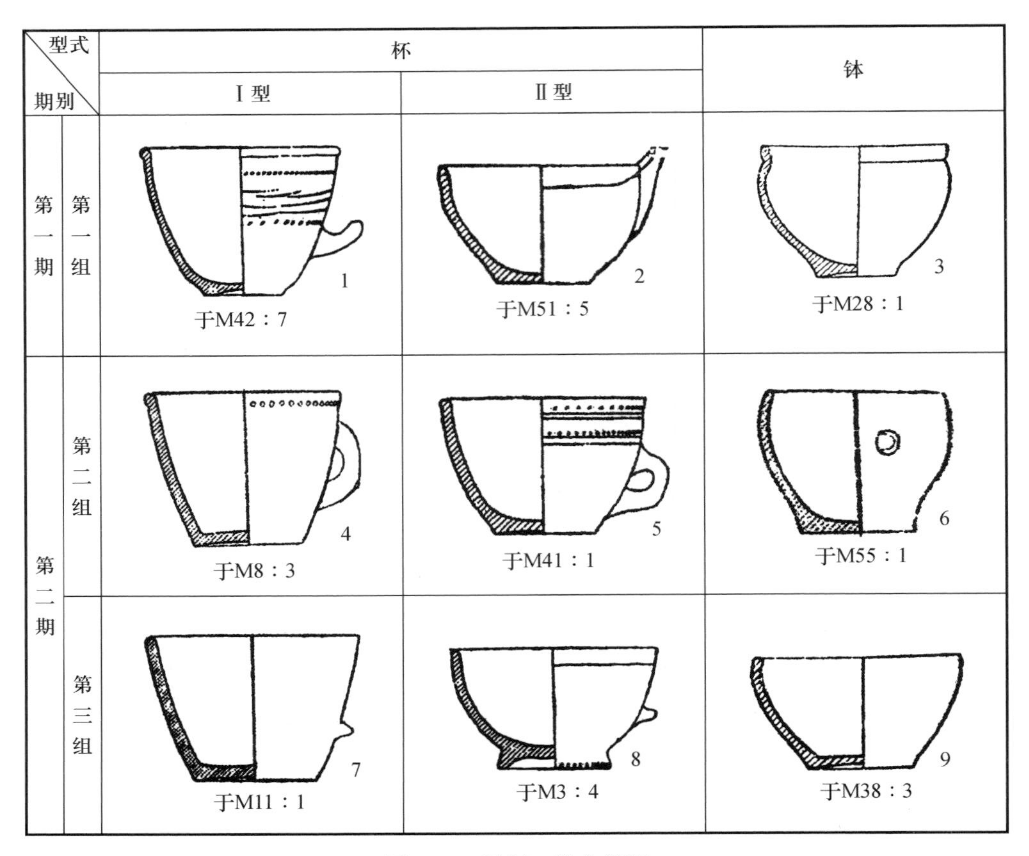

图4-5　A群杯、钵分期图

4.1.3　分期与年代讨论

A群三座积石墓地只有于家砬头积石墓地的材料较为丰富，其余两座仅出少量陶器和残片。要解决A群墓葬的分期问题，首要解决于家砬头积石墓地的分期问题。于家砬头积石墓地现存墓葬58座，未发现叠压打破关系，随葬陶器的墓葬共有35座，其中25座发表了陶器资料。陶器器形有高圈足罐、直口罐、壶、豆、杯、钵、盆等，以罐为大宗。各墓室出土的陶器多圈足和凹底，均为夹砂黑褐陶，纹饰主要有凸棱纹、刺点纹、弦纹和划纹，以凸棱纹和划线纹结合的编织纹最有特点。石器有斧、锛、刀、矛、环状器、纺轮等；此外，还发现小件青铜器若干，有镞、泡饰、鱼钩、环等；装饰品为数不少，有石珠、陶珠、绿松石、玛瑙等。

关于于家砬头积石墓地的分期以往研究者也做过讨论。具有代表性的观点如下。

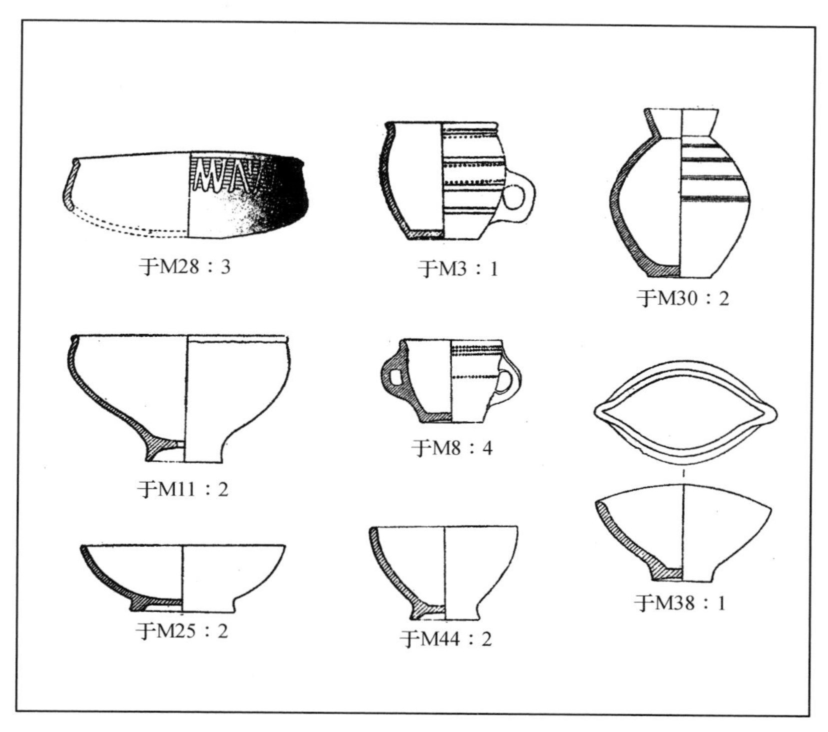

图4-6 A群未能划分型式器物图

徐光辉在《旅大地区新石器时代晚期至青铜时代文化遗存分期》[①]一文中论述了关于于家砣头积石墓地的分期问题。对于没有明确叠压打破关系的58座墓葬，文中从其营造方法入手，从平面图上的墓葬布局及排列方式推测了当时各墓葬的营造顺序，并绘出了墓葬营造顺序的想象图。从平面图上可见，面积比较大的墓室均保持一定距离，另外四壁完整且宽窄一致者为同时营造各大墓之间夹杂的面积较小且形状不规整的墓室应为利用已有墓壁后期营造的。以此类推，各墓葬营造的大致顺序已经明了，早晚关系也渐清晰。

从随葬品分析，根据出土陶器中圈足罐和盘口壶的型式变化和演化过程，可以分为A、B、C三组。A组高圈足罐，多出于M9、M15、M24、M31中；B组矮圈足罐，多出于M21、M36、M42中；C组盘口壶，已不见圈足罐，多出于M40中。三组器形的演变序列与墓葬营造顺序基本一致。参考双砣子三期遗址的^{14}C

① 徐光辉：《旅大地区新石器时代晚期至青铜时代文化遗存分期》，《考古学文化论集（四）》，文物出版社，1997年，188~210页。

数据，大体可知A、B两组的年代在距今3500～3800年的范围，但A组年代上限应在距今3500年以前，C组年代应在相当于距今3100年左右。

赵宾福在《中国东北地区夏至战国时期的考古学文化研究》① 一书中对于家砣头积石墓地进行了分组研究，依靠类型学的方法通过对陶器的型式分析为这些墓葬确定组别，然后与双砣子三期文化遗址的分期相比对后确定各墓葬的年代关系。文章从25座发表陶器资料的墓葬入手，先将随葬陶器中最常见的壶类（原报告称之为高圈足罐）划分型式并分组，将壶类依“钵口”和“侈口”划分为二型，在型的基础上找到他们可能存在的具有年代意义的式别，结合各型、式之间的共存情况，将壶类陶器及所在墓葬划分为具有早晚关系的一、二两组，各包含墓葬6座。根据共存关系及形态对比，又可以将罐类及豆、钵（杯、碗）等类器物对应组别，分别纳入已经划分好的一、二两组当中。报告中已发表陶器的25座墓葬有22座可以划分组别，其中有3座墓的陶器找不到可供对比的器形，难以判定组别，余23座墓亦无法判定组别。综上所述，一组墓葬共10座：M9、M13、M15、M21、M24、M25、M41、M42、M44、M50；二组墓葬共12座：M3、M8、M11、M28、M30、M31、M33、M36、M40、M46、M48、M51。为于家砣头墓地分组之前，文中已对双砣子三期文化的遗址做了分期断代，将属于双砣子三期文化的各代表性遗址做分组研究后，经合并组别，将双砣子三期文化分为一、二两段。通过对于家砣头墓地一、二组墓葬陶器和双砣子三期文化遗址一、二段陶器的比对，确认二者的两组（段）分别相共时。对于王宝山积石墓地的陶器，文中认为其整体特征与遗址二段陶器相近，应与之同时。双砣子三期文化可供参考的^{14}C数据现有8个②，年代跨度在公元前1591～前1051年。考虑到双砣子二期文化的年代，推测双砣子三期文化的时间跨度大约在公元前1400～前1100年，相当于商代晚期，其中早期可能处于公元前1400～前1300年，晚期可能处于公元前1300～前1100年。

在新增材料的基础上，通过对随葬品的型式划分，可以对于家砣头墓地的墓葬重新做出如下分析：从共存关系来看，Ⅱ型1式簋M31：2和Ⅱ型1式壶M31：3共出；Ⅱ型1式罐M42：8、Ⅰ型1式杯M42：7、Ⅰ型1式壶 M42：1 共出；Ⅰ型1式罐M51：3、M51：4和Ⅱ型1式杯M51：5、M51：6 共出；Ⅰ型1式罐M44：3和1式豆M44：1共出；Ⅰ型1式簋M24：2与Ⅲ型1式罐M24：1共出。以上几个单位不同类别、型别的陶器共存于一个单位的情况在一定程度上反映了簋、壶、罐、

① 赵宾福：《中国东北地区夏至战国时期的考古学文化研究》，吉林大学博士学位论文，2005年。

② 中国社会科学院考古研究所：《中国考古学中年代数据集（1965—1991）》，文物出版社，1991年。

杯、豆等各型1式之间年代比较接近。Ⅱ型2式簋M8：2、Ⅱ型2式罐M8：1和Ⅰ型2式杯M8：3共出；Ⅰ型2式壶M41：3与Ⅱ型2式杯M41：1共出。这种情况说明各型2式簋、壶、罐、杯等年代基本相当，且可作为与其具有逻辑关系的1、3式陶器年代确定的参照。Ⅱ型3式簋M21：5、Ⅰ型3式壶M21：2、Ⅱ型3式壶M21：3和Ⅰ型3式杯M21：6共出；Ⅰ型3式罐M3：3和Ⅱ型3式杯M3：4共出；Ⅰ型3式壶M40：1和2式豆M40：2共出。可见各型3式簋、罐、壶、杯和2式豆年代基本一致。另外，从以上共存关系分析，Ⅱ型簋和Ⅱ型壶的1式、3式分别出自M31和M21中，Ⅱ型罐和Ⅰ型杯的1式、2式分别出自M42和M8中，Ⅰ型罐与Ⅱ型杯的1式和3式分别出自M51和M3中。Ⅰ型壶和Ⅰ型杯的1式和3式分别出自M42和M21中。由此观知，M31中的壶和簋与M2壶和簋同时发生了变化，两墓器物可以形成演变序列，有年代早晚之分；M42和M8、M42和M21、M21和M31、M3和M51均可形成较为严密的演变序列，年代亦有早晚之别。总之，根据以上单位反映出的共存关系，可以初步判定式别相同的陶器年代基本同时（Ⅲ型2式罐M48：1和2式豆M40：2另做讨论），且包含1、2、3式别的若干单位均具有逻辑演变关系。

1式钵M28：1的器身形状及叠唇风格与Ⅰ型1式罐M51：5的风格十分相似，应属同一时期；Ⅰ型2式簋M15：2腹部形态和圈足镂孔与Ⅱ型2式簋M8：2几近相同，唯颈部不同，为型之区别，其年代应与之同时；Ⅰ型3式簋M9：1则与Ⅰ型3式簋M3：2器身形制相同，应与之同时。Ⅱ型2式壶M36：1形制介于1、3式之间，年代亦应介于二者之间；2式钵M55：1和3式钵M38：3与1式钵形成逻辑演变关系，应分属两组；2式豆M40：2与1式豆M44：1之间似有缺环，相差较大，应分属两组；Ⅲ型2式罐M48：1与Ⅰ型3式簋M3：2虽器类不同，但造型风格相同，应为同时期。

上述各类陶器型、式别均相同的陶器可划至同组，具有共存关系的陶器可划至同组，与已经确定组别的陶器器物造型或制作风格相同的可划定同组，确定各陶器组别如表4-1所示。

表4-1　陶器分组表

型 组	簋		壶		罐			杯		钵	豆
	Ⅰ	Ⅱ	Ⅰ	Ⅱ	Ⅰ	Ⅱ	Ⅲ	Ⅰ	Ⅱ		
1	M24：2	M13：1 M31：2	M42：1	M31：3	M51：3 M51：4 M44：3	M42：8	M24：1	M42：7	M51：5 M51：6	M28：1	M44：1
2	M15：2	M8：2 M30：1	M45：1 M41：3	M36：1	M25：1 M46：3	M8：1		M8：3	M8：4 M41：1	M55：1	
3	M9：1	M3：2 M21：5	M40：1 M21：2	M21：3	M3：3		M48：1	M11：1 M21：6	M3：4	M38：3	M40：2

由表4-1可见，各组陶器所在墓葬分别为：第1组，M13、M24、M28、M31、M42、M44、M51；第2组：M8、M15、M25、M30、M36、M41、M45、M46、M55；第3组，M3、M9、M11、M21、M38、M40、M48。在发表材料的25座墓中，此22座墓可以划定组别，余者难以判定。

上文所述，1至3组墓葬的各类型陶器间存在逻辑演变关系，在没有叠压打破关系的前提下，这个逻辑链条不体现早晚关系，只要确定1组和3组的早晚关系，整个链条的首尾关系就会明确。在对于家砣头墓地进行年代讨论时，需要参考双砣子三期文化遗址的年代，尽管双砣子三期文化中遗址与墓葬出土器物的类型和组合差别很大，但是仍存在共性，有很大的参考价值。

从1组陶器来看，于M51：3罐与大嘴子87F27：6罐几无区别（图4-7，1、2）；于M51：4罐与岗上F1：11罐形制相同（图4-7，3、4）；于M42：8罐与大嘴子三期F25：5器形相似，风格一致（图4-7，5、6）。可见1组部分具有代表性的陶器与双砣子三期文化早段的陶器形制相若，其年代也应基本相当。

从3组陶器来看，于M11：2钵与岗上H2：26形制相近（图4-7，7、8）；于M40：2豆与大嘴子92T6②：1几近相同（图4-7，9、10）；于M48：1圈足罐与大嘴子92F3：17形制相同（图4-7，11、12）。3组陶器应与双砣子三期文化晚段的陶器年代同时。

2组陶器从形制和风格上更接近双砣子三期文化晚段的陶器，同时2组与3组之间联系更加紧密，因此可将2、3组合并为一期。

由上，可将于家砣头积石墓地的墓葬分为早、晚两期，早期包括1组，年代与双砣子三期文化早段相当；晚期包括2、3组，年代与双砣子三期文化晚段一致。

对A群墓葬的分期主要是建立在于家砣头墓地分期的基础上的，另外两处墓葬即王宝山积石墓和土龙积石墓出土器物十分有限，只能简要讨论。土龙积石墓出土陶器仅能复原两件：罐土龙LZ4M1：1和碗土龙LZ4M6：1（图4-8，1、3），观其形制和风格，土龙LZ4M1：1罐与大嘴子F4上：12罐完全相同（图4-8，1、2），应属同一时期；土龙LZ4M6：1碗与大嘴子F3：37假圈足碗形制相同（图4-8，3、4），年代应相当。王宝山积石墓未见完整器出土，仅见一些陶器口沿和底部残片，主要出自M7内。对M7内陶片的细致分析可见，豆盘的形制与大嘴子92T6②：1和于家砣头M44：1均相同（图4-8，7、8）；饰有交错方格内填网格的陶器口沿残片与大嘴子87F17：2的纹饰完全相同（图4-8，5、6）；饰两周弦纹的豆座与大嘴子87F21：6豆座部分十分相近（图4-8，9、10）。以上两处积石墓的陶器和陶片为我们提供了一些信息，就是土龙M1、M6和王宝山M7的年代应与双砣子三期遗址的晚期或于家砣头墓地晚期相一致，即相当于双砣子三期文化的晚期。

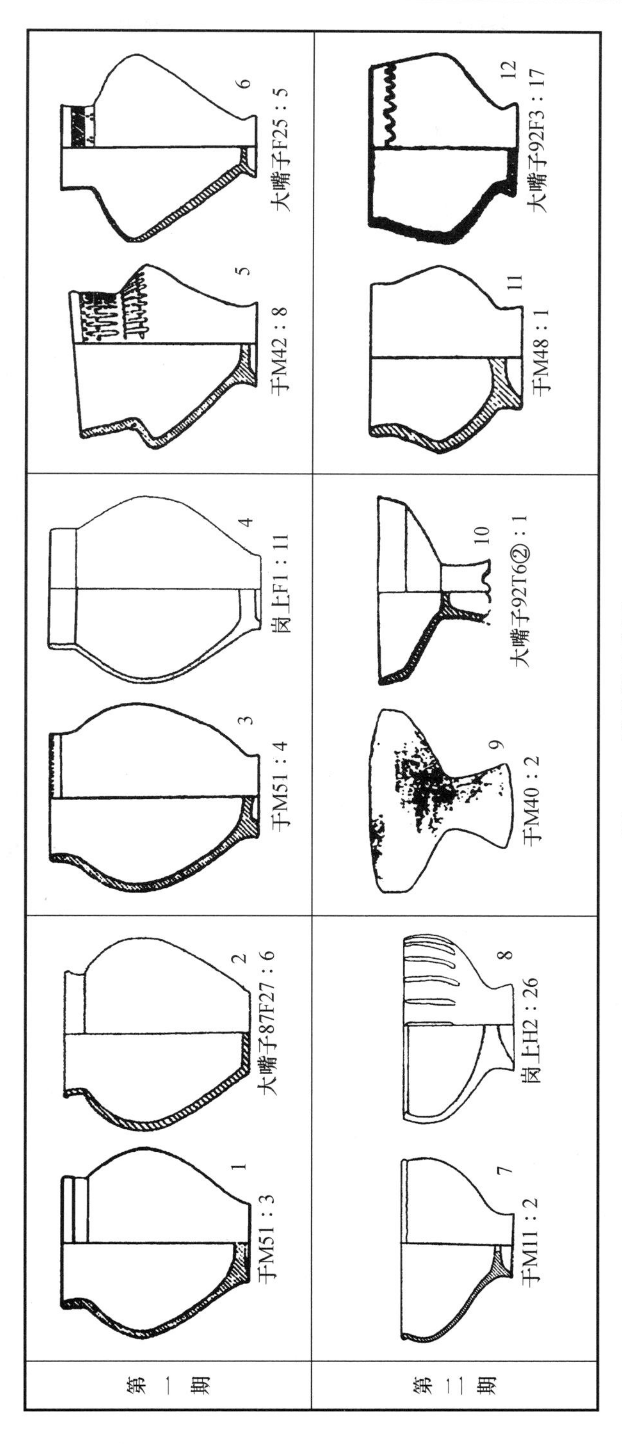
第一期
第二期
于M51：3 1
大嘴子87F27：6 2
于M51：4 3
岗上F1：11 4
于M42：8 5
大嘴子F25：5 6
于M11：2 7
岗上H2：26 8
于M40：2 9
大嘴子92T6②：1 10
于M48：1 11
大嘴子92F3：17 12

图4-7　A群分期比较图

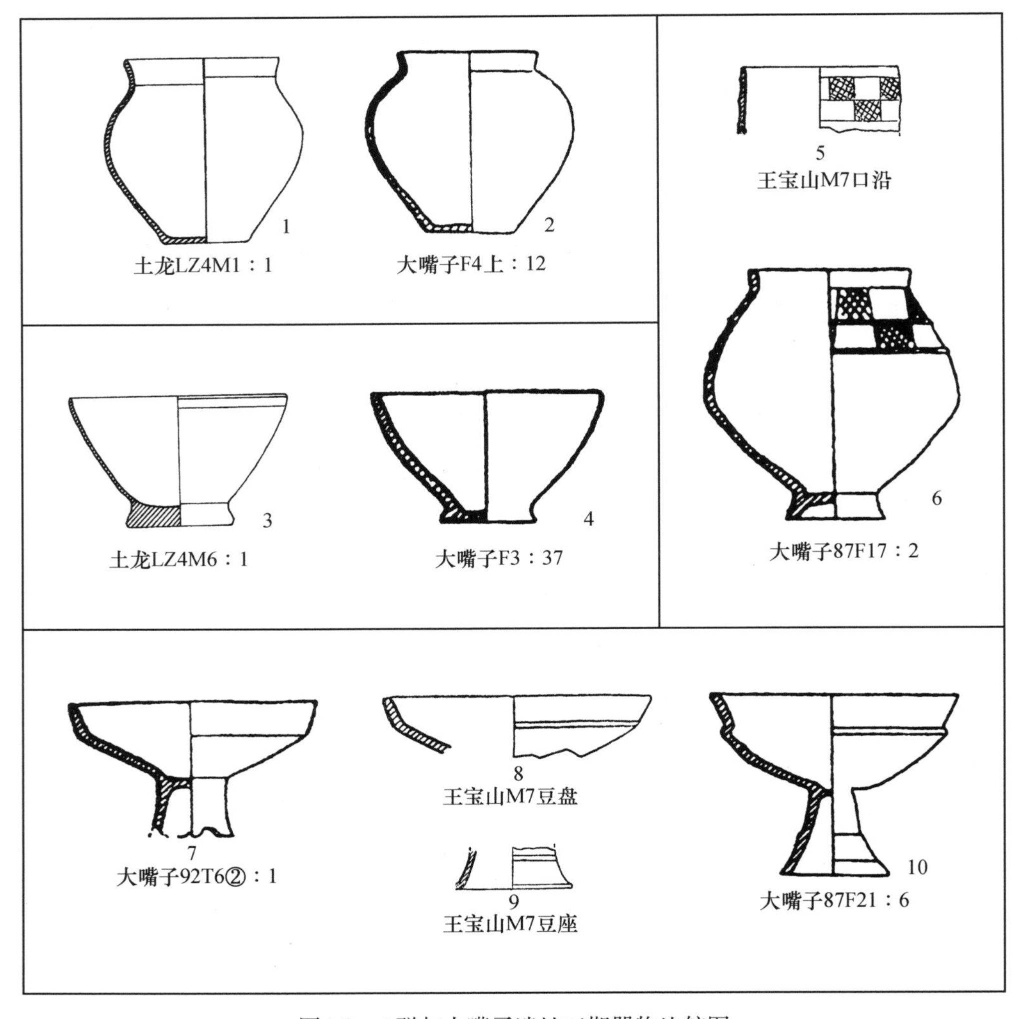

图4-8　A群与大嘴子遗址三期器物比较图

双砣子三期文化可供参考的^{14}C测定数据均出自遗址当中，列表如下[①]（表4-2）。

① 大嘴子遗址92F4上和92F1标本来自辽宁省文物考古研究所等：《辽宁大连市大嘴子青铜时代遗址的发掘》，《考古》1996年2期，17～35页；余者来自中国社会科学院考古研究所：《中国考古学中年代数据集（1965—1991）》，文物出版社，1991年。

表4-2 ^{14}C测定数据参考表

单位	标本	^{14}C测定值（距今年代）	数轮校正（公元前年代）	期别
大嘴子遗址92F1	木炭ZK	3384 ± 92	1691 ~ 1459	早期
大嘴子遗址87F1	炭化木柱 ZK-2258	3170 ± 75 3080 ± 75	1431 ~ 1264	早期
岗上遗址下层	木炭 ZK-0082	3285 ± 90 3190 ± 90	1591 ~ 1405	晚期
于家村遗址F1	木炭 ZK-0565	3230 ± 90 3140 ± 90	1516 ~ 1317	晚期
于家村遗址F1	木炭 BK-78031	3280 ± 85 3190 ± 85	1527 ~ 1408	晚期
双砣子遗址F4	木炭 ZK-0079	3120 ± 90 3030 ± 90	1416 ~ 1137	晚期
大嘴子遗址92F4上	木炭ZK	3053 ± 86	1373 ~ 1051	晚期
大嘴子遗址87F3	炭化粮食 ZK-2257	2945 ± 75 2860 ± 75	1157 ~ 923	晚期

注：1. ZK代表中国社会科学院考古研究所碳十四研究室，BK代表北京大学考古系碳十四实验室。2. 距今年代以1950年为起点。除大嘴子遗址92F1和92F4上木炭以外，余者^{14}C测定值均为两项，上为以国内通用^{14}C半衰期5730年计，下为国际通用^{14}C半衰期5568年计。

根据以上数据，已有材料分析表明，双砣子三期遗址的年代跨度大概在公元前1400 ~ 前1100年①，基本相当于中原地区的商代中晚期阶段，属于双砣子三期文化的A群墓葬的年代亦应相当于商代中晚期。从表4-2数据所表现出来的年代来看，以国内通用的^{14}C半衰期所得数据计算，八组数据的平均值约为公元前1233年 ± 85年，以此平均点为界，A群墓葬早期约相当于公元前1400 ~ 前1200年，晚期约为公元前1300 ~ 前1100年。

在A群的分布区域内，还有几处墓葬时代早于A群墓葬：老铁山、将军山积石墓②、四平山积石墓③、长海上马石瓮棺墓④、普兰店单砣子土坑墓⑤。以

① 赵宾福：《中国东北地区夏至战国时期的考古学文化研究》，吉林大学博士学位论文，2005年。

② 旅大市文物管理组：《旅顺老铁山积石墓》，《考古》1978年2期，80 ~ 85、118页。

③ 〔日〕滨田耕作：《貔子窝》，东方考古学丛刊第一册，1929年。

④ 旅顺博物馆、辽宁省博物馆：《辽宁长海县上马石青铜时代墓葬》，《考古》1982年6期，591 ~ 596页。

⑤ 〔日〕澄田正一、秋山进午、冈村秀典：《1941年四平山积石墓的调查》，《考古学文化论集（四）》，文物出版社，1997年，38 ~ 48页。

往学者对于该地区发现的老铁山、将军山积石墓出土陶器（图4-9）的文化内涵认识意见不同，现已有充分的证据证明老铁山积石墓（包括将军山积石墓）应是双砣子一期的墓葬[①]，理由是老铁山积石墓所出某些器物种类及器形如罐、豆、杯等与于家村下层、大嘴子一期等双砣子一期文化遗址中所出的陶器完全一致，而非属小珠山上层文化或山东龙山文化。而四平山积石墓出土的单把杯、高柄豆等器物特征和老铁山、将军山有很多相似之处，应属同一文化，年代也大致相同，当在夏代初期。长海上马石瓮棺墓和普兰店单砣子土坑墓所出土的陶器（图4-10）均是受到山东半岛岳石文化影响的一类遗存，应该属于双砣子二期文化范畴，根据岳石文化年代推断其年代相当于夏代中晚期至早商时期。

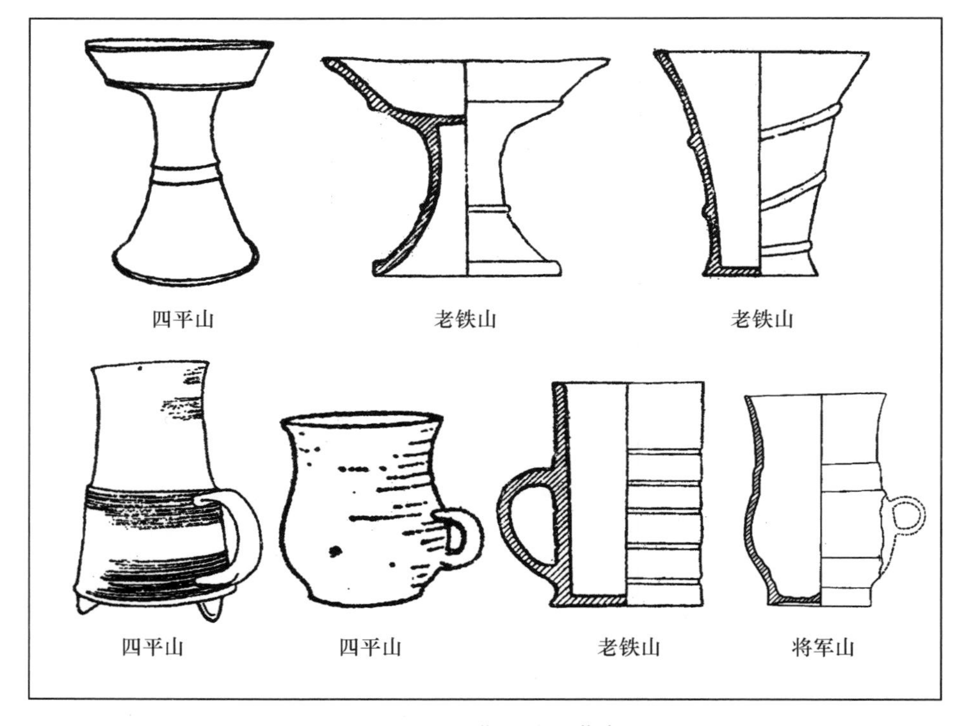

图4-9　双砣子一期文化墓葬陶器图

① 赵宾福：《中国东北地区夏至战国时期的考古学文化研究》，吉林大学博士学位论文，2005年。

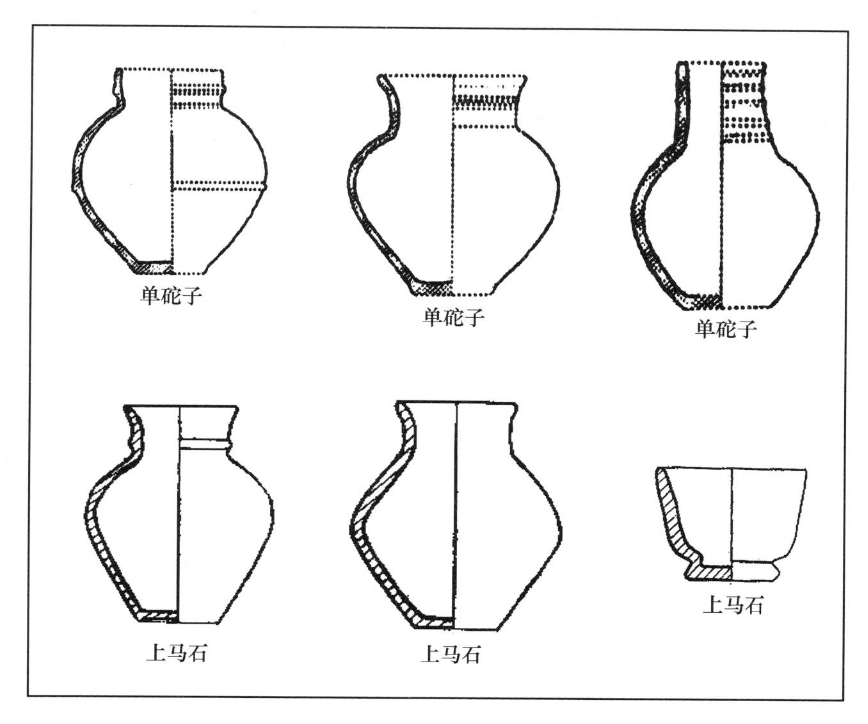

图4-10　双砣子二期文化墓葬陶器图

4.2　B群墓葬及分期

4.2.1　B群墓葬

B群墓葬主要分布在太子河上游的本溪、新宾地区，地处千山山地的丘陵地带，属长白山脉的东南延续山区，主要为喀斯特地貌，地上河流和地下暗河使得该地区水源充沛。

B群最具有代表性的墓地是马城子报告发表的7处青铜时代洞穴墓地，分别为张家堡A洞，山城子B、C洞，马城子A、B、C洞，北甸A洞，为了描述方便，以各洞的首写字母为墓地编号如下：ZA洞、SB洞、SC洞、MA洞、MB洞、MC洞、BA洞，本书在介绍随葬品及墓葬年代讨论时，统一采用该编号。还有一些零散的墓葬也可以划入B群的范畴：东升洞穴遗存，近边寺A、B洞墓，后沟村狐狸洞墓，老虎洞墓，南芬西山石棺墓群，程家村石棺墓，北台石棺墓，代家堡子石棺墓，孟家堡子石棺墓，丁家峪石棺墓，蜂蜜砬子石棺墓，下石石棺墓，龙头山石棺墓，虎沟石棺墓，刘家哨石棺墓，小孤家子石棺墓6座，全堡石棺墓，辽阳杏花村石棺墓。

B群墓葬的形制包括全部的洞穴墓Ⅰ、Ⅱ、Ⅲ、Ⅳ型和Ⅰc、Ⅱa、Ⅲa型石棺墓。随葬品主要为陶器和石器。陶器为手制，多采用泥条套接法，陶质较粗，含有细沙粒。陶色以红褐色为主，其次为灰褐陶，晚期出现少量黑陶。陶器以素面为主，多叠唇，多耳，部分陶器口沿及肩部饰纹，纹饰大多为圆点形凹坑纹、附加堆纹、刻划纹等。器物群比较单一，陶器以素面壶、罐、钵等为代表，也有陶纺轮；石器制作精致，棱角整齐，通体磨光，主要器形有斧、凿、锛类器物，也见纺轮、石镞、长方形或梯形穿孔石刀等，少数地点还发现了磨制石剑；装饰品普遍出现，主要有石珠、石坠、蚌坠、牙饰及少量小型青铜饰品。B群器物组合简单并相对固定，土著性强，有鲜明的自身文化的传统和广泛的影响力，典型器物列举见图4-11。

4.2.2　陶器型式划分

壶　根据颈部特征的不同可以分为斜颈壶、直颈壶、束颈壶、折颈壶、曲颈壶五型。

Ⅰ型：斜颈壶。根据耳部特征可以分四亚型。

Ⅰa型：无耳。可以分4式。

1式：以MAM18∶1为代表（图4-12，1）。

2式：以ZAM20∶21为代表（图4-12，3）。

3式：以ZAM6∶8为代表（图4-12，10）。

4式：以MCM1∶1为代表（图4-12，6）。

演变趋势：腹部渐瘦长，颈部渐细高。

Ⅰb型：鋬耳。可以分3式。

1式：以ZAM45∶11为代表（图4-12，2）。

2式：以 ZAM36∶9为代表（图4-12，4）。

3式：以ZAM2∶7为代表（图4-12，7）。

演变趋势：腹部渐扁，颈部渐细长。

Ⅰc型：纽状耳。可以分3式。

1式：以 ZAM20∶16为代表（图4-12，5）。

2式：以 ZAM2∶5为代表（图4-12，8）。

3式：以丁家峪石棺墓壶为代表（图4-12，11）。

演变趋势：腹部渐扁，颈部渐细长。

Ⅰd型：横桥耳。以ZAM8∶4为代表（图4-12，9）。

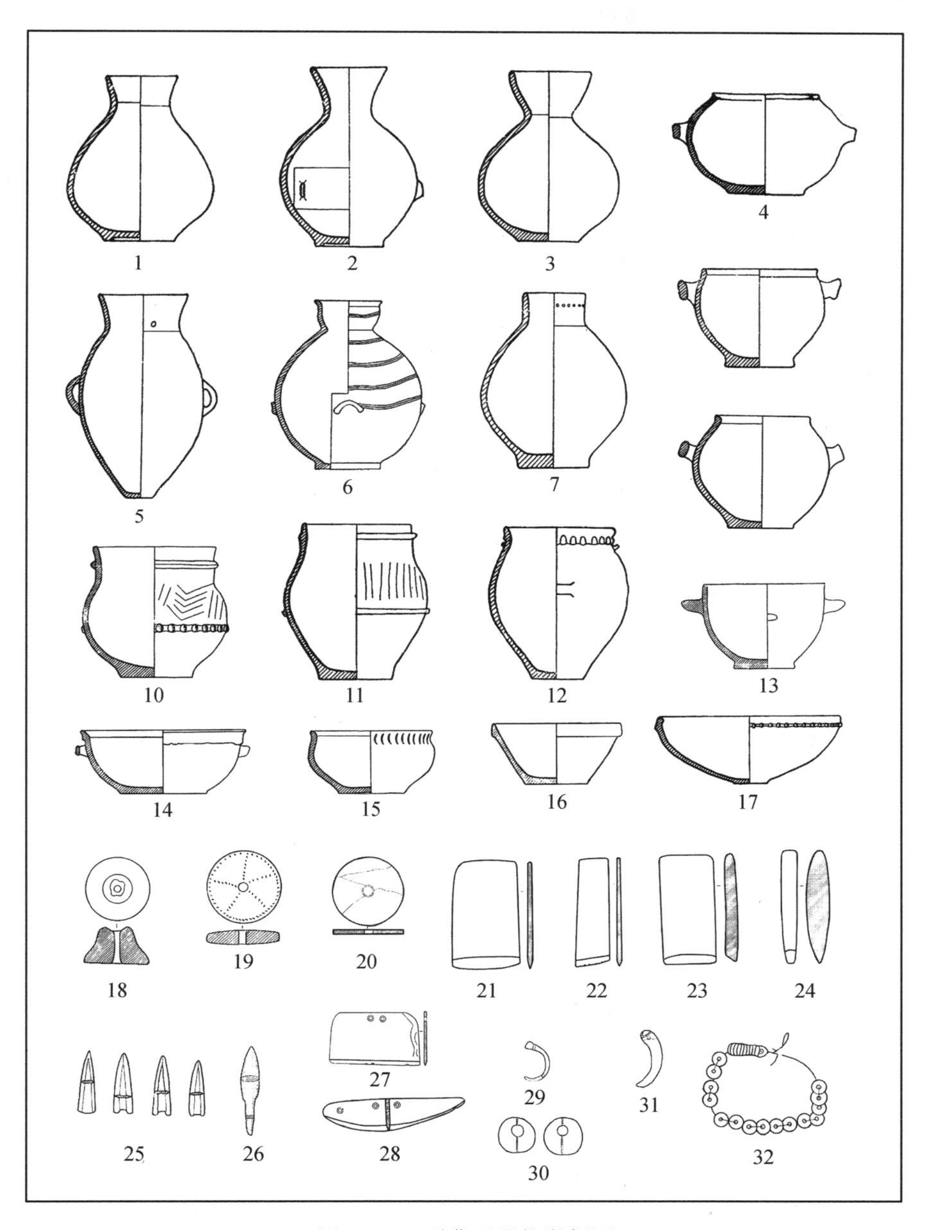

图4-11　B群典型器物举例图

1～3、5～7.壶　4、8～12.罐　13.杯　14、15、17.钵　16.碗　18、19.陶纺轮　20.石纺轮　21、22.石斧　23.石锛　24.石凿　25、26.石镞　27、28.石刀　29.铜耳饰　30.圆形铜饰　31.牙饰　32.串珠（4.东升洞穴；6.山城子C洞；9、21、22.马城子C洞；10、11.马城子B洞；12、15、19、20、25～27、31、32.马城子A洞，余为张家堡A洞出土）

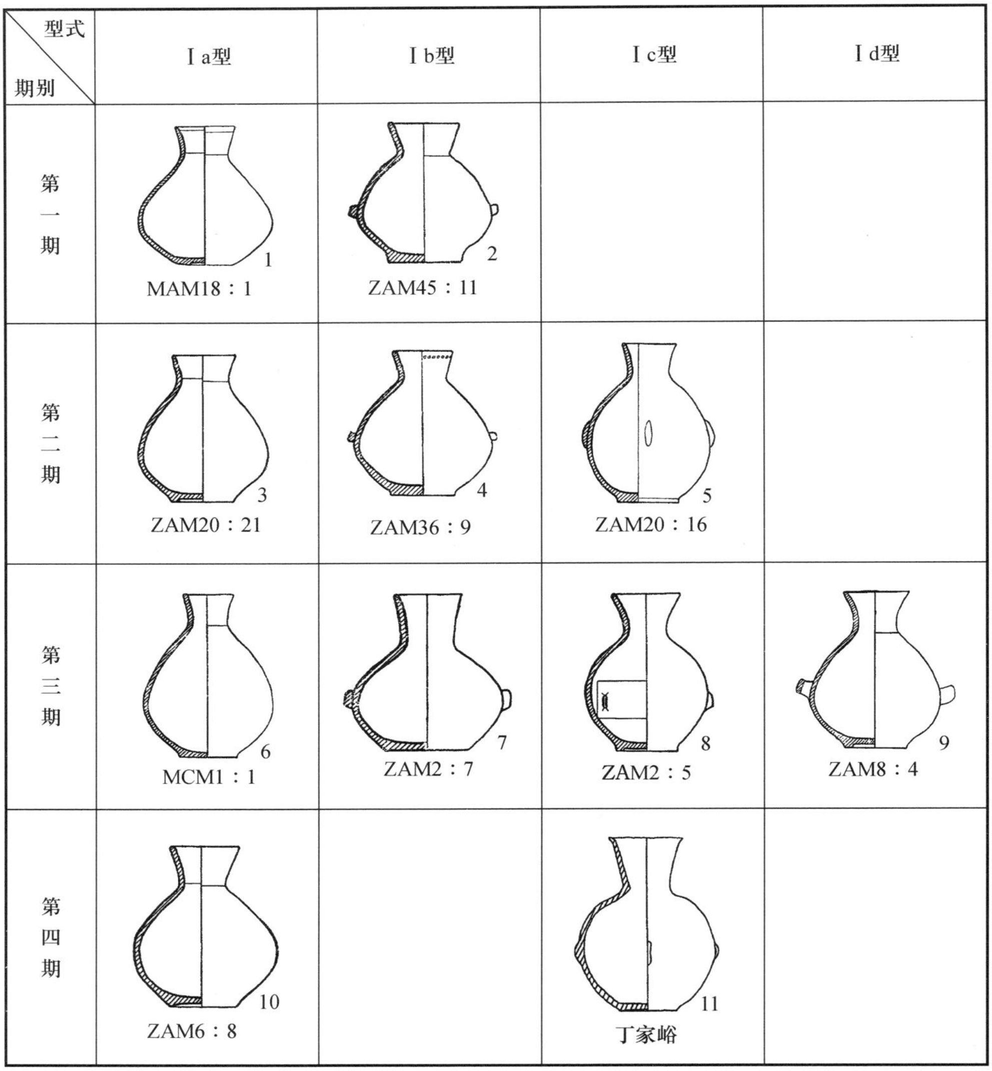

型式 期别	Ⅰa型	Ⅰb型	Ⅰc型	Ⅰd型
第一期	1 MAM18：1	2 ZAM45：11		
第二期	3 ZAM20：21	4 ZAM36：9	5 ZAM20：16	
第三期	6 MCM1：1	7 ZAM2：7	8 ZAM2：5	9 ZAM8：4
第四期	10 ZAM6：8		11 丁家峪	

图4-12　B群Ⅰ型壶分期图

只在张家堡A洞2层出现。

Ⅱ型：直颈壶。根据颈部特征可以分二亚型。

Ⅱa型：矮颈，无耳。可以分3式。

1式：以ZAM45：7为代表（图4-13，1）。

2式：以 SBM9：4为代表（图4-13，4）。

3式：以ZAM4：1为代表（图4-13，7）。

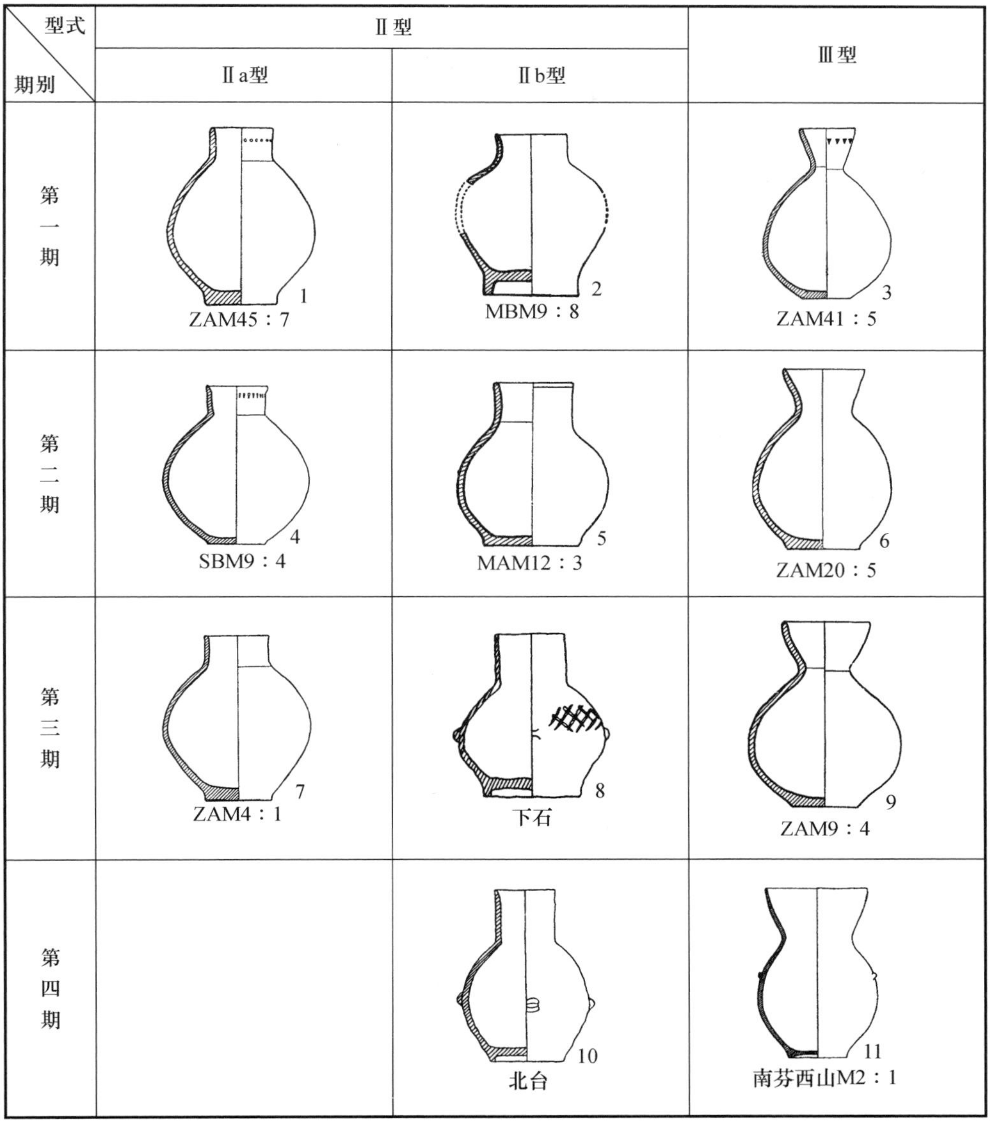

型式 / 期别	Ⅱ型		Ⅲ型
	Ⅱa型	Ⅱb型	
第一期	1 ZAM45：7	2 MBM9：8	3 ZAM41：5
第二期	4 SBM9：4	5 MAM12：3	6 ZAM20：5
第三期	7 ZAM4：1	8 下石	9 ZAM9：4
第四期		10 北台	11 南芬西山M2：1

图4-13　B群Ⅱ、Ⅲ型壶分期图

演变趋势：肩部渐上移，腹部渐圆。

Ⅱb型：高颈，无耳。可以分4式。

1式：以MBM9：8为代表（图4-13，2）。

2式：以MAM12：3为代表（图4-13，5）。

3式：以下石石棺墓壶为代表（图4-13，8）。

4式：以北台石棺墓壶为代表（图4-13，10）。

演变趋势：颈部渐细长，最大腹径渐下移。

Ⅲ型：束颈壶。可以分4式。

1式：以ZAM41：5为代表（图4-13，3）。

2式：以ZAM20：5为代表（图4-13，6）。

3式：以ZAM9：4为代表（图4-13，9）。

4式：以南芬西山M2：1为代表（图4-13，11）。

演变趋势：口部渐宽大、高耸。

Ⅳ型：折颈壶。根据腹部特征划分二亚型。

Ⅳa型：圆腹。

以SBM4：7、SBM8：5为代表（图4-14，2、3）。

型式 / 期别	Ⅳ型		Ⅴ型
	Ⅳa型	Ⅳb型	
第一期		1 SCM7：5	
第二期	2 SBM4：7　3 SBM8：5	4 ZAM25：1	5 ZAM34：12
第三期			6 全堡壶

图4-14　B群Ⅳ、Ⅴ型壶分期图

Ⅳb型：长腹。可以分2式。
1式：以SCM7：5为代表（图4-14，1）。
2式：以ZAM25：1为代表（图4-14，4）。
演变趋势：肩部渐明显，耳部上移。
Ⅴ型：曲颈壶。可以分2式。
1式：以ZAM34：12为代表（图4-14，5）。
2式：以全堡壶为代表（图4-14，6）。
演变趋势：钵口渐浅。
罐　根据腹部不同，可以分八型。
Ⅰ型：斜腹罐。根据耳部特征可以分为三亚型。
Ⅰa型：横桥耳，小折沿。可以分4式。
1式：以ZAM45：6为代表（图4-15，1）。
2式：ZAM25：2为代表（图4-15，2）。
3式：以ZAM2：10为代表（图4-15，5）。
4式：以MCM5：2为代表（图4-15，9）。
演变趋势：最大腹径上移，腹腔渐深。
Ⅰb型：鋬耳，小折沿。可以分2式。
1式：以ZAM2：4为代表（图4-15，6）。
2式：以MCM14：4为代表（图4-15，10）。
演变趋势：腹腔渐深。
Ⅰc型：无耳，叠唇。可以分2式。
1式：以ZAM9：8为代表（图4-15，7）。
2式：以MCM8：1为代表（图4-15，11）。
演变趋势：腹腔渐深。
Ⅱ型：球腹罐。根据耳部特征可以分二亚型。
Ⅱa型：横桥耳。可以分3式。
1式：以SBM7：7为代表（图4-15，3）。
2式：以ZAM10：6为代表（图4-15，8）。
3式：以MCM5：1为代表（图4-15，12）。
演变趋势：最大腹径上移，腹腔渐深，口沿渐矮变小折沿。
Ⅱb型：无耳。可以分2式。
1式：以MAM12：22为代表（图4-15，4）。
2式：以MCM3：2为代表（图4-15，13）。
演变趋势：最大腹径上移，腹腔渐深，口沿渐矮变小折沿。
Ⅲ型：深腹罐。根据领部特征可以分二亚型。

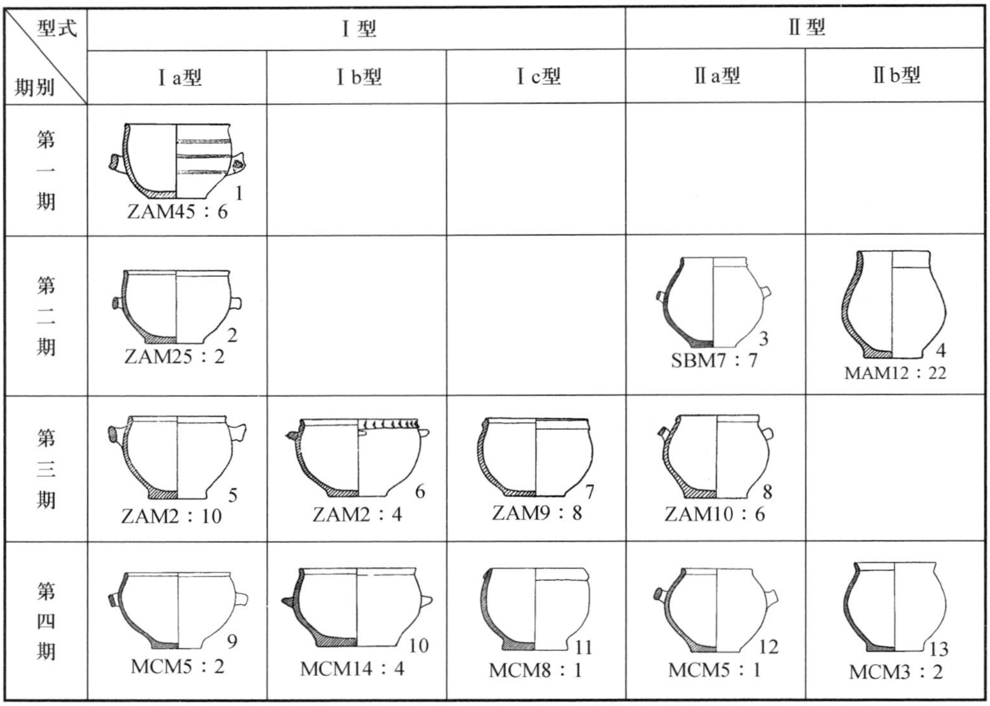

型式／期别	Ⅰ型			Ⅱ型	
	Ⅰa型	Ⅰb型	Ⅰc型	Ⅱa型	Ⅱb型
第一期	1 ZAM45：6				
第二期	2 ZAM25：2			3 SBM7：7	4 MAM12：22
第三期	5 ZAM2：10	6 ZAM2：4	7 ZAM9：8	8 ZAM10：6	
第四期	9 MCM5：2	10 MCM14：4	11 MCM8：1	12 MCM5：1	13 MCM3：2

图4-15　B群Ⅰ、Ⅱ型罐分期图

Ⅲa型：直领，鼓肩。

以MBM13：7、MBM5：20为代表（图4-16，1、2）。

Ⅲb型：无领，筒腹。可以分2式。

1式：以ZAM50：1为代表。图4-16，3）。

2式：以ZAM36：7为代表（图4-16，6）。

Ⅳ型：浅腹罐。根据领部特征可以分二亚型。

Ⅳa型：高领，广口。可以分2式。

1式：以MBM13：8为代表（图4-16，4）。

2式：以MAM5：1为代表（图4-16，7）。

演变趋势：腹腔渐浅。

Ⅳb型：矮领，敛口。可以分2式。

1式：以BAM2：1为代表（图4-16，5）。

2式：以MAM12：18为代表（图4-16，8）。

演变趋势：腹腔渐浅。

Ⅴ型：钵腹罐。根据口沿特点分二亚型。

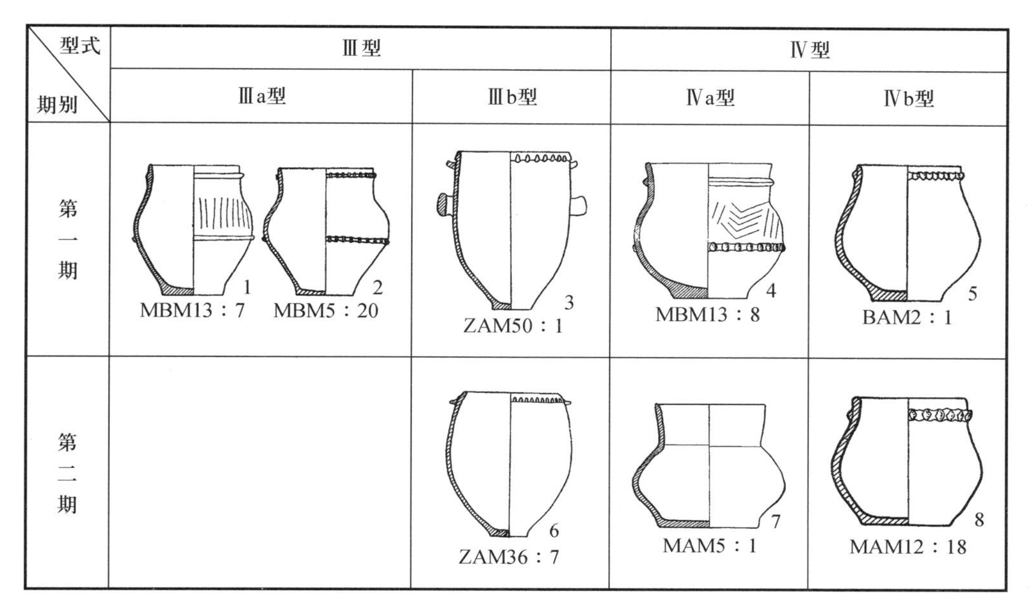

图4-16 B群Ⅲ、Ⅳ型罐分期图

Ⅴa型：小折沿。根据腹部形态可以分3式。

1式：以ZAM46：2为代表（图4-17，1）。

2式：以ZAM20：10为代表（图4-17，3）。

3式：以ZAM9：1为代表（图4-17，6）。

演变趋势：腹最大径渐下移，折沿渐明显。

Ⅴb型：器形小，敛口。根据腹部形态可以分4式。

1式：以MBM13：14为代表（图4-17，2）。

2式：以ZAM28：2为代表（图4-17，4）。

3式：以ZAM2：6为代表（图4-17，7）。

4式：以MCM3：3为代表（图4-17，9）。

演变趋势：腹腔渐深。

Ⅵ型：盆腹罐。根据腹部形态可以分3式。

1式：以ZAM20：14为代表（图4-17，5）。

2式：以ZAM10：6为代表（图4-17，8）。

3式：以MCM10：3为代表（图4-17，10）。

演变趋势：腹腔渐深。

Ⅶ型：折腹罐。圈足，无耳。根据腹部特征可以分二亚型。

Ⅶa型：腹部中间处转折，折棱明显。可以分2式。

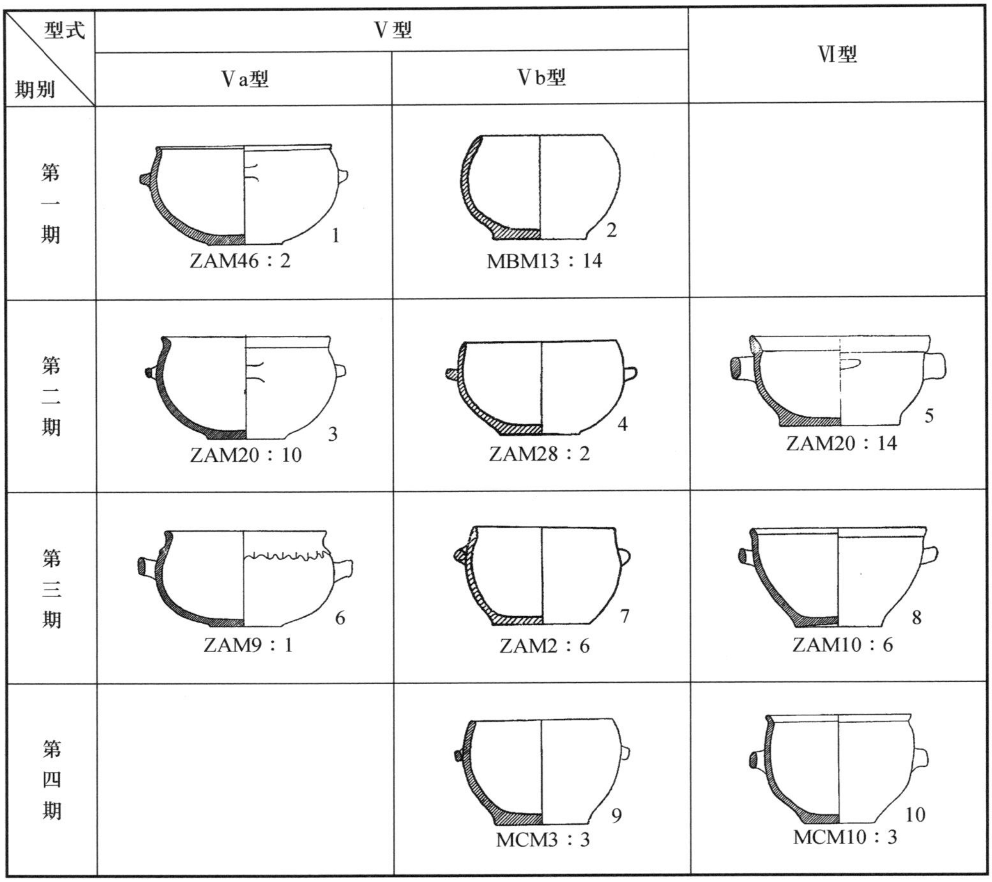

型式 期别	Ⅴ型		Ⅵ型
	Ⅴa型	Ⅴb型	
第一期	1 ZAM46：2	2 MBM13：14	
第二期	3 ZAM20：10	4 ZAM28：2	5 ZAM20：14
第三期	6 ZAM9：1	7 ZAM2：6	8 ZAM10：6
第四期		9 MCM3：3	10 MCM10：3

图4-17　B群Ⅴ、Ⅵ型罐分期图

1式：以ZAM47：3为代表（图4-18，1）。

2式：以 MAM12：17为代表（图4-18，2）。

Ⅶb型：腹部中上部缓折，折棱不明显。

以MAM5：7、MAM12：19为代表（图4-18，3、4）。

Ⅷ型：扁腹罐　腹部扁圆。可以分2式。

1式：以ZAM8：6为代表（图4-18，5）。

2式：以东升XD：7为代表（图4-18，6）。

钵　根据腹部特征分三型。

Ⅰ型：弧腹。根据耳部特征可以分二亚型。

Ⅰa型：有耳。可以分3式。

型式 期别	Ⅶ型		Ⅷ型
	Ⅶa型	Ⅶb型	
第一期	1 ZAM47：3		
第二期	2 MAM12：17	3 MAM5：7　4 MAM12：19	
第三期			5 ZAM8：6
第四期			6 东升XD：7

图4-18　B群Ⅶ、Ⅷ型罐分期图

1式：以SBM11：2为代表（图4-19，1）。

2式：以ZAM27：6为代表（图4-19，5）。

3式：以ZAM39：1为代表（图4-19，10）。

演变趋势：腹部弧度渐小。

Ⅰb型：无耳。可以分3式。

1式：以SBM3：1为代表（图4-19，2）。

2式：以SBM4：2为代表（图4-19，6）。

3式：以SCM9：3为代表（图4-19，11）。

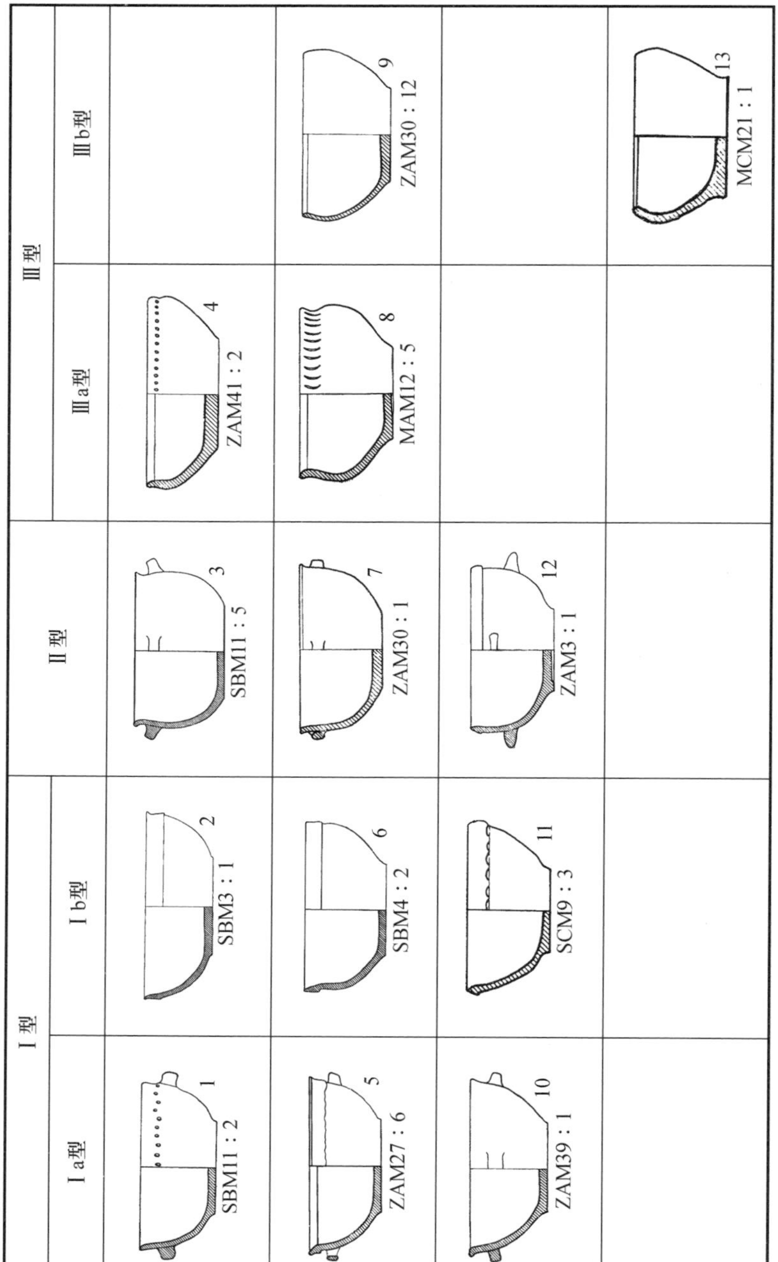

型式 / 期别	Ⅰ型		Ⅱ型	Ⅲ型	
	Ⅰa型	Ⅰb型		Ⅲa型	Ⅲb型
第一期	1 SBM11：2	2 SBM3：1	3 SBM11：5	4 ZAM41：2	
第二期	5 ZAM27：6	6 SBM4：2	7 ZAM30：1	8 MAM12：5	9 ZAM30：12
第三期	10 ZAM39：1	11 SCM9：3	12 ZAM3：1		
第四期					13 MCM21：1

图4-19　B群钵分期图

演变趋势：腹部弧度渐小。
Ⅱ型：垂腹。可以分3式。
1式：以SBM11：5为代表（图4-19，3）。
2式：以ZAM30：1为代表（图4-19，7）。
3式：以ZAM3：1为代表（图4-19，12）。
演变趋势：腹部弧度渐小。
Ⅲ型：折腹，敛口。根据口沿特征可以分二亚型。
Ⅲa型：小折沿。可以分2式。
1式：以ZAM41：2为代表（图4-19，4）。
2式：以MAM12：5为代表（图4-19，8）。
演变趋势：折腹、折沿渐明显。
Ⅲb型：无沿。可以分2式。
1式：以ZAM30：12为代表（图4-19，9）。
2式：以MCM21：1为代表（图4-19，13）。
演变趋势：腹腔渐深。
碗　根据腹部特征分三型。
Ⅰ型：有耳。可以分2式。
1式：以SBM5：6为代表（图4-20，1）。
2式：以SBM8：1为代表（图4-20，6）。
演变趋势：口渐大，腹腔渐浅。
Ⅱ型：无耳。根据腹部形态可以分二亚型。
Ⅱa型：深腹。可以分2式。
1式：以MBM11：2为代表（图4-20，2）。
2式：以ZAM35：4为代表（图4-20，7）。
演变趋势：口渐大，腹腔渐浅。
Ⅱb型：浅腹。可以分2式。
1式：以ZAM50：6为代表（图4-20，3）。
2式：以ZAM20：13为代表（图4-20，8）。
演变趋势：口渐大，腹腔渐浅。
Ⅲ型：重唇。根据腹部形态可以分二亚型。
Ⅲa型：弧腹。可以分2式。
1式：以MBM8：4为代表（图4-20，4）。
2式：以SBM7：9为代表（图4-20，9）。
演变趋势：腹腔渐浅。
Ⅲb型：斜腹。可以分2式。

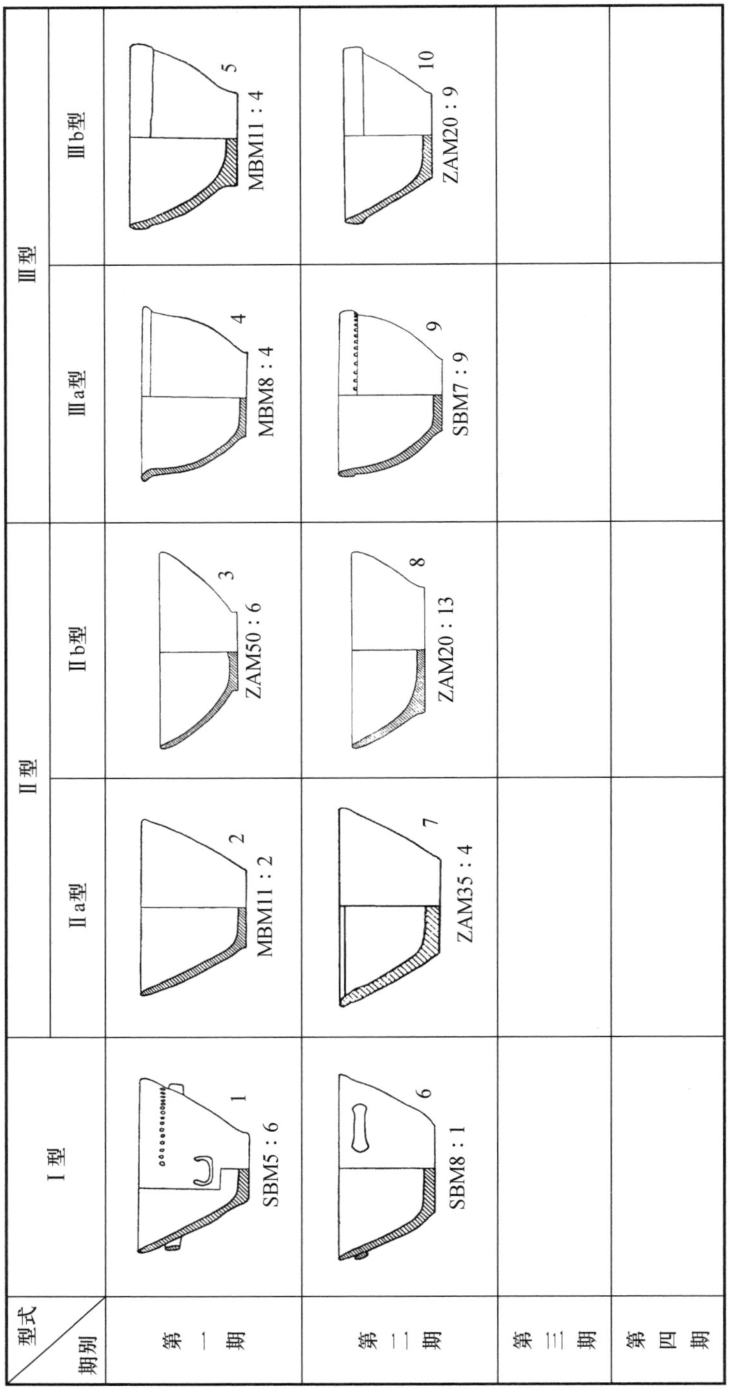

型式/期别	Ⅰ型	Ⅱ型		Ⅲ型	
		Ⅱa型	Ⅱb型	Ⅲa型	Ⅲb型
第一期	1 SBM5：6	2 MBM11：2	3 ZAM50：6	4 MBM8：4	5 MBM11：4
第二期	6 SBM8：1	7 ZAM35：4	8 ZAM20：13	9 SBM7：9	10 ZAM20：9
第三期					
第四期					

图4-20　B群碗分期图

1式：以MBM11：4为代表（图4-20，5）。
2式：以ZAM20：9为代表（图4-20，10）。
杯　根据腹部特征可以分二型。
Ⅰ型：弧腹。根据腹部形态可以分二亚型。
Ⅰa型：深腹，鋬耳。可以分3式。
1式：以SBM11：7为代表（图4-21，1）。
2式：以ZAM28：5为代表（图4-21，3）。
3式：以SCM9：3为代表（图4-21，6）。
演变趋势：腹部弧度渐小。
Ⅰb型：浅腹，无耳，圈足。可以分2式。
1式：以ZAM24：1为代表（图4-21，4）。
2式：以ZAM16：3为代表（图4-21，7）。

型式 / 期别	Ⅰ型		Ⅱ型
	Ⅰa型	Ⅰb型	
第一期	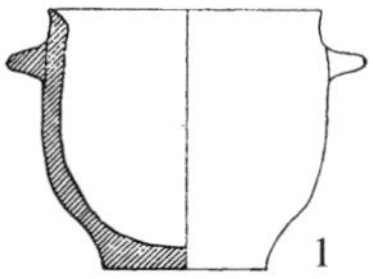 1 SBM11：7		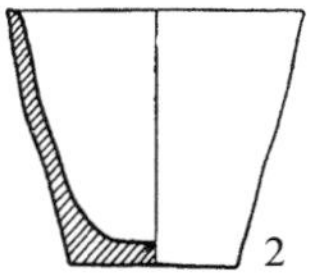 2 SBM11：6
第二期	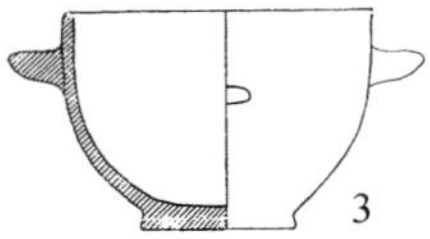 3 ZAM28：5	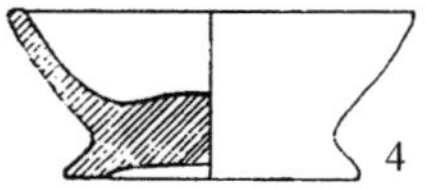 4 ZAM24：1	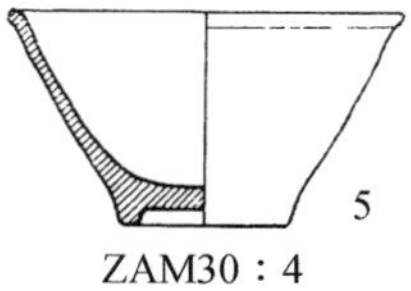 5 ZAM30：4
第三期	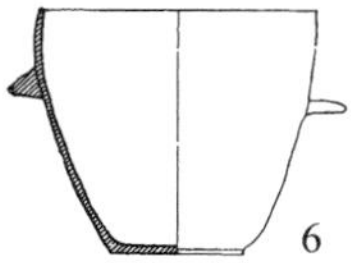 6 SCM9：3	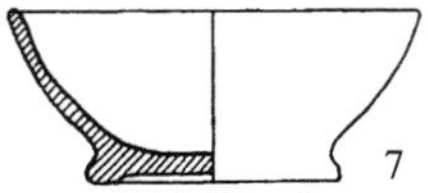 7 ZAM16：3	
第四期			

图4-21　B群杯分期图

演变趋势：圈足渐矮。

Ⅱ型：斜腹。可以分2式。

1式：以SBM11：6为代表（图4-21，2）。

2式：以ZAM30：4为代表（图4-21，5）。

演变趋势：腹腔逐渐变浅。

还有一些器类无法分型，列举如下：壶ZAM24：4、ZAM30：10，罐ZAM17：1、ZAM6：4、ZAM6：6、MBM18：23、SBM2：4，钵ZAM24：2、ZAM29：4、ZAM45：8，盆SBT2②：61等（图4-22）。

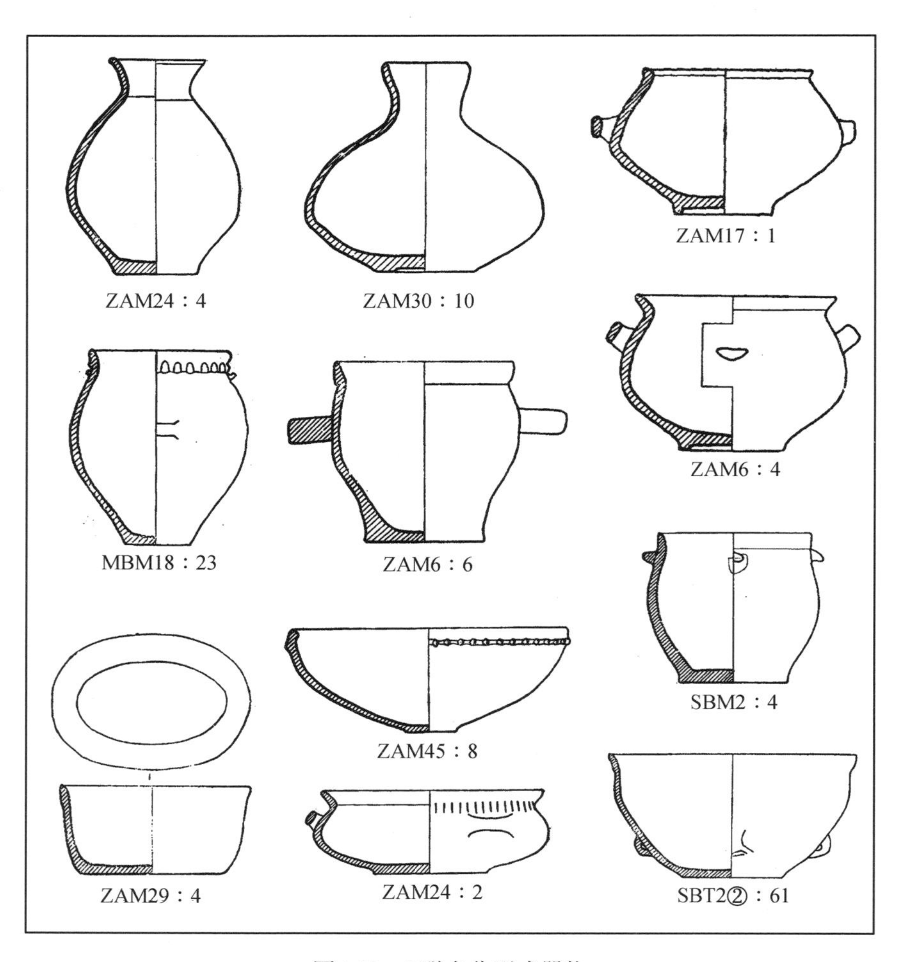

图4-22　B群未分型式器物

4.2.3　分期与年代讨论

对于B群墓葬的分期以往学者做过一些研究，这些研究都是围绕马城子文化分期进行的，而对于马城子文化的分期则以马城子报告中的7座洞穴墓地作为研究对象。在以往的研究中，关于马城子文化包含遗址和墓葬这一点研究者早已达成共识，而分歧在于两个层次：第一是马城子文化的内涵问题，第二是马城子文化的分期问题。在马城子文化的内涵界定方面，有两种代表性观点，其一，马城子报告根据当时所获洞穴墓葬材料概括了马城子文化的内涵："死者都埋藏在家族洞穴墓地里，不挖穴，不封土。"并在"马城子文化有关研究"一章当中专门讨论了"马城子文化与石棺墓文化的关系"①。可见，此报告的观点是将马城子文化的墓葬局限于洞穴墓葬一种类型。其二，赵宾福将以往命名混乱的考古学文化及一些零散材料进行了整合，并指出："以往发现的所谓'新乐上层文化'、'老虎冲类型'、'顺山屯类型'、'望花类型'和'庙后山文化'，实际上应该是同一种文化。""为行文方便并避免与其他名称相混淆，这里暂借用《马城子》报告中提出的'马城子文化'一词，将其统称为马城子文化。""依目前公开发表的材料看，马城子文化的墓葬主要分洞穴墓和石棺墓两类。"②一些石棺墓如本溪连山关、下马塘石棺墓、铁岭树芽屯石棺墓、桓仁大梨树沟石棺墓和新宾老城石棺墓都被划入了马城子文化墓葬的范畴。文章将马城子文化进行了统一整合和分期，将马城子文化墓葬分为早、晚两期。另外，华玉冰也提及了马城子文化墓葬是由洞穴墓和石棺墓两个部分组成，并对马城子文化的洞穴墓进行了重新分期③。

马城子报告分期观点：根据墓地叠压分层埋葬的原理将有地层关系的墓地划分早晚顺序，将无层位关系的墓葬进行类型学对比，分析墓葬的埋藏顺序及随葬品的变化，参考^{14}C的测定数据得出分期结论，将报告中145座墓葬分为早、中、晚三期。早期为马城子B洞和北甸A洞的墓葬，相当于夏代初期；中期为张家堡A洞4、3层，山城子C洞4、3层，山城子B洞墓葬，相当于夏代中期至商代晚期；

① 辽宁省文物考古研究所、本溪市博物馆：《马城子——太子河上游洞穴遗存》，文物出版社，1994年。

② 赵宾福：《马城子文化新论——辽东北部地区夏商时期遗存的整合研究》，《边疆考古研究（第6辑）》，科学出版社，2007年，143～164页。

③ 华玉冰：《马城子文化墓葬分期及相关问题》，《新果集——庆祝林沄先生七十华诞论文集》，科学出版社，2009年，261～273页。

晚期为张家堡A洞2层、山城子C洞2层、马城子C洞、马城子A洞墓葬，相当于商末西周初期。

赵宾福将上述墓葬分为早、晚两期，张家堡A洞4层，山城子C洞4层，山城子B洞M2、M3、M4、M5、M8、M9，马城子B洞M7、M8、M9、M10、M12、M13，马城子C洞M1、M4、M6、M23为早期，相当于夏至早商时期；张家堡A洞3、2层，山城子C洞3、2层，马城子C洞M2、M3、M5、M7、M8、M10、M11、M12、M13、M14、M16、M17、M21、M22，山城子B洞M1、M6、M7、M10、M11，马城子B洞M1、M2、M3、M4、M5、M11、M14，马城子A洞，北甸A洞为晚期，相当于商代晚期。

华玉冰将此145座墓划分为四期，一期为马城子B洞、山城子B洞3层、北甸A洞墓葬，相当于夏商之交；二期为马城子A洞、张家堡A洞4层、山城子B洞墓葬，相当于商代早中期；三期为张家堡A洞3层，山城子C洞4、3层墓葬，相当于商末西周早期；四期为马城子C洞、张家堡A洞2层、山城子C洞2层墓葬，相当于商末西周早期。

在张家堡A洞52座墓葬中，对于4、3、2层墓葬的关系问题，目前的观点不能达成一致。马城子报告认为4层与3层应该同为中期；2层单独归入晚期。赵宾福认为，4层年代应单独列入早期；3、2层墓葬面貌更为接近，应同划入晚期。华玉冰则把4、3、2三层墓葬各划入一期，分别为二、三、四期。

在山城子C洞的12座墓中，同样对于4、3、2层墓葬的关系问题存在分歧。马城子报告认为4、3层墓葬面貌一致，应该划入中期的后段，2层单独划入晚期。华玉冰也认为，4、3层墓葬更为接近，并将其划入第三期，2层较晚，划入第四期。赵宾福认为，4层较早，应单独划入早期，3、2层墓葬面貌更为接近，归属晚期。

其余的5处洞穴地点墓葬的年代顺序也存在争议。马城子报告将马城子B洞墓葬、山城子B洞、马城子C洞分别列入早、中、晚三期；华玉冰将马城子B洞墓葬、山城子B洞、马城子C洞分别列入一、二、四期。二者没有将这3座墓地的墓葬以期别区分早晚，且均将北甸A洞的年代定为最早。赵宾福则把以上3座墓葬又进行了详细划分成了早、晚两期，且将北甸A洞划为晚期。另外，马城子报告及赵宾福均将马城子A洞年代定为最晚，而华玉冰则将该洞划入了第二期（表4-3）。

表4-3　马城子报告中7座洞穴墓地三种分期方案比较一览表

<table>
<tr><th colspan="3">马城子报告分期结果</th><th colspan="2">赵宾福分期结果</th><th colspan="2">华玉冰分期结果</th></tr>
<tr><td>早期夏初</td><td colspan="2">马城子B洞
北甸A洞</td><td rowspan="2">早期
夏—早商</td><td rowspan="2">张家堡A洞4层
山城子C洞4层
山城子B洞M2、M3、M4、M5、M8、M9；
马城子B洞M7、M8、M9、M10、M12、M13；
马城子C洞M1、M4、M6、M23</td><td>一期夏商之交</td><td>马城子B洞
北甸A洞</td></tr>
<tr><td rowspan="2">中期
夏中—商代晚期</td><td>前段</td><td>张家堡A洞4层</td><td>二期商代早中</td><td>马城子A洞
张家堡A洞4层
山城子B洞</td></tr>
<tr><td>后段</td><td>张家堡A洞3层
山城子C洞
4、3层
山城子B洞</td><td>晚期
商代晚期</td><td>张家堡A洞3、2层
山城子C洞3、2层
马城子C洞M2、M3、M5、M7、M8、M10、M11、M12、M13、M14、M16、M17、M21、M22
山城子B洞M1、M6、M7、M10、M11
马城子B洞M1、M2、M3、M4、M5、M11、M14
马城子A洞
北甸A洞</td><td>三期
商代晚期</td><td>张家堡A洞3层
山城子C洞4、3层</td></tr>
<tr><td>晚期商末周初</td><td colspan="2">张家堡A洞2层
山城子C洞2层
马城子C洞
马城子A洞</td><td></td><td></td><td>四期商末周早</td><td>马城子C洞
张家堡A洞2层
山城子C洞2层</td></tr>
</table>

本书在划分B群墓葬时，认同赵宾福先生将马城子文化内涵外延的观点，将以洞穴墓葬为主的青铜时代墓葬划为一群，同时，将一些文化面貌与部分洞穴墓

葬具有共性的石棺墓划入同一范畴，共同划入B群，统一参与分期。

为B群墓葬分期时，从地层关系清楚、出土遗物较为丰富的ZA洞和SC洞[①]墓葬的陶器入手，与其他墓地的陶器进行类型学对比，并参照同时期高台山文化和双砣子二、三期文化的类比，从而得出与以上三种观点不同的分期结论。其中，没有层位关系、没有随葬陶器或随葬品保存状况较差的墓葬不参与分期（B群墓葬陶器分期见附表1～附表3）。具体分析如下。

ZA洞的第4、3、2层的三组墓葬存在地层上的叠压关系，体现了时代的早晚。分布于第4层的墓葬有13座：M37、M38、M40、M41、M43、M44、M45、M46、M47、M49、M50、M51、M52。在ZA洞第4层墓葬中，存在以下几种器物：直领深腹罐ZAM47：4（图4-23，1），鼓肩，领部饰一周圆点凹坑附加堆纹，此类风格与高台山文化早期的壶腰高台山76M12：1（图4-23，2）颇为相似，应为同时期；由此可以判断ZA洞第4层相当于高台山文化早期，其他墓葬部分器形和文化因素也受到高台山文化早期的影响。如直颈壶SBM2：1（图4-23，10），矮领、鼓肩，肩部局部饰几处附加堆纹，高台山文化早期壶白沙沟M1：01（图4-23，9）极为相似。另外，直领深腹罐MAM18：17、MBM13：7（图4-23，6、7）等均为鼓肩，口沿和肩部饰凸棱形附加堆纹，与单砣子M1（图4-23，5）中的罐如出一辙，这种施纹方式也为双砣子二期文化之特点；浅腹罐MBM8：3、MBM13：8（图4-23，8、11）与双砣子遗址二期的罐H6：6（图4-23，12）形制相同，唯纹饰略有区别。可以推断，MAM8、MBM13应与双砣子二期文化同时。浅腹罐BAM2：1（图4-23，4）与石佛山罐ⅠT3：8（图4-23，3）风格相似，呈现出年代较早的特征。从目前学术界认可的相对年代上看，高台山早期、双砣子二期年代基本相当[②]。从绝对年代上看，ZA洞第4层墓葬为ZA洞墓葬中年代最早的一组墓葬，^{14}C数据有一个，经ZAM52木炭测定，距今3585年±65年，树轮校正距今3885年±90年、SB洞M5人骨^{14}C数据为距今3600年±80年，相当于夏代晚期至商代早期。因此，本书将ZA洞第4层墓葬、SBM2、MAM18、MB4、MBM13确定为B群年代最早的代表性墓葬。根据器物的类型学排比，我们将一批随葬品具有相同特征的墓葬划入同时期，为第一期。

第一期包括的墓葬有ZA洞第4层墓葬、SC洞第4层墓葬、BA洞、MB洞；

① 为描述方便，此处，以大写字母来表示洞穴名称，ZA代表张家堡A洞，SB代表山城子B洞，SC代表山城子C洞，MA代表马城子A洞，MB代表马城子B洞，MC代表马城子C洞，BA代表北甸A洞。

② 据赵宾福：《中国东北地区夏至战国时期的考古学文化研究》，吉林大学博士学位论文，2005年。

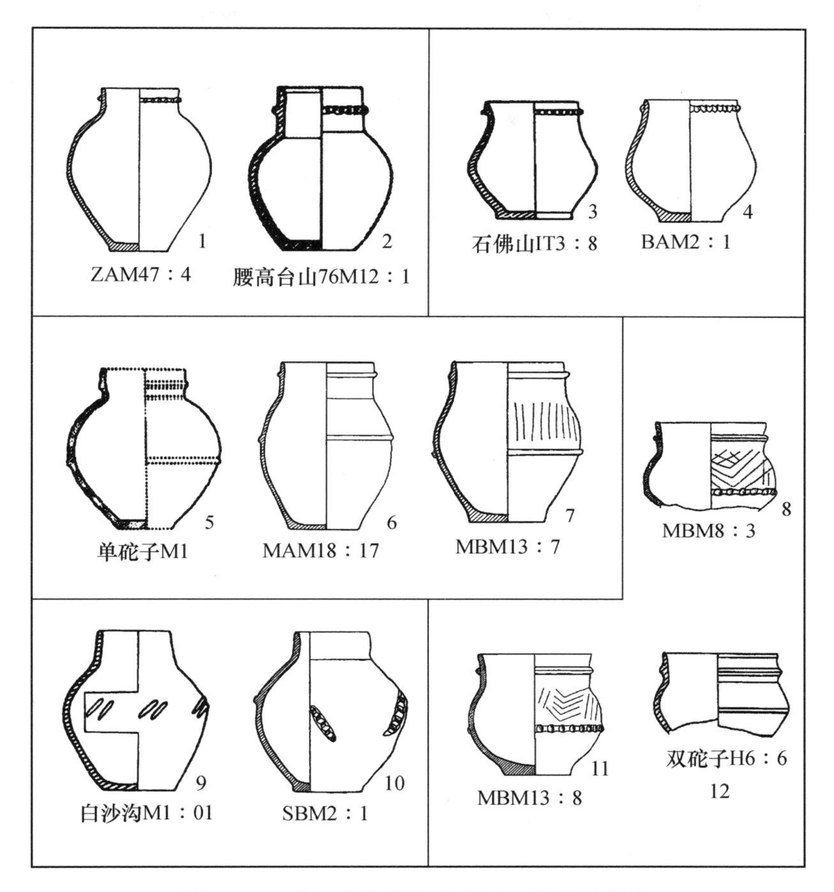

图4-23　B群一期陶器与其他地点陶器比较图

MA洞M1、M6、M15、M18、M23、M25、M27、M28；SB洞M2、M3、M5、M10、M11。

本期墓葬陶器的特点如下：壶类多为斜颈无耳壶，多直领罐、钵、碗，极少出现横桥耳罐，器物口径部多饰附加堆纹、三角形刻划纹或指甲纹。罐类圆点凹坑附加堆纹受高台山文化影响；凸棱形附加堆纹和平行刻划弦纹受双砣子二期文化的影响；个别器物接受了新石器时代晚期的遗风，呈现出年代较早的特征。

ZA洞3层浅腹罐MAM5：1（图4-24，9）与大嘴子遗址三期罐F2：31（图4-24，10）的风格相似，SC洞3层折肩罐SCM11：9（图4-24，5）与双砣子遗址三期F12：4（图4-24，6）器身相同；折腹罐MAM5：7（图4-24，1）与于家村砣头墓地M48：1（图4-24，2）相似；折腹罐MAM12：19（图4-24，3）与于家村砣头墓地篮M13：1（图4-24，4）似有渊源；折颈壶SBM4：7

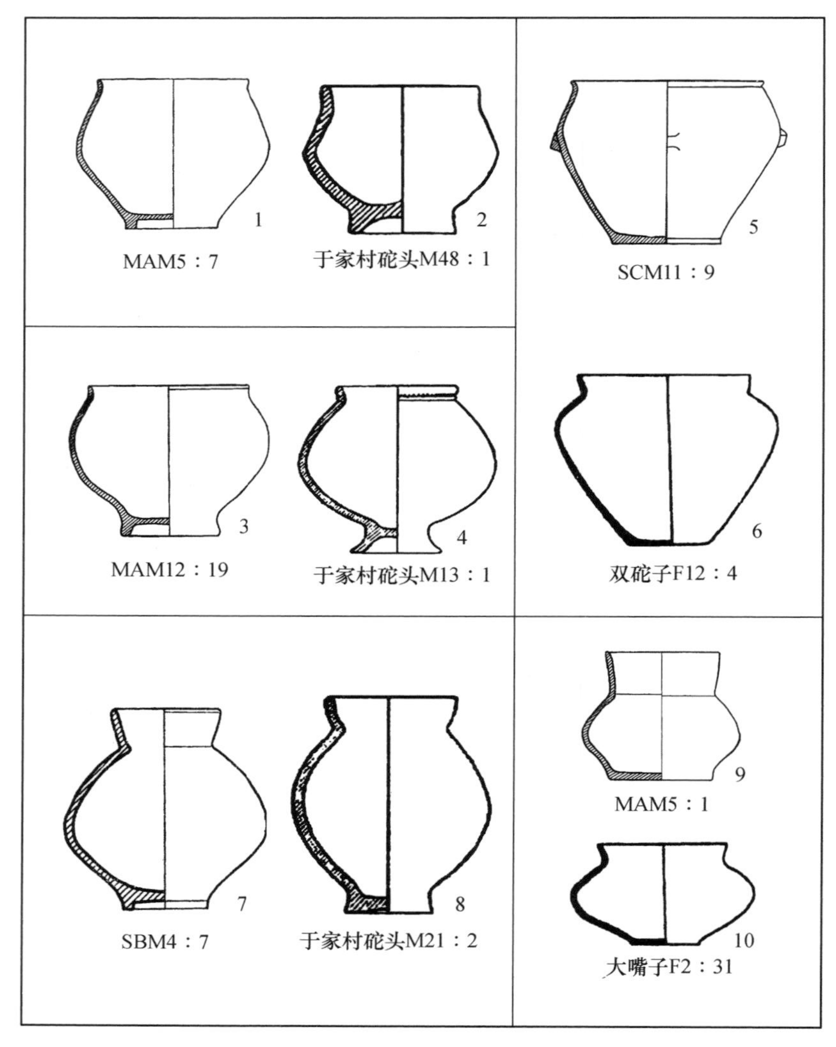

图4-24　B群二期陶器与其他地点陶器比较图

（图4-24，7）与于家村砣头M21：2（图4-24，8）相似；可见，ZA洞3层、SC洞3层、MAM12、MAM5、SBM4与双砣子三期文化的部分房址和墓葬的年代大致相同。ZA洞3层M34木炭的^{14}C数据为距今3115年±60年，树轮校正为距今3270年±135年，SB洞M7人骨^{14}C数据为距今3300年±80年，相当于商代晚期。且这时期出现了一些新器形，如Ⅱ型折腹罐、折颈壶、曲颈壶等，为一期墓葬所不见，也可由此与第一期区别开来，单独划分一个时期。根据器物的类型学排比，我们将一批随葬品具有相同特征的墓葬划入该期，为第二期。

第二期墓葬有ZA洞3层墓葬；SC洞3层墓葬；MA洞M3、M4、M5、M7、M8、M11、M12、M26；SB洞M1、M4、M6、M7、M8、M9。

本期陶器特点如下：很多陶器带有双砣子三期文化和高台山晚期文化的风格，出现少量的横桥耳罐及鋬耳罐，出现Ⅱ型折腹罐、折颈壶、曲颈壶，钵类明显增多，壶、钵组合鲜明。带耳器类增多，且形态各异，器物施耳杂乱无章。

ZA洞2层出现大量横桥耳罐和陶壶，钵类减少，扁腹罐是该时期新出现的器形，应该与稍晚的双房文化的同类器物有关系。有些斜颈壶类（如ZAM2：5）出现了下腹施3、4个小盲耳的现象。从这些特征来看，该时期应与第二期区别开来，单独划为一期。另外，从绝对年代上看，ZA洞2层M7的木炭经^{14}C测定年代为距今2980年±55年，树轮校正距今3135年±95年；ZA洞2层M4木炭经^{14}C测定数据为距今3090年±55年，树轮校正距今3270年±135年、MAM7木炭经^{14}C测定数据为距今3015年±70年，树轮校正3180年±145年。这些数据的平均值大概为距今3000年，相当于西周早期。根据器物的类型学排比，我们将一批随葬品具有相同特征的墓葬划入同时期，为第三期。

第三期墓葬包括ZA洞2层墓葬，SC洞2层墓葬，南芬西山石棺墓M4、M5、M6、M7、M9，程家村石棺墓，北台石棺墓，代家堡子石棺墓，孟家堡子石棺墓，丁家峪石棺墓（2座）、蜂蜜砬子石棺墓、下石石棺墓、龙头山石棺墓、全堡石棺墓。

本期陶器特点如下：Ⅲa型深腹罐及Ⅳ型浅腹罐消失，横桥耳罐发达、壶类增多，器形规整。风格明显趋于统一，壶、罐、钵组合具有自身特色，并出现弦纹曲颈壶。

MC洞墓葬的风格较为一致，且与第三期相比发生了很大变化，斜颈壶、横桥耳罐发达，斜颈壶颈部较之上一期更加细长，壶类下腹施3、4个小盲耳的现象较为常见。南芬西山石棺墓束颈壶M2：1口径较之第三期同类壶更加宽大、高耸，可推定其年代更晚。另外，该时期斜腹罐腹部加深。钵类减少，器物组合以壶、罐或壶、碗为特点。根据前三期壶、罐、钵、碗类的演变趋势，MC洞的年代应于第三期之后。另外，还有一些洞穴墓或零散石棺墓发现了石剑，这些石剑与C群墓葬新宾县城红山M8102、清原县小错草沟石棺墓、清原县任家堡西山头石棺墓中的石剑可能有着渊源关系。根据器物的类型学排比，我们将一批随葬品具有相同特征的墓葬划入同时期，为第四期，相当于西周中期。

第四期墓葬包括：MC洞墓葬，东升洞穴遗存，南芬西山石棺墓M2，虎沟石棺墓，全堡石棺墓，辽阳杏花村石棺墓M3、M5。

本期陶器风格简约，器形单一，钵类明显减少，壶、罐或壶、碗组合最为突出，文化呈现衰退之势（表4-4）。

表4-4　B群墓葬分期结果一览表

第一期	夏晚—商早	ZA洞4层（13座） SC洞4层（3座） MB洞（14座） BA洞（4座） MA洞M1、M6、M15、M18、M23、M25、M27、M28 SB洞M2、M3、M5、M10、M11
第二期	商代中晚期	ZA洞3层（21座） SC洞3层（3座） MA洞M3、M4、M5、M7、M8、M11、M12、M26 SB洞M1、M4、M6、M7、M8、M9
第三期	西周早期	ZA洞2层（18座） SC洞2层（6座） 南芬西山石棺墓M4、M5、M6、M7、M9 程家村石棺墓 北台石棺墓 代家堡子石棺墓 下石石棺墓 孟家堡子石棺墓 丁家峪石棺墓 蜂蜜砬子石棺墓 龙头山石棺墓 全堡石棺墓
第四期	西周中期	MC洞墓葬（23座） 东升洞穴遗存 南芬西山石棺墓M2 虎沟石棺墓 辽阳杏花村石棺墓M3、M5

4.3　C群墓葬及分期

4.3.1　C群墓葬

C群墓葬主要分布在以本溪地区为中心，北上沈阳、抚顺、开原至辽源，西至辽阳，东至丹东，南部包括辽东半岛的大部分地区。C群墓葬陶器的代表性器物是一类横桥耳壶，此类壶的标志性特点就是横桥耳，钵口，腹部有贴耳和弦纹，首先发现于辽东半岛南端新金双房石盖石棺墓中。以往一些研究者根据器物特征来命名，称之为"弦纹壶""钵口壶"等。随着材料的丰富和研究的深入，一些同类侈口弦纹壶或钵口素面壶就难以按此标准划入其中，这种命名方法是以往面对有限的考古学资料做出的片面性和局限性的认识。横耳、弦纹、钵口这几大要素限制了此类壶的内涵范畴，一些学者意识到这样命名已经不足以涵盖此类壶的特征，故为了概括准确和描述方便，根据这种标志性器物首次发现的地点——新金双房来命名这种陶壶，称之为"双房式陶壶"①，下文的叙述中也将采纳此种命名。这种特征鲜明的双房式陶壶引起了很多研究者的专题讨论，讨论的内容主要关于此类壶的分期、源流问题，而对于其所归属的考古学文化问题却一直模糊不清。如何命名这类遗存，是界定该类遗存内涵需要讨论的问题之一。

对于该类遗存内涵的认识主要体现在两个方面：一是狭义的认识，这种认识是以往研究的普遍性观点。对于不同地点出现的面貌相似却又有区别的遗存按发现地分别划分类型，比如将"双房类型""上马石上层类型"②"尹家村二期文化"③"老虎冲类型"并列起来，认为几者区别大于共性；二是广义的认识，这种认识是近年来学者们研究深入的结果。认为几种杂乱的名称所代表的遗存其实应该归属于同一种文化内涵，其区别应该是同一文化地域和时间的差异。

王巍将此类遗存称为"双房遗存"④，将其特点总结为："陶器以壶、罐为主的陶壶分为钵口和侈口，罐为筒形，腹微鼓，外叠厚唇，平底。"同时整合了"上马石上层类型""老虎冲遗存"⑤"祝家沟遗存"后，将其分为早、晚两期，早期以新金双房6号大石盖石棺墓和上马石上层遗存为代表，年代约在西周时期；晚期是以祝家沟石棺墓⑥为代表的遗存，而老虎冲遗存则是双房遗存向下辽河扩张的遗存。

吴世恩明确使用了"双房文化"的概念，并且总结了双房文化的特征："墓葬型式主要为大石盖石棺墓和石棚墓，随葬品以短茎曲刃剑、扇面斧等铜器，碗

---

① 朱永刚：《辽东地区双房式陶壶研究》，《华夏考古》2008年2期，89～97页。

② 辽宁省博物馆、旅顺博物馆、长海县文化馆：《长海县广鹿岛大长山岛贝丘遗址》，《考古学报》1981年1期。

③ 中国社会科学院考古研究所：《双砣子与岗上——辽东史前文化的发现和研究》，科学出版社，1996年。

④ 王巍：《双房遗存研究》，《庆祝张忠培先生七十岁论文集》，科学出版社，2004年，402～411页。

⑤ 曲瑞琦：《沈阳地区新石器时代的考古学文化》，《辽宁省考古、博物馆学会成立大会会刊》，1981年，沈阳。

⑥ 佟达、张正岩：《辽宁抚顺大伙房水库石棺墓》，《考古》1989年2期，139～148页。

口形横桥耳壶、横桥耳罐等陶器最为常见，并喜用铸造铜器的石范来随葬。其分布范围是以千山山地为中心，东至朝鲜大同江流域，北达辽河上游，西以浑河为界，南抵辽东半岛最南端。”① 但是没有将具体的遗存划入双房文化的范畴。

赵宾福将此类遗存称之为“双房文化”②，亦认为应该将“双房遗存”内涵进行重新界定，同时对王巍的观点进行了修订和补充，认为“双房遗存”的年代、分布和基本文化特征组合详细分析以后将此类遗存直接命名为“双房文化”。同时认定，除了王巍文章中整合后的类别外，还有一些素面无耳壶、叠唇筒腹罐、侈口鼓腹罐、侈口鋬耳罐等遗物的积石墓、土坑墓、房址等也应该划入双房遗存的范畴。

对此类遗存命名的整合体现了对该地区青铜时代文化认识深入的过程。由于目前该地区发现的墓葬材料比较零散，且面貌复杂，居址数量更是屈指可数，无法充分地为墓葬材料做参考和佐证，导致多年以来对该地区遗存的研究出现了类型多样、难以统一的局面。由于本书的研究对象是墓葬，故对此类遗存不做单独命名，主要根据随葬品特征将墓葬划分为C群，并讨论该群墓葬的文化内涵和编年。

C群墓葬分布范围广泛，类型复杂，包含了积石墓Ⅳ型，石棚墓Ⅰ、Ⅱ、Ⅲ型，石棺墓Ⅰa、Ⅰb、Ⅰc、Ⅱa、Ⅲa型，大石盖墓Ⅰa、Ⅰb、Ⅱ型，土坑墓Ⅰb、Ⅰc型等多种类型。从墓葬出土的随葬品的组合特征看，该群墓葬虽具有自身特点，但接受了早期及同时期周边他类遗存的文化影响，呈现出一定的地域色彩。以本溪地区为界，可以分为南、北两区。两区除都出双房式陶壶及圈足豆外，在一段时间内呈现出一定的区域性差别，早期南区的陶器主要有双房式陶壶、叠唇筒形罐、鼓腹罐、长颈壶等器类，北区主要为双房式陶壶、竖耳壶、横桥耳罐、鋬耳钵、盲耳壶等器类，晚期两区不断融合，趋于统一。陶器均为手制，多夹砂灰褐陶或红褐陶，火候较低，制作粗糙。陶器素面者居多，纹饰欠发达，其中平行的刻划弦纹单一且固定，少数具有早期特征的平行折线纹和网格纹仍在延续。陶器的横桥耳较为发达，贴耳的装饰普遍存在。石器主要包括斧、锛、凿、石刀、纺轮等；青铜器主要有短剑、斧、矛、镞等，出现了少数明显高等级的中型墓葬和大型墓葬，大件青铜制品及装饰品多出于此类墓葬中，普通墓葬青铜器及装饰品均较少。部分墓葬出现了土著陶器与燕式陶器、明刀币、铁器共存的现象。C群典型器物列举见图4-25。

综上所述，将各零散墓葬整合分析后，划入C群的墓葬包括：本溪通江峪石

① 吴世恩：《关于双房文化的两个问题》，《北方文物》2004年2期，19～28页。

② 赵宾福：《中国东北地区夏至战国时期的考古学文化研究》，吉林大学博士学位论文，2005年。

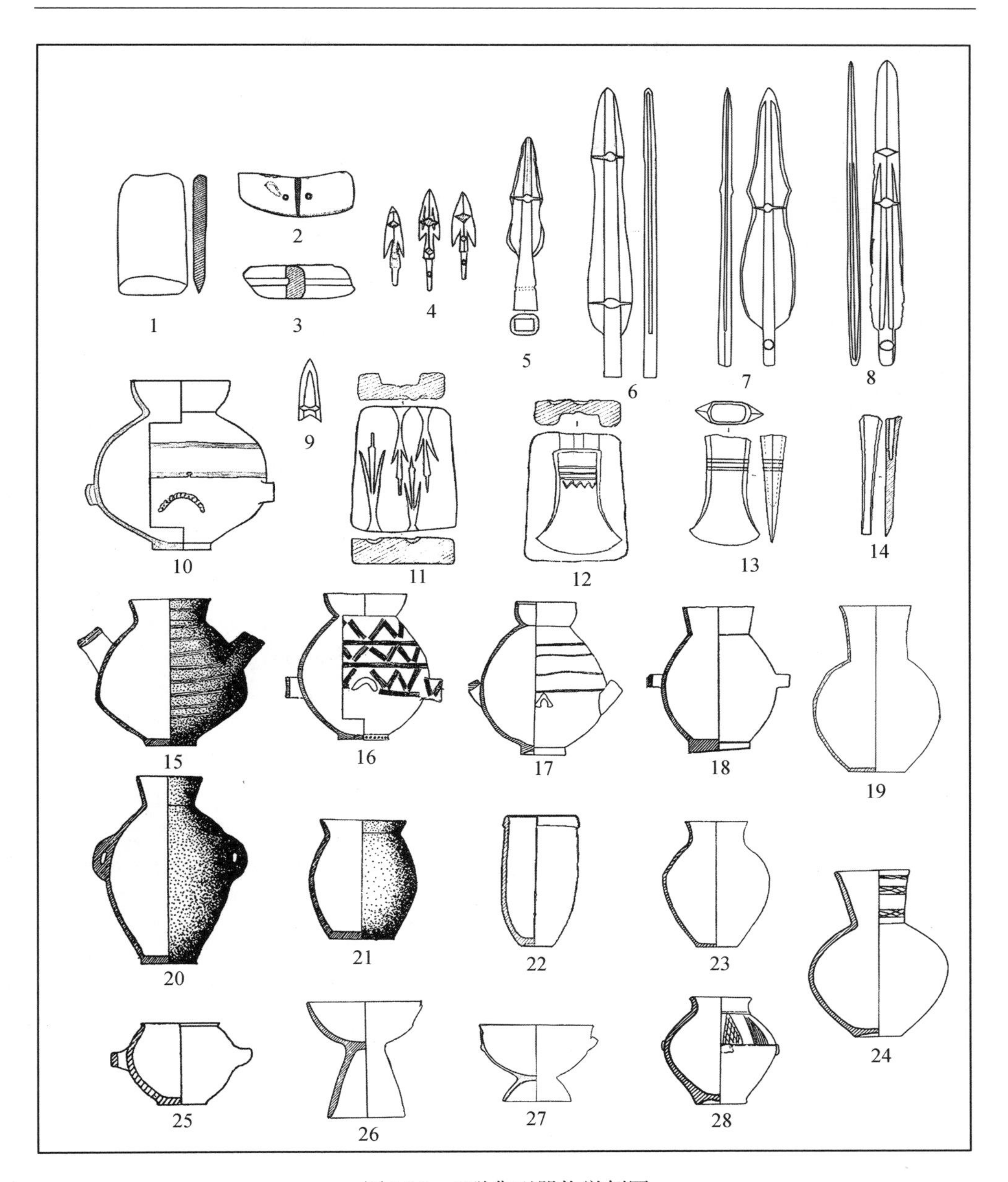

图4-25　C群典型器物举例图

1. 石斧　2. 石刀　3. 砺石　4. 铜镞　5. 铜矛　6～8. 铜剑　9. 石镞　10、15～20、24. 壶　11. 石镞范　12. 石斧范　13. 石斧　14. 铜凿　21～23、25、28. 罐　26、27. 豆

（1～6、9～12. 诚信村；7. 岗上；8、26. 尹家村；13、14、27. 二道河子；15、20、21. 凤城东山；16. 西丰消防队；17、22. 双房；18. 马家店；19. 上马石；23. 王屯；24、28. 岗上；25.祝家沟）

棺墓，观音阁石棺墓，沙窝石棺墓，望城岗子石棺墓，花房沟石棺墓，王沟玉岭石棺墓，新立屯石棺墓，东沟石棺墓，南芬火车站土坑墓[①]，梁家村1号、2号石棺墓[②]，上堡石棺墓[③]，张家堡子墓[④]，刘家哨石棺墓[⑤]，凤城东山大石盖墓[⑥]，凤城西山大石盖墓[⑦]，凤城南山头古墓[⑧]，新宾老城石棺墓群[⑨]，新宾永陵色家石棺墓[⑩]，新宾县城红山石棺墓M8101、M8102，清原北三家公社李家堡大葫芦沟石棺墓，夏家堡公社马家店石棺墓，清原县土口子中学石棺墓，湾甸子公社小错草沟石棺墓，清原北三家公社李家堡耕地石棺墓[⑪]，清原县门脸石棺墓[⑫]，清原县斗虎屯镇白灰厂石棺墓，清原县夏家堡公社马家店石棺墓，清原县南口前乡康家堡石棺墓群，新宾大四平乡马架子石棺墓，新宾县南杂木镇西山石棺墓，抚顺县李家乡莲花堡石棺墓群，抚顺市顺城区塔峪乡土坑墓，抚顺市抚顺区碾盘乡茨沟石棺墓，抚顺市大伙房水库M1～M6，抚顺市大伙房北山坡1号墓[⑬]，抚顺县赵家坟石棚墓[⑭]，抚顺河夹心石棚墓[⑮]，抚顺市前甸公社甲邦石棺墓[⑯]，开原

---

① 梁志龙：《辽宁本溪多年发现的石棺墓及其遗物》，《北方文物》2003年1期，6～14页。

② 魏海波：《本溪梁家出土青铜短剑和双钮铜镜》，《辽宁文物》1984年2期，25、26页。

③ 魏海波、梁志龙：《辽宁本溪县上堡青铜短剑墓》，《文物》1998年6期，18～30页。

④ 齐俊：《本溪地区发现青铜短剑墓》，《辽海文物学刊》1994年2期，99、100页。

⑤ 梁志龙：《辽宁本溪刘家哨发现青铜短剑墓》，《考古》1992年4期。

⑥ 许玉林、崔玉宽：《凤城东山大石盖墓发掘简报》，《辽海文物学刊》1990年2期，1～11页；崔玉宽：《凤城东山、西山大石盖墓1992年发掘简报》，《辽海文物学刊》1997年2期，30～35页。

⑦ 崔玉宽：《凤城东山、西山大石盖墓1992年发掘简报》，《辽海文物学刊》1997年2期，30～35页。

⑧ 崔玉宽：《凤城县南山头古墓调查》，《辽海文物学刊》1987年1期，26～29页。

⑨ 李继群、王维臣、赵维和：《新宾老城石棺墓发掘报告》，《辽海文物学刊》1993年2期。

⑩ 张波：《新宾县永陵公社色家发现石棺墓》，《辽宁文物》1984年6期，24页。

⑪ 清原县文化局、抚顺市博物馆：《辽宁清原县近年发现的一批石棺墓》，《考古》1982年2期，211、212页。

⑫ 清原县文化局：《辽宁清原县门脸石棺墓》，《考古》1981年2期，189页。

⑬ 佟达、张正岩：《辽宁抚顺大伙房水库石棺墓》，《考古》1989年2期，139～148页。

⑭ 辽宁省文物考古研究所、抚顺市博物馆：《赵家坟石棚发掘简报》，《北方文物》2007年2期，20～22页。

⑮ 熊增珑：《辽宁发现一处石棚墓地》，《中国文物报》2006年8月30日第2版；熊增珑：《抚顺市河夹心石棚与石板墓地》，《中国考古学年鉴（2006）》，文物出版社，2007年。

⑯ 徐家国：《辽宁抚顺市甲邦发现石棺墓》，《文物》1983年5期，44页。

建材村石棺墓[①]，开原李家台石棺墓M1、M2，铁岭树芽屯石棺墓[②]，铁岭九登山石棺墓[③]，法库石砬子石棺墓群[④]，西丰和隆公社阜丰屯石棺墓，西丰和隆公社忠厚屯石棺墓[⑤]，西丰金山屯石棺墓，西丰诚信村石棺墓，西丰消防队院内石棺墓[⑥]，辽阳亮甲山土坑墓[⑦]，辽阳二道河子石棺墓群[⑧]，沈阳郑家洼子墓群木棺木椁墓M6512，土坑墓M659[⑨]，沈阳郑家洼子土坑墓M1、M2[⑩]，新金县碧流河大石盖墓群[⑪]，新金碧流河核桃沟石棺墓[⑫]、新金王屯石棺墓M1～M3[⑬]，新金双房石棺墓[⑭]，石棚墓[⑮]，长海县上马石土坑墓群[⑯]，盖县伙家窝堡石棚墓群[⑰]，瓦房

---

① 许志国：《辽宁开原市建材村石棺墓群》，《博物馆研究》2000年3期，64～70页。

② 辽宁铁岭地区文物组：《辽北地区原始文化遗址调查》，《考古》1981年2期，106～110页。

③ 王奇：《辽宁铁岭市清河区九登山发现两座石棺墓》，《博物馆研究》2001年2期，63～66页。

④ 许志国、庄艳杰、魏春光：《法库石砬子遗址及石棺墓调查》，《辽海文物学刊》1993年1期。

⑤ 裴跃军：《西丰和隆的两座石棺墓》，《辽海文物学刊》1986年1期，30、31页。

⑥ 辽宁省西丰县文物管理所：《辽宁西丰县新发现的几座石棺墓》，《考古》1995年2期，118～123页。

⑦ 孙守道、徐秉琨：《辽宁寺儿堡等地青铜短剑与大伙房石棺墓》，《考古》1964年6期，277～285页。

⑧ 辽阳市文物管理所：《辽阳二道河子石棺墓》，《考古》1977年5期，302～305页。

⑨ 沈阳故宫博物馆、沈阳市文物管理办公室：《沈阳郑家洼子的两座青铜时代墓葬》，《考古学报》1975年1期，141～155页。

⑩ 中国社会科学院考古所东北考古队：《沈阳肇工街和郑家洼子遗址的发掘》，《考古》1989年10期，885～892页。

⑪ 旅顺博物馆：《辽宁大连新金县碧流河大石盖墓》，《考古》1984年8期，708～714页。

⑫ 杨荣昌：《辽东地区青铜时代石棺墓葬及相关问题研究》，《北方文物》2007年1期，11～21页。

⑬ 刘俊勇、戴廷德：《辽宁新金县王屯石棺墓》，《北方文物》1988年3期。

⑭ 许明纲、许玉林：《新金双房石棚和石盖石棺墓》，《辽宁文物》1980年1期；许明纲、许玉林：《辽宁新金县双房石盖石棺墓》，《考古》1983年4期，293～295页。

⑮ 许明纲、许玉林：《新金双房石棚和石盖石棺墓》，《辽宁文物》1980年1期；〔日〕田村晃一著，蔡凤书译：《辽东石棚考》，《历史与考古信息·东北亚》2003年2期，18～34页。

⑯ 旅顺博物馆、辽宁省博物馆：《辽宁长海县上马石青铜时代墓葬》，《考古》1982年6期，591～596页。

⑰ 许玉林：《辽宁盖县伙家窝堡石棚发掘简报》，《考古》1993年9期，800～804页。

店铧铜矿石棚墓[①]，旅顺后牧城驿楼上墓地，双砣子M1，岗上墓地，旅顺尹家村土坑石椁墓M12，卧龙泉积石墓等[②]。

4.3.2　陶器型式划分

壶

横耳壶（双房式陶壶）。根据口沿部特征可以分二型。

Ⅰ型：侈口，折沿。依据腹部形态可以分三亚型。

Ⅰa型：折腹。可以分3式。

1式：以凤城东山大石盖墓M9：1为代表（图4-26，1）。

2式：法库石砬子黄花山石棺墓M1：1为代表（图4-26，4）。

3式：以开原李家台石棺墓M2壶为代表（图4-26，7）。

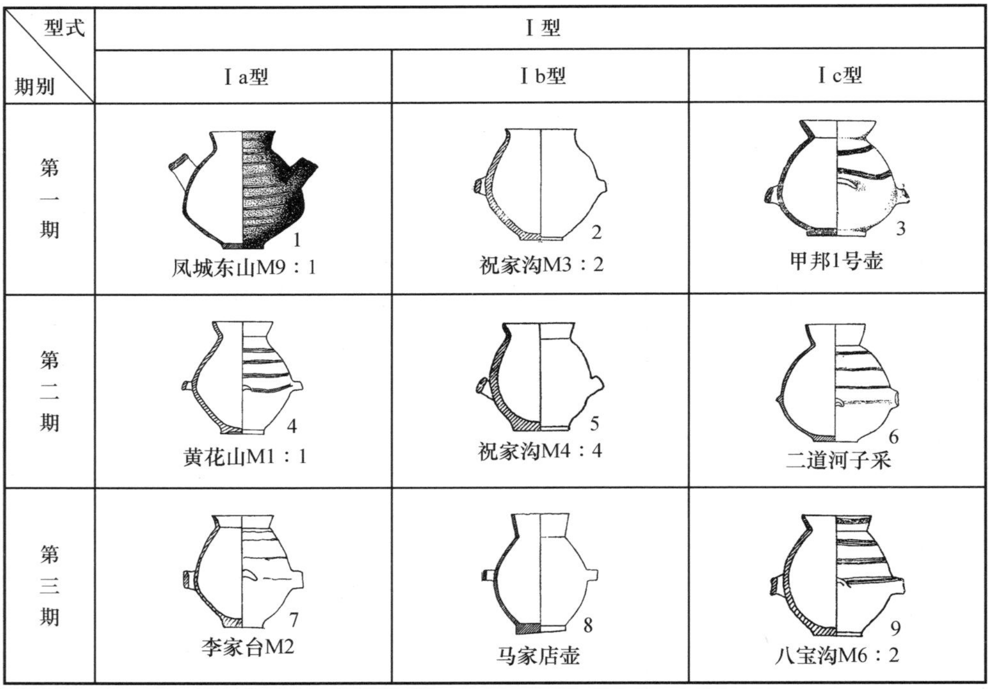

型式／期别	Ⅰ型		
	Ⅰa型	Ⅰb型	Ⅰc型
第一期	1 凤城东山M9：1	2 祝家沟M3：2	3 甲邦1号壶
第二期	4 黄花山M1：1	5 祝家沟M4：4	6 二道河子采
第三期	7 李家台M2	8 马家店壶	9 八宝沟M6：2

图4-26　C群Ⅰ型横耳壶分期图

① 〔日〕三上次男：《満洲コオケル支石墓，在リ方》，《考古学杂志》38卷4号。

② 中国社会科学院考古研究所：《双砣子与岗上——辽东史前文化的发现和研究》，科学出版社，1996年。

演变趋势：腹部渐长，折腹渐圆滑，口沿渐矮。

Ⅰb型：长腹。可以分3式。

1式：以抚顺大伙房水库祝家沟石棺墓M3∶2为代表（图4-26，2）。

2式：以抚顺大伙房水库祝家沟石棺墓M4∶4为代表（图4-26，5）。

3式：以清原夏家堡公社马家店石棺墓壶为代表（图4-26，8）。

演变趋势：腹部渐瘦长，口沿渐矮。

Ⅰc型：垂腹。可以分3式。

1式：以抚顺甲邦村石棺墓1号壶为代表（图4-26，3）。

2式：以辽阳二道河子石棺墓附近采集壶为代表（图4-26，6）。

3式：以抚顺大伙房水库八宝沟石棺墓M6∶2为代表（图4-26，9）。

演变趋势：腹渐瘦长，最大腹径上移。

Ⅱ型：钵口。根据腹部特征可以分三亚型。

Ⅱa型：圆腹。可以分3式。

1式：以西丰诚信村石棺墓壶（两半月形贴耳）为代表（图4-27，1）。

2式：以法库石砬子村长条山石棺墓M9∶1为代表（图4-27，4）。

3式：以开原建材村石棺墓壶为代表（图4-27，7）。

演变趋势：颈部渐长，钵口渐不明显。

Ⅱb型：长腹。可以分3式。

1式：以西丰消防队院内石棺墓壶为代表（图4-27，2）。

2式：以本溪县通江峪石棺墓壶为代表（图4-27，5）。

3式：以抚顺大伙房水库小青岛M5∶2为代表（图4-27，8）。

演变趋势：腹部渐瘦长。

Ⅱc型：垂腹。可以分3式。

1式：以辽阳二道河子石棺墓M1壶为代表（图4-27，3）。

2式：以新金双房石棺墓M6壶（两半月形贴耳）为代表（图4-27，6）。

3式：以凤城西山大石盖墓M1∶1为代表（图4-27，9）。

演变趋势：钵口渐小，腹最大径下移。

竖耳壶。根据口颈特征可以分二型。

Ⅰ型：短颈，小折沿。可以分2式。

1式：以凤城东山大石盖墓M2∶1、新宾老城石棺墓M2∶2为代表（图4-28，1、2）。

2式：以凤城东山大石盖墓M6∶3、新宾老城石棺墓M4∶4为代表（图4-28，8、9）。

Ⅱ型：长颈，大折沿。可以分2式。

1式：以凤城东山大石盖墓M9∶2为代表（图4-28，3）。

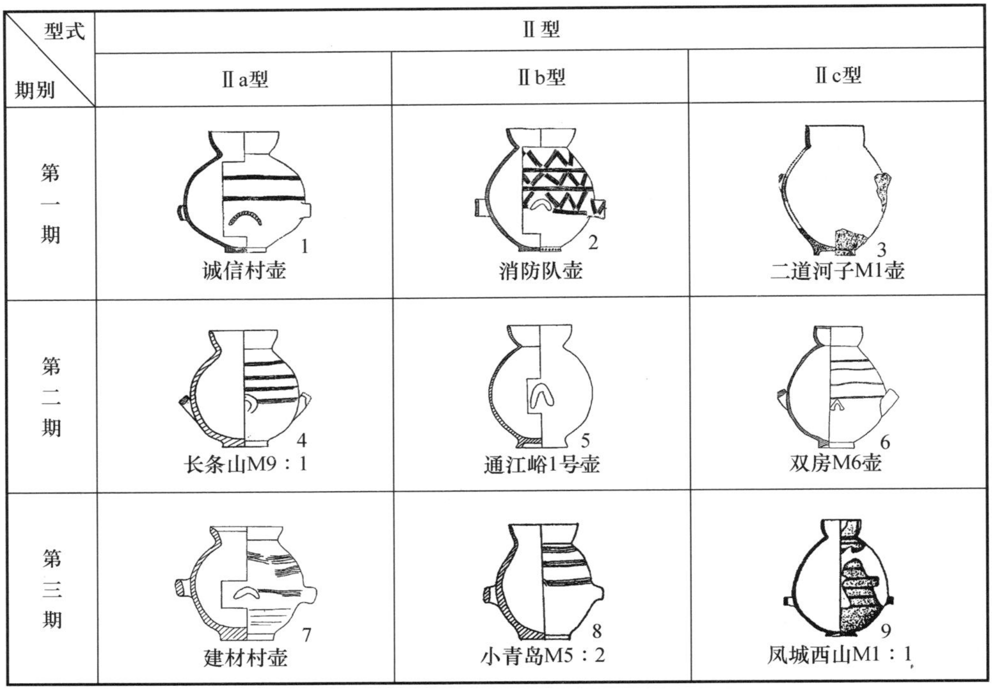

型式 期别	Ⅱ型		
	Ⅱa型	Ⅱb型	Ⅱc型
第一期	1 诚信村壶	2 消防队壶	3 二道河子M1壶
第二期	4 长条山M9：1	5 通江峪1号壶	6 双房M6壶
第三期	7 建材村壶	8 小青岛M5：2	9 凤城西山M1：1

图4-27　C群Ⅱ型横耳壶分期图

2式：以凤城东山大石盖墓M6：1为代表（图4-28，10）。

无耳壶。可以分三型。

Ⅰ型：斜直颈。根据腹部特征可以分3式。

1式：以新金王屯石棺墓M1：2无耳壶为代表（图4-28，4）。

2式：以岗上积石墓M13：4为代表（图4-28，11）。

3式：以沈阳郑家洼子木椁墓M6512：62为代表（图4-28，15）。

演变趋势：最大径下移，腹部渐圆。

Ⅱ型：微弧颈。可以分3式。

1式：以新金王屯石棺墓M2壶为代表（图4-28，5）。

2式：以长海上马石土坑墓M3：2为代表（图4-28，12）。

3式：以沈阳郑家洼子土坑墓M2：3为代表（图4-28，16）。

演变趋势：最大径下移，腹部渐圆。

Ⅲ型：束颈。可以分2式。

1式：以新宾老城石棺墓M2：6为代表（图4-28，6）。

2式：以新宾老城石棺墓M3：3为代表（图4-28，13）。

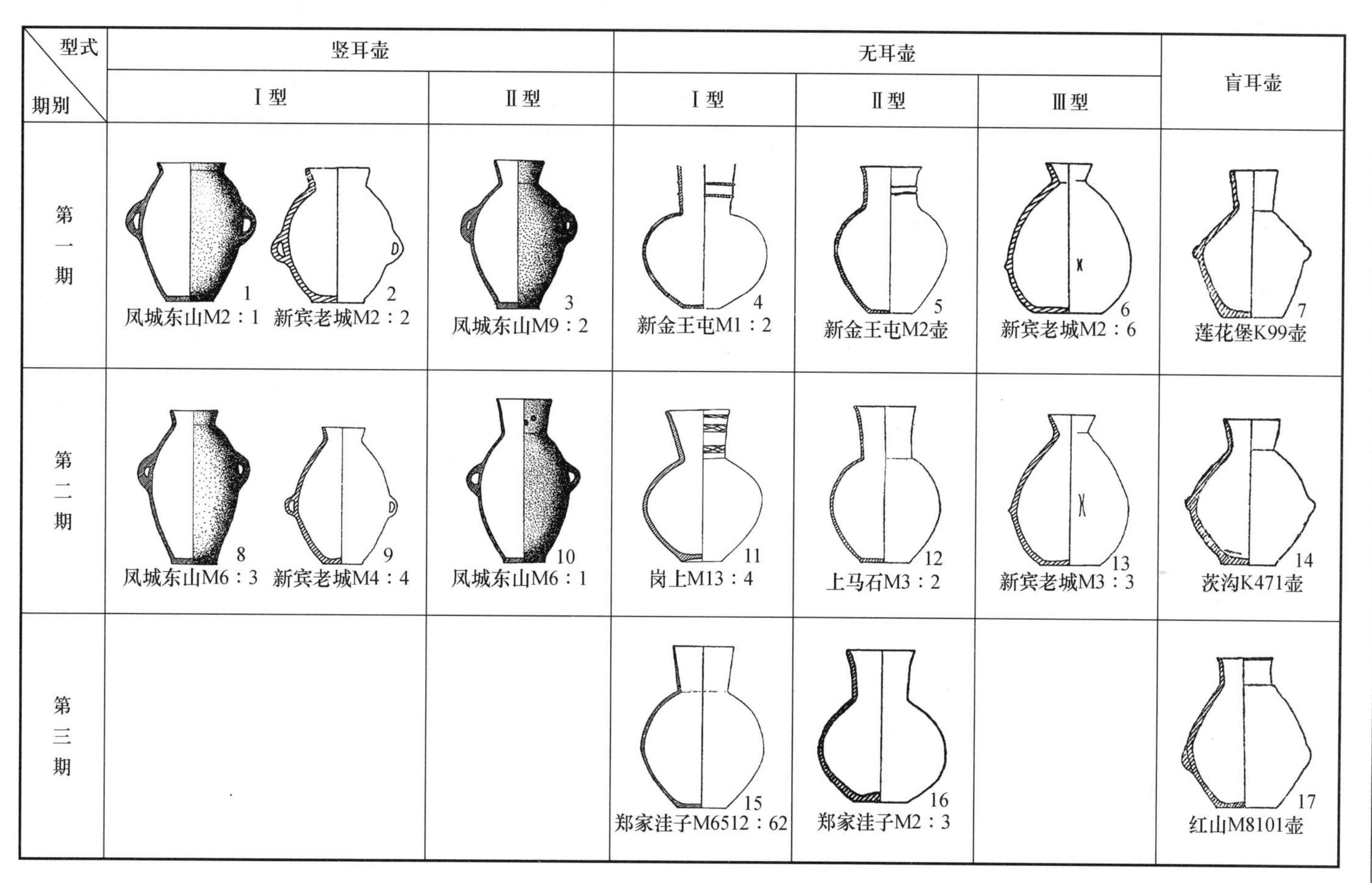

图4-28　C群竖耳壶、无耳壶、盲耳壶分期图

盲耳壶。细颈，溜肩，大平底。可以分3式。

1式：以抚顺县李家乡莲花堡石棺墓K99为代表（图4-28，7）。

2式：以抚顺区碾盘乡茨沟石棺墓K471为代表（图4-28，14）。

3式：以新宾县城红山石棺墓M8101为代表（图4-28，17）。

罐

鼓腹罐。可以分二型。

Ⅰ型：高领。根据腹部特征可以分二亚型。

Ⅰa型：长腹。可以分3式。

1式：以新金核桃沟石棺墓罐1为代表（图4-29，1）。

2式：以长海上马石土坑墓M4：1为代表（图4-29，6）。

3式：以尹家村土坑石椁墓M12：5为代表（图4-29，10）。

Ⅰb型：鼓腹。可以分3式。

1式：以新金王屯石棺墓M3：1为代表（图4-29，2）。

2式：以西丰金山屯石棺墓罐为代表（图4-29，7）。

3式：以旅顺尹家村土坑石椁墓M12：3为代表（图4-29，11）。

Ⅱ型：矮领。可以分三亚型。

型式 / 期别	Ⅰ型		Ⅱ型		
	Ⅰa型	Ⅰb型	Ⅱa型	Ⅱb型	Ⅱc型
第一期	1 核桃沟罐1	2 王屯M3：1	3 凤城东山M3：1	4 凤城东山M5：1	5 双砣子M1：4
第二期	6 上马石M4：1	7 金山屯罐		8 岗上M13：3	9 岗上M7：8
第三期	10 尹家村M12：5	11 尹家村M12：3	12 树芽屯罐	13 赵家坟M1：1	14 河夹心罐

图4-29　C群鼓腹罐分期图

Ⅱa型：圆腹。可以分2式。

1式：以凤城东山大石盖墓M3：1为代表（图4-29，3）。

2式：以铁岭树芽屯石棺墓罐为代表（图4-29，12）。

Ⅱb型：长腹。可以分3式。

1式：以凤城东山大石盖墓M5：1为代表（图4-29，4）。

2式：以岗上积石墓M13：3为代表（图4-29，8）。

3式：以抚顺县赵家坟石棚墓M1：1为代表（图4-29，13）。

Ⅲc型：扁腹。可以分3式。

1式：以双砣子M1：4为代表（图4-29，5）。

2式：以岗上积石墓M7：8为代表（图4-29，9）。

3式：以抚顺河夹心石棚墓罐为代表（图4-29，14）。

筒形罐。可以分二型。

Ⅰ型：可以分3式。

1式：以新金核桃沟石棺墓罐为代表（图4-30，1）。

2式：以新金碧流河大石盖墓M23：1、新金双房石盖石棺墓M6罐为代表（图4-30，4、5）。

3式：以本溪县上堡石棺墓M2：2为代表（图4-30，9）。

Ⅱ型：可以分3式。

1式：以新金王屯石棺墓M1：3为代表（图4-30，2）。

2式：以盖县伙家窝堡石棚墓M3：2、M1：5为代表（图4-30，6、7）。

3式：以尹家村土坑石椁墓M12：1为代表（图4-30，10）。

横桥耳罐。根据腹部特征可以分二型。

Ⅰ型：扁腹，可以分3式。

1式：以抚顺县李家乡莲花堡石棺墓K83为代表（图4-31，1）

2式：以抚顺区碾盘乡茨沟石棺墓K472为代表（图4-31，4）。

3式：以抚顺大伙房祝家沟石棺墓M2：4为代表（图4-31，7）。

Ⅱ型：球腹，可以分3式。

1式：以抚顺大伙房祝家沟石棺墓M3：4为代表（图4-31，2）。

2式：以本溪县通江峪石棺墓罐为代表（图4-31，5）。

3式：以本溪县张家堡土坑墓罐（2）为代表（图4-31，8）。

鋬耳罐。可以分3式。

1式：以西丰诚信村石棺墓罐为代表（图4-31，3）。

2式：以西丰金山屯石棺墓罐为代表（图4-31，6）。

3式：以本溪县张家堡土坑墓罐（1）为代表（图4-31，9）。

豆　可以分3式。

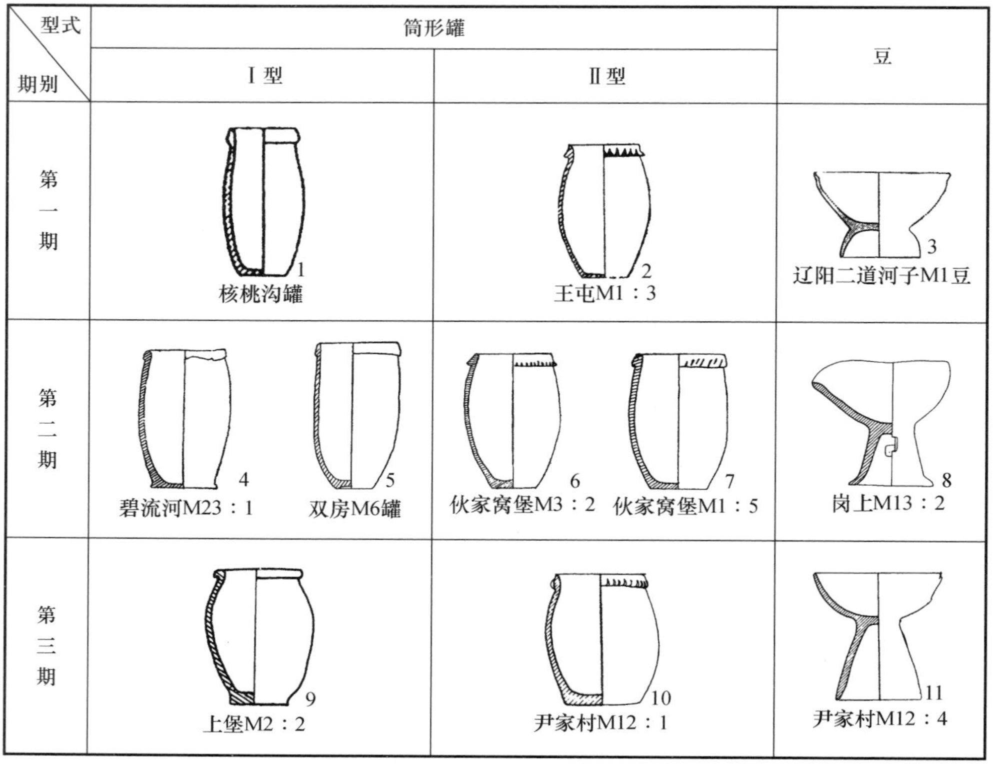

型式 期别	筒形罐		豆
	Ⅰ型	Ⅱ型	
第一期	1 核桃沟罐	2 王屯M1：3	3 辽阳二道河子M1豆
第二期	4 碧流河M23：1 5 双房M6罐	6 伙家窝堡M3：2 7 伙家窝堡M1：5	8 岗上M13：2
第三期	9 上堡M2：2	10 尹家村M12：1	11 尹家村M12：4

图4-30　C群筒形罐、豆分期图

1式：以辽阳二道河子M1豆为代表（图4-30，3）。

2式：岗上M13：2为代表（图4-30，8）。

3式：尹家村M12：4为代表（图4-30，11）。

演变趋势：圈足逐渐增高。

钵　根据腹部特征可以分二型。

Ⅰ型：浅腹。可以分2式。

1式：以新宾老城石棺墓M2：1为代表（图4-32，1）。

2式：以新宾老城石棺墓M1：3为代表（图4-32，4）。

Ⅱ型：深腹。可以分3式。

1式：以西丰消防队院内石棺墓钵为代表（图4-32，2）。

2式：以西丰金山屯石棺墓钵为代表（图4-32，5）。

3式：以清原南口前乡康家堡石棺墓钵为代表（图4-32，7）。

碗　可以分2式。

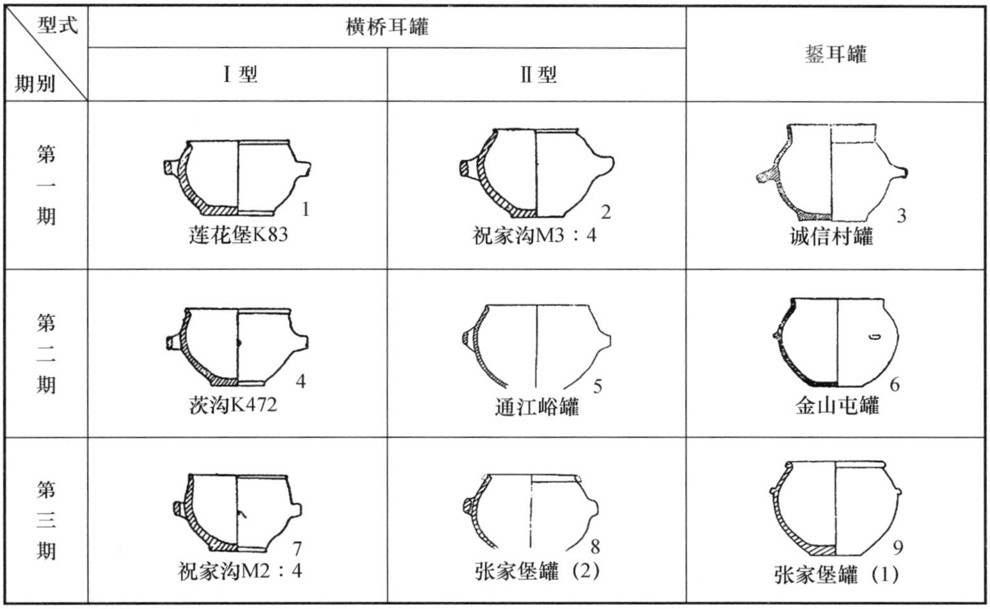

型式/期别	横桥耳罐		鋬耳罐
	Ⅰ型	Ⅱ型	
第一期	1 莲花堡K83	2 祝家沟M3：4	3 诚信村罐
第二期	4 茨沟K472	5 通江峪罐	6 金山屯罐
第三期	7 祝家沟M2：4	8 张家堡罐（2）	9 张家堡罐（1）

图4-31　C群横桥耳罐、鋬耳罐分期图

型式/期别	钵		碗
	Ⅰ型	Ⅱ型	
第一期	1 新宾老城M2：1	2 西丰消防队钵	3 新宾老城M2：4
第二期	4 新宾老城M1：3	5 西丰金山屯钵	6 新宾老城M1：4
第三期		7 康家堡钵	

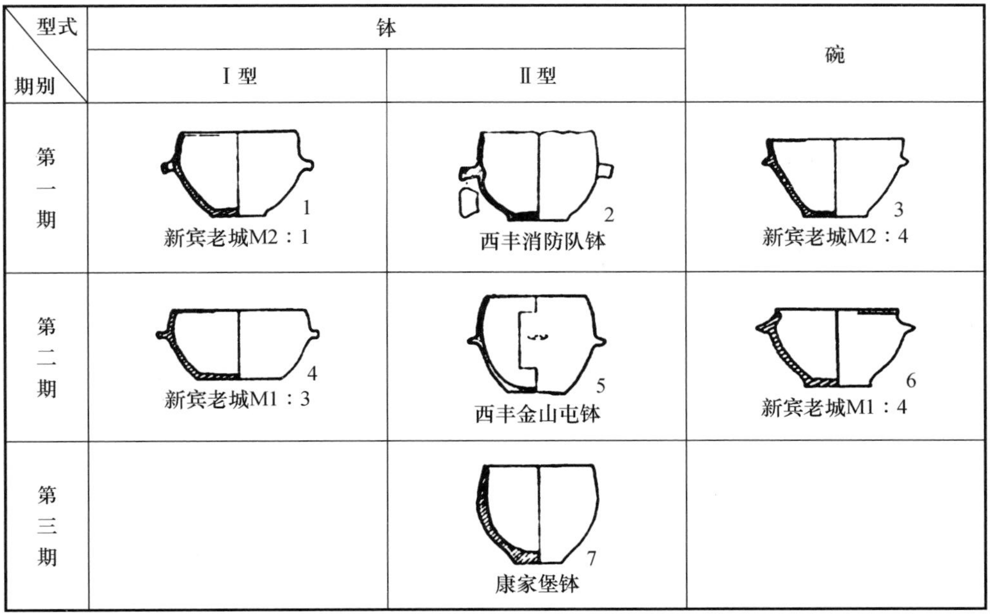

图4-32　C群钵、碗分期图

1式：以新宾老城石棺墓M2：4为代表（图4-32，3）。

2式：以新宾老城石棺墓M1：4为代表（图4-32，6）。

还有一些不能划分型式的陶器，列举如图4-33。

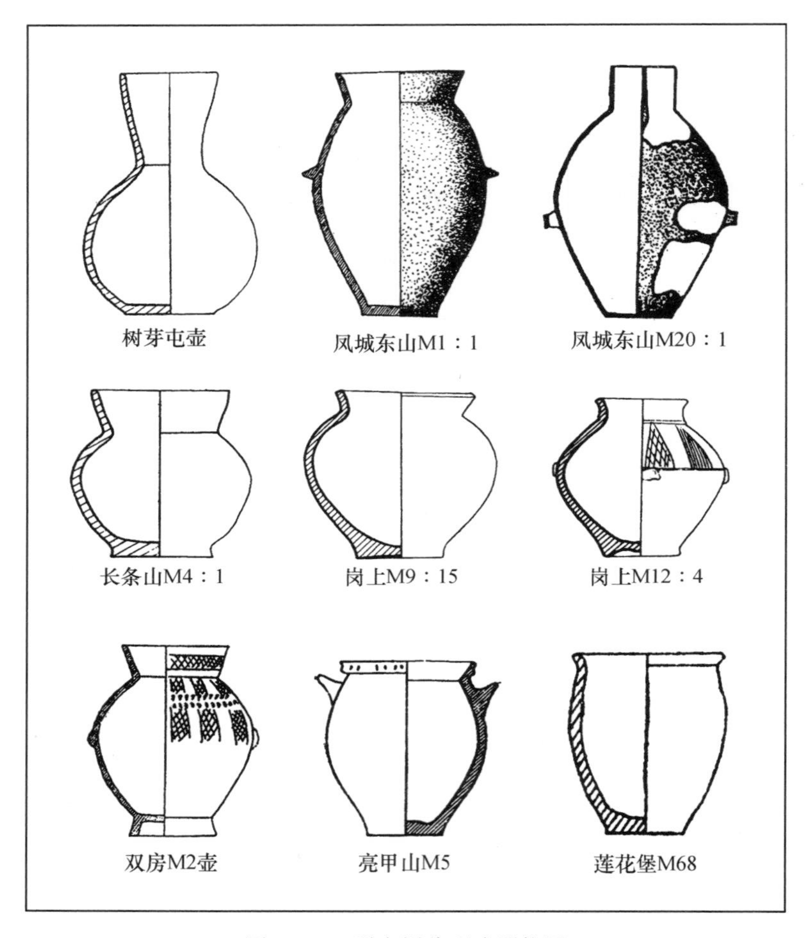

图4-33　C群未划分型式器物图

4.3.3　分期与年代讨论

C群的标志性器物之一就是“双房式陶壶”，因为缺少层位关系及与中原地区同类器物的年代对比，对于此类陶壶的年代探讨始终没有定论。很多研究者各执一词，有的专门从陶器出发，通过类型学排比和共存关系推断器物的年代关系，有的学者将与之共存的青铜器作为断代依据。从根本上讲，这是两种不同的断代方法。第一种观点认为石器、青铜器材质较硬，尤其是青铜器在当时较为稀少，因此较之陶器沿用时间较长，演化速率慢，不适合为陶器分期断代。第二种观点认为，在没有直接或间接叠压打破关系的前提下，青铜器的变化在一定程度上能够体现遗存单位的早晚，尤其是在同一地区青铜器的变化呈现出很长一段序列时，可以用来作为断代依据。

以往有学者对双房式陶壶做过专题的分期研究，代表性成果如下。

1）从高台山文化陶壶的分期排序入手，讨论了辽东地区商周时期陶壶的演进历程，大体由扁腹向圆腹鼓肩发展，由矮至高的变化，腹部逐渐向上扩展，并指出，就高台上文化陶壶而言，扁腹者约在殷墟二期，圆腹者当在商周之际，鼓肩者进入西周时期，长腹的年代可能在西周中期左右。进一步讨论了辽东地区以陶壶为代表的考古学文化与吉林地区及辽南地区商周时期考古学文化间的相互影响①。

2）对辽东地区弦纹壶的分布和特征进行总结，依其形态特点将弦纹壶划分为早、中、晚三期，早期年代为商末周初，中期年代为西周中晚期，晚期年代为春秋晚到战国初，并在此基础上对弦纹壶的渊源做了进一步考察。最后，讨论了辽东地区弦纹壶与不同类型石筑墓间的关系，进而对辽东半岛与朝鲜半岛北部青铜时代文化间的关系做了初步探讨②。

3）通过类型学研究，将辽东地区双房式陶壶分为三期，并认为早期的年代可早至西周中期，中期的年代为西周晚至春秋早，晚期的年代推定为春秋中期或偏晚。在此基础上进一步提出，双房式陶壶源于庙后山文化，并在自身发展过程中逐步分为A、B两系单独发展。“美松里”陶器则是A系陶壶东传的结果，B系陶壶却对北部的西团山文化产生了较大影响③。

C群的墓葬材料比较零散，且面貌复杂，缺少可提供早晚依据的地层关系，故只能是通过陶器类型学的排比，确定器物之间的演变关系，通过青铜器物组合校正并参照周边遗存早晚关系确定的墓葬进行编年。另外，在没有地层关系的前提下，共存的青铜器可以参与断代，首选是成组的青铜器，具有相同的演变速率，要两种以上的青铜器的组合更具有断代意义。青铜器的纹饰演变速率要快于青铜器形制本身，因此，青铜器纹饰的组合变化也可以作为分期的参考。

我们可以将该群器物典型单位中典型器物的共存关系划分三组，进行如下

---

① 卜工：《辽宁东部地区商周时期的陶壶谱系及相关问题》，《北方文物》1999年4期，13～21页。

② 李恭笃、高美璇：《辽东地区石筑墓与弦纹壶有关问题研究》，《辽海文物学刊》1995年1期，54～63页。

③ 朱永刚：《辽东地区双房式陶壶研究》，《华夏考古》2008年2期，89～97页。

分析。

第一组：凤城东山双房式陶壶Ⅰa型1式M9：1与竖耳壶Ⅰb型1式M9：2共存；大伙房祝家沟双房式陶壶Ⅰb型1式M3：2与横桥耳罐Ⅱ型1式M3：4共存；西丰诚信村（两半月形贴耳）双房式陶壶Ⅱa型1式与鋬耳罐1式共存；与之共出的还有诚信村（两竖耳）双房式陶壶Ⅱb型1式；辽阳二道河子M1双房式陶壶Ⅱc型1式与1式豆共存；新宾老城竖耳壶Ⅰ型1式M2：2与束颈壶1式M2：6共存，与之共出的还有Ⅰ型1式钵M2：1及1式碗M2：4；新金核桃沟鼓腹罐Ⅰa型1式与筒腹罐Ⅰ型1式共存；新金王屯M1无耳壶Ⅰa型1式与筒腹罐Ⅱ型1式共存。

该组的代表性单位有凤城东山大石盖墓M9、大伙房祝家沟石棺墓M3、西丰诚信村石棺墓、辽阳二道河子石棺墓M1、新宾老城石棺墓M2、新金核桃沟石棺墓、新金王屯石棺墓。

第二组：法库石砬子黄花山双房式陶壶Ⅰa型2式M1：1与鋬耳罐2式M1：2共存；新金双房M6双房式陶壶Ⅱc型2式与筒形罐Ⅰ型2式共存；凤城东山竖耳壶Ⅰ型2式M6：3与竖耳壶Ⅱ型2式M6：1共存；新宾老城竖耳壶Ⅰ型2式M4：4与束颈壶2式M4：1共存，与之共出的还有Ⅰ型2式钵M4：3；抚顺区碾盘乡茨沟盲耳壶Ⅰ型2式K471与横桥耳罐Ⅰ型2式K472共存；西丰金山屯Ⅱ型2式钵与2式鋬耳罐共存，与之共出的还有鼓腹罐Ⅱa型2式；旅顺岗上鼓腹罐Ⅰb型2式M13：3与无耳壶Ⅰa型2式M13：4共存，与之共出的还有2式豆M13：2。

该组的代表性单位有法库石砬子黄花山石棺墓M1、大伙房祝家沟石棺墓M4、新金双房石棺墓M6、凤城东山大石盖墓M6、新宾老城石棺墓M4、抚顺区碾盘乡茨沟石棺墓、西丰金山屯石棺墓、旅顺岗上积石墓M13。

第三组：大伙房祝家沟双房式陶壶Ⅰa型3式M2：3与横桥耳罐Ⅰ型3式M2：4共存；新宾老城束颈壶2式M1：1与Ⅰ型2式钵M1：3共存，与之共出的还有2式碗M1：4；旅顺尹家村鼓腹罐Ⅰa型3式M12：5与鼓腹罐Ⅱa型3式M12：3共存，与之共出的还有筒形罐Ⅱ型3式M12：1和3式豆M12：4。

该组的代表性单位有大伙房祝家沟石棺墓M2、新宾老城石棺墓M1、旅顺尹家村土坑石椁墓M12、铁岭树芽屯石棺墓、沈阳郑家洼子木椁墓M6512。

通过三组的比较我们发现，第一组单位不同类别或不同型别的1式陶器均共出；第二组单位不同类别或不同型别的2式陶器均共出；第三组单位不同类别或不同型别的3式陶器均共出；这说明一、二、三组的1、2、3式陶器之间年代分别应该比较接近，可以基本判断每组中包括的单位代表一个时段，从式别的发展上看，三组之间形成一个具有早晚关系的连续发展的逻辑序列。

通过共存关系及类型学的比较，我们可以将其他单位划入以上各组。①与以上各组具有相同形制陶器的其他单位应纳入各组。②从文化因素上分析，与各组器物具有相同制作风格或文化因素的应纳入各组。③与本地区年代较之为早的遗存单位存在明显承袭关系的陶器，也应归入各组。综合如下三组。

第一组：凤城东山大石盖墓M1、M2、M3、M4、M7、M9、M10，新宾老城M2，抚顺市大伙房水库祝家沟M3，抚顺市前甸公社甲邦石棺墓，抚顺县李家乡莲花堡石棺墓，抚顺市顺城区塔峪乡土坑墓，清原门脸石棺墓，西丰消防队院内石棺墓，西丰诚信村石棺墓，西丰阜丰屯石棺墓，辽阳二道河子石棺墓群1号墓，双砣子M1，新金双房石棺墓M6，新金双房2号石棚，新金碧流河核桃沟石棺墓，新金王屯石棺墓M1、M2、M3，新金县碧流河大石盖墓群M16。

第二组：本溪通江峪石棺墓，凤城东山大石盖墓M5、M6、M11，新宾老城M1、M3、M4，法库石砬子黄花山M1，小坨子地M13，长条山M4、M5、M9，抚顺市大伙房水库M4，西丰金山屯石棺墓，抚顺市抚顺区碾盘乡茨沟石棺墓，新宾县南杂木镇西山石棺墓，长海县上马石土坑墓群M3、M4，新金县碧流河大石盖墓群M15、M23，盖县伙家窝堡石棚墓群M1、M3，旅顺岗上积石墓M13。

第三组：凤城西山M1，新宾县城红山石棺墓M8101，抚顺市大伙房水库M2、M5、M6，抚顺县赵家坟石棚墓，抚顺河夹心石棚墓，清原县土口子中学石棺墓，清原县夏家堡公社马家店石棺墓，清原县南口前乡康家堡石棺墓，清原斗虎屯镇白灰厂石棺墓，铁岭树芽屯石棺墓，开原李家台石棺墓M1、M2，辽阳亮甲山土坑墓M5，沈阳郑家洼子土坑墓M2，沈阳郑家洼子木棺木椁墓M6512、M659，本溪县上堡石棺墓M1～M4，本溪县朴堡石棺墓，本溪市南芬火车站A地点，旅顺尹家村土坑石椁墓M12，楼上积石墓M5、M6。

凤城东山大石盖墓群、新宾老城石棺墓群的共性就是都出竖耳壶，分小折沿和大折沿两种，前者能在B群中找到源头，后者在高台山文化晚期墓葬中也有所发现，且两处墓群所出的竖耳壶都存在共同的演变关系。高领1式凤城东山M9：2（图4-34，6）与B群ZA洞3层的ZAM28：6（图4-34，5）似有渊源关系，区别在于后者底部略小，领部略长，肩部略鼓，应该是年代早晚之别。C群第一组的横桥耳罐莲花堡K83（图4-34，9）与B群四期的东升洞穴XD：9（图4-34，10）形制相同，二者应同时；祝家沟M3：4横桥耳罐（图4-34，11）与B群四期东升XD：7罐（图4-34，12）大致相若，年代相当；辽阳二道河子M1豆与B群三期SCM8：1豆圈足完全一致（图4-34，1、2），二者应共时。另外，C群“双房式陶壶”的祖型在本溪地区B群二期的墓葬中可以找到，SCM2：2（图4-34，3）就是一个例证，B群的双房式陶壶颈部较细，钵口较深，钵口口沿处微折，饰4个半月形贴耳，应该为此类壶的早期形态。根据陶壶的形制推测，C群一组陶壶应该继承此类壶的大部分特点，年代亦较其为晚。双砣子M1的扁腹罐与岗上积石墓及抚顺河夹心石棚墓出土的扁腹罐形成一个演变序列，双砣子M1：4（图4-34，8）与A群于家砣头墓地晚期的壶M40：1（图4-34，4）似有渊源关系，应该是该序列中最早者，大致位于西周早期。综上所述，C群一组既有与B

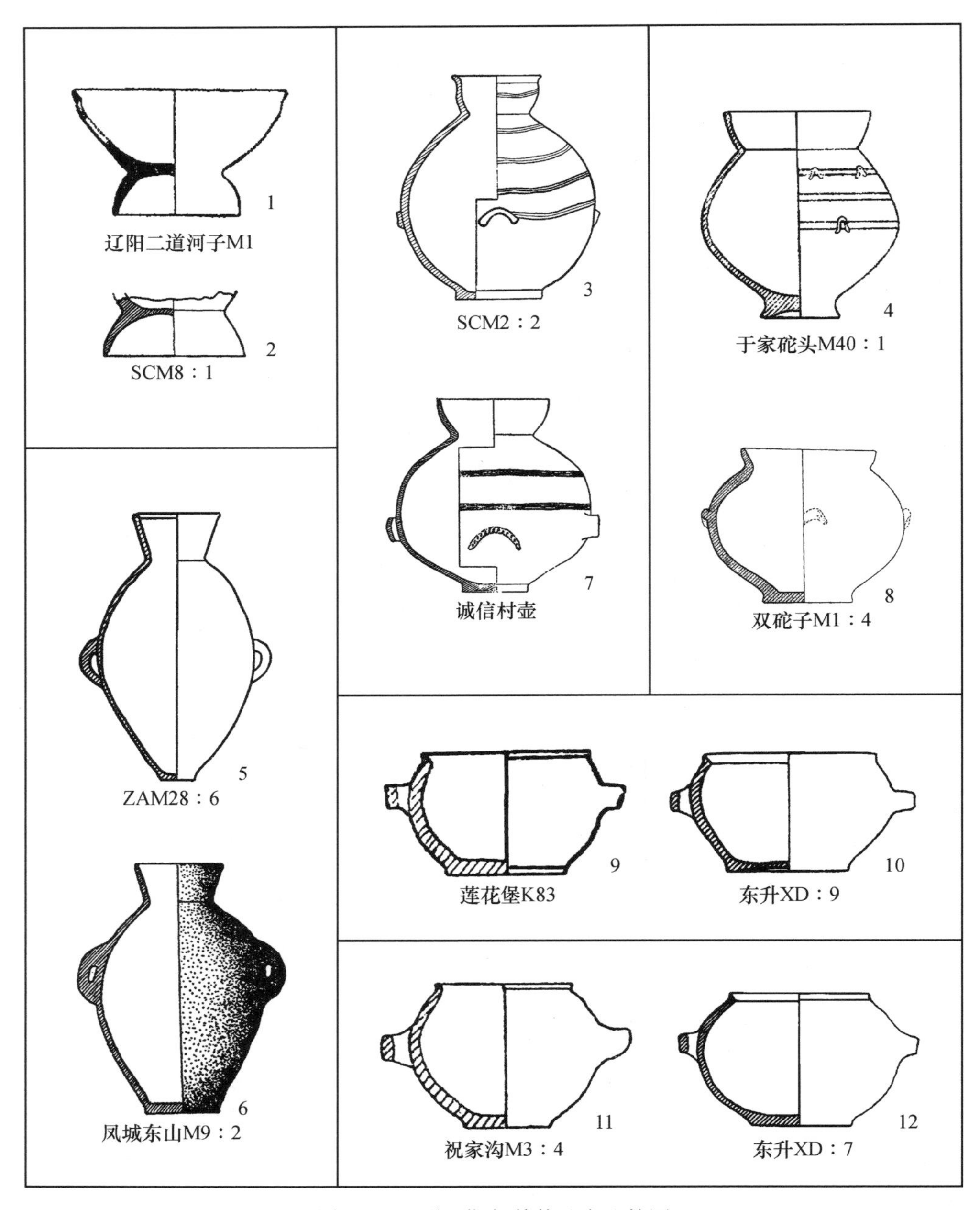

图4-34　C群一期与其他地点比较图

群三期共时的器物，又有器物与B群四期年代相当，且晚于B群二期的年代，其年代应大致相当于B群三至四期，约为西周早中期。

陶豆是C群南北区域共存的一种器物，虽然发现的数量不是很多，但是却有一定的演变关系。西丰阜丰屯的豆座和辽阳二道河子发现的豆都为矮圈足，岗上墓地也发现了圈足豆，圈足较高，而尹家村打破二层的M12发现了以M12：4（图4-35，5）为代表的若干圈足豆，圈足更高，形成了圈足由矮到高的演变序列。这种圈足豆皆为手制，做工粗糙，具有明显的土著风格。值得注意的是，M12中除了出土圈足豆以外，还出土了浅盘细柄的燕式豆M12：2（图4-35，4），这就说明尹家村M12的年代应晚至战国晚期燕文化到来之际。与M12：4的高圈足豆特征相同的还有本溪小市张家堡墓中的豆座（图4-35，8），可见二者年代应大体相当。同时，张家堡墓还出土了燕国明刀币（图4-35，9），更加佐证了该墓年代可以晚至战国。此外，可以确定为战国时期的墓葬还有本溪县上

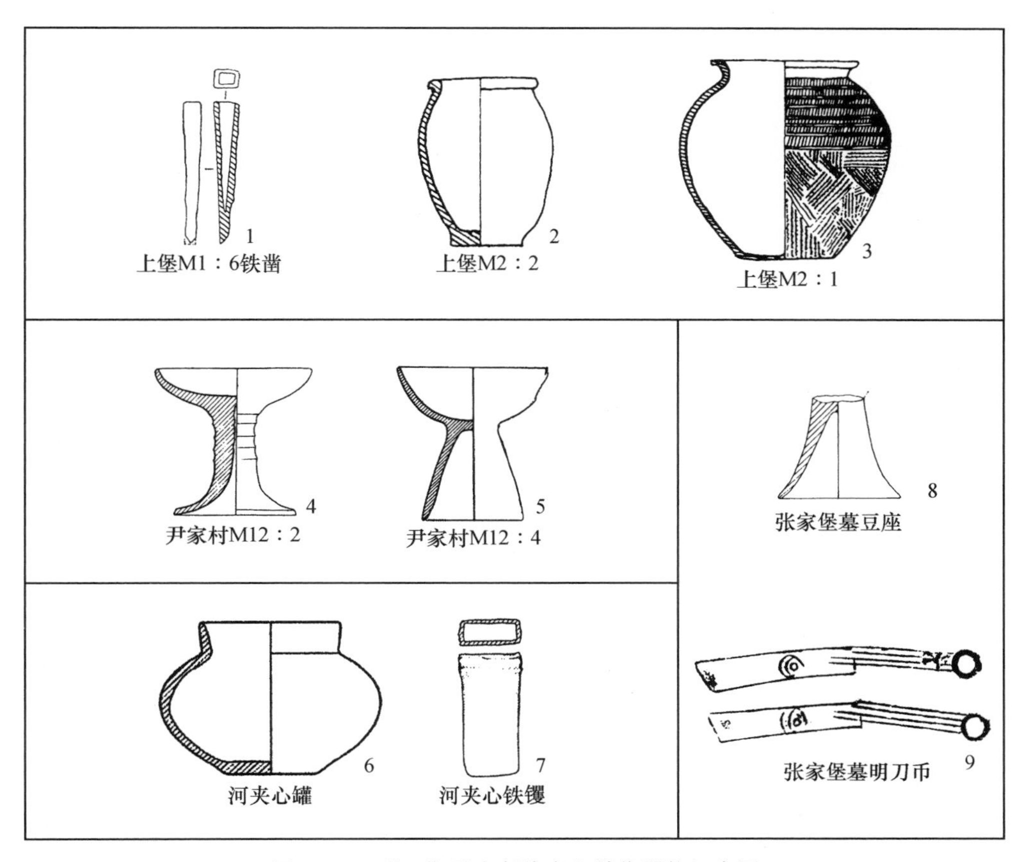

图4-35　C群三期具有断代意义单位器物组合图

堡石棺墓M1～M4，此4座墓均出器形规整、制作精细燕式的泥质绳纹陶罐，故而判断其为战国时期之墓，且M1中出土的铁凿M1：6（图4-35，1）更加印证了该墓年代可至战国时期。在上堡M1和M2中，均有卷沿筒腹罐M2：2（图4-35，2）与燕式罐M2：1（图4-35，3）共处，此种筒腹罐材质疏松，器形不规整，手制，呈现出明显不同于燕式罐的土著风格。这种土著的卷沿筒腹罐是C群墓葬的典型器物，排在筒腹罐演变序列的末端，时代最晚。而抚顺河夹心石棚墓的扁腹罐与铁镢共出（图4-35，6、7），可见此墓年代可能晚至战国。以上证据表明，第三组墓葬的年代大致处于战国时期，下限可至战国晚期。

另外，其他青铜器方面也可以找到年代证据，清原门脸出土青铜短剑、青铜斧、石镞的组合，在西丰和隆公社阜丰屯出土形制完全相同的青铜斧和石镞，这种青铜斧和石镞的组合能够推测二者属于同一时期，根据前文推论，矮豆座的年代比较早，共存关系中清原门脸的青铜短剑也应该年代较早，不晚于该豆座的年代。青铜短剑与铜镜的组合亦可作为断代的参考，本溪梁家出土的青铜短剑和铜镜与沈阳郑家洼子出土的短剑和铜镜相似，铜镜和剑镖上的几何形三角纹饰一模一样，说明两地点铜镜和短剑均应该属于同一时期。

在一至三组的逻辑发展序列中，一组最早，三组最晚，二组则介于两者之间。应大致处于西周晚期至春秋时期。

4.4　D群墓葬及分期

4.4.1　D群墓葬

D群墓葬的分布区与C群墓葬分布区的北端相接壤，主要分布于西流松花江流域，以吉林市为基点，辐射长春、东丰、永吉、辽源、桦甸、蛟河、磐石、舒兰等地区。对于该地区青铜文化遗存，早在20世纪30年代就引起了中外学者的注意。日本学者三上次男等在东北地区调查文化遗存时，发现了吉林市郊“团山子”的一些石棺墓葬，并谓之箱形石棺墓①。国内学者也对吉林市附近的相关遗存进行过报道②。1948～1956年，经过四次发掘，西团山地点的石棺墓群基本得

① 三上次男：《满鲜原始坟墓的の研究》，第二编《满鲜地方にあけり为箱型石棺墓の研究》，三上次男：《满洲国吉林团山子遗址》，《人类学杂志》54卷，6号。

② 李文信：《吉林市附近之史迹和遗物》，《历史与考古》第一号，1946年，24、25页。

到了完整的揭露，共清理墓葬49座[①]。1964年《西团山石棺墓发掘报告》发表，文章建议将与西团山遗址内涵相同的文化遗存命名为"西团山文化"以后，"西团山文化"的命名就一直为学界所认同。本书在划分D群墓葬时，根据各墓葬文化面貌的一致性，将西团山文化的墓葬材料作为主体，加入部分零散材料，共同进行年代讨论。

D群墓葬绝大多数为石棺墓，包括Ⅰa、Ⅰc、Ⅱa、Ⅱb、Ⅱc、Ⅲa、Ⅲb、Ⅳ型，还有个别的Ⅰ型土坑墓和Ⅲ型瓮棺墓。墓内随葬器物有陶器、石器和青铜器。陶器以横桥耳壶、竖桥耳壶、横桥耳罐、钵、碗为大宗，还有少量的鼎、盅、纺轮、网坠等；石器以半月形双孔石刀为代表器形，还有斧、锛、凿、镞、矛、砺石等，石质装饰品如白石管量多且流行；青铜器发现数量不多，有少量的青铜短剑、尺柄刀（削刀）、斧、镞、矛及铜泡、铜扣等小件装饰品。D群陶器土著性很强，素面，均为手制，多夹砂陶。D群典型器物列举见图4-36。

D群经正式清理的墓葬主要有西丰小育英屯石棺墓[②]、新宾老城石棺墓群[③]、吉林西团山石棺墓地[④]、骚达沟石棺墓地[⑤]、猴石山遗址石棺墓[⑥]、长蛇山遗址石

① 杨公骥：《西团山史前文化遗址初步发掘报告》，《东北日报》1949年2月11日；李洵：《一九四八、一九四九年西团山发掘记录整理》，录于佟柱臣编《西团山考古报告集》，《江城文博丛刊（第一辑）》，1987年，11～21页；东北考古发掘团：《吉林西团山石棺墓发掘报告》，《考古学报》1964年1期，29～48页。报告原稿未公开发表的部分后由董学增先生摘录整理，题名为《一九五〇年西团山发掘报告资料摘录》，发表于佟柱臣编《西团山考古报告集》，《江城文博丛刊（第一辑）》，1987年，46～71页；吉林大学历史系文物陈列室：《吉林西团山子石棺墓发掘记》，《考古》1960年4期，35～37页。

② 铁岭市博物馆、西丰县文物管理所：《西丰钓鱼乡小育英屯石棺墓清理报告》，《博物馆研究》2004年2期，72～75页。

③ 李继群、王维臣、赵维和：《新宾老城石棺墓发掘报告》，《辽海文物学刊》1993年2期。

④ 杨公骥：《西团山史前文化遗址初步发掘报告》，《东北日报》1949年2月11日；李洵：《一九四八、一九四九年西团山发掘记录整理》，录于佟柱臣编《西团山考古报告集》，《江城文博丛刊（第一辑）》，1987年，11～21页；佟柱臣：《一九五〇年西团山发掘报告资料摘录》，《西团山考古报告集》，《江城文博丛刊（第一辑）》，1987年，46～95页；东北考古发掘团：《吉林西团山石棺墓发掘报告》，《考古学报》1964年1期，29～48页；吉林大学历史系文物陈列室：《吉林西团山子石棺墓发掘记》，《考古》1960年4期，35～37页。

⑤ 段一平、李莲、徐光辉：《吉林市骚达沟石棺墓整理报告》，《考古》1985年10期，885～900页；吉林省博物馆、吉林大学考古专业：《吉林市骚达沟山顶大棺整理报告》，《考古》1985年10期，901～907页。

⑥ 吉林地区考古短训班：《吉林猴石山遗址发掘简报》，《考古》1980年2期；吉林省文物考古研究所、吉林市博物馆：《吉林市猴石山遗址第二次发掘》，《考古学报》1993年3期，311～348页。

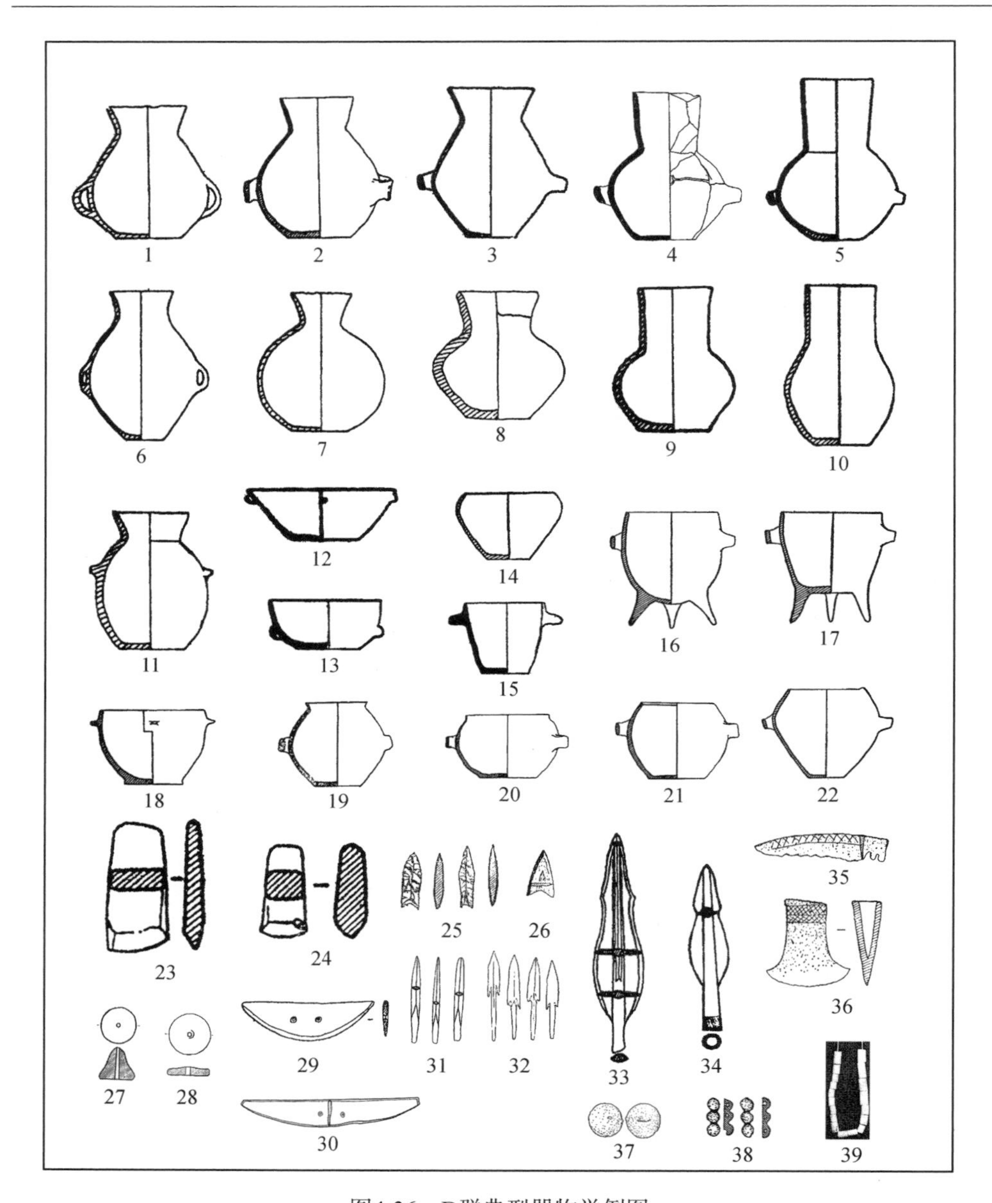

图4-36　D群典型器物举例图

1～11. 壶　12～14. 钵　15. 杯　16、17. 鼎　18～22. 罐　23. 石锛　24. 石斧　25、26、31、32. 石镞　27、28. 石纺轮　29、30. 石刀　33. 铜剑　34. 铜矛　35. 铜刀　36. 铜斧　37. 铜泡　38. 铜连珠饰　39. 白石管串珠

（1、6、7、12、13、19、23、24、29、33、34. 星星哨；2、3、18、20、21. 东梁岗；4、15、25、27、28、30、31. 西团山；5. 小团山；8、11. 骚达沟；9. 狼头山；10、14、16、17、22、26、35～38. 猴石山；32. 小西山；39. 土城子）

棺墓[①]、狼头山石棺墓地[②]、泡子沿前山[③]、土城子石棺墓地[④]、两半山遗址石棺墓[⑤]，永吉星星哨石棺墓地[⑥]、旺起屯石棺墓[⑦]，口前蓝旗小团山、口前红旗东梁岗石棺墓地[⑧]，磐石小西山石棺墓[⑨]、汶水后山石棺墓[⑩]，双阳万宝山石棺墓[⑪]、双阳太平公社石棺墓[⑫]、东丰狼洞山[⑬]、桦甸二道甸子石棺墓等[⑭]。

4.4.2　陶器型式划分

D群墓葬陶器类型主要为壶、罐、钵、碗、杯等器物。

壶

壶类可分为无耳壶、横桥耳壶、竖耳壶和錾耳壶。

无耳壶。根据颈部特征可以分二型。

Ⅰ型：斜颈。可以分二亚型。

---

① 吉林省文物工作队：《吉林长蛇山遗址的发掘》，《考古》1980年2期，123～134页。

② 吉林市博物馆：《吉林市郊二道水库狼头山石棺墓地发掘简报》，《北方文物》1989年4期，3～7页。

③ 吉林市博物馆：《吉林市泡子沿前山遗址和墓葬》，《考古》1985年6期，497～506页。

④ 康家兴：《吉林江北土城子附近古文化遗址及石棺墓》，《考古通讯》1955年创刊号，34～38页。

⑤ 康家兴：《吉林两半山发现新石器时代文化遗址》，《考古通讯》1955年4期，60页；张忠培：《吉林两半山遗址发掘报告》，《考古》1964年1期，6～12页。

⑥ 吉林市文物管理委员会、永吉县星星哨水库管理处：《永吉星星哨水库石棺墓及遗址调查》，《考古》1978年3期，145～157页；吉林市博物馆、永吉县文化馆：《吉林永吉星星哨石棺墓第三次发掘》，《考古学集刊（3）》，中国社会科学出版社，1983年，109～125页。

⑦ 刘法祥：《吉林省永吉旺起屯新石器时代石棺墓发掘简报》，《考古》1960年7期，27～30页。

⑧ 吉林市博物馆：《吉林口前蓝旗小团山、红旗东梁岗石棺墓清理简报》，《文物》1983年9期，51～55页。

⑨ 吉林省文物工作队：《吉林磐石吉昌小西山石棺墓》，《考古》1984年1期，51～58页。

⑩ 张志立、王洪峰：《磐石县汶水后山石棺墓清理简报》，《西团山文化考古报告集》，《江城文博丛刊（第二辑）》，1992年，70、71页。

⑪ 许彦文：《吉林双阳万宝山石棺墓》，《黑龙江文物丛刊》1984年3期，48～50页。

⑫ 刘景文：《双阳考古调查》，《博物馆研究》1982年创刊号，83、84页。

⑬ 唐洪源：《吉林省东丰县狼洞山石棺墓调查与清理》，《北方文物》1999年1期。

⑭ 康家兴：《吉林省桦甸二道甸子发现石棺墓》，《考古通讯》1956年5期，44、45页。

Ⅰa型：圆腹。可以分4式。

1式：以星星哨BM2：2为代表（图4-37，1）。

2式：以星星哨AM11：1为代表（图4-37，3）。

3式：以西团山56M2：1为代表（图4-37，5）。

4式：以猴石山76M3：2为代表（图4-37，9）。

演变趋势：整体渐瘦长。

Ⅰb型：垂腹。可以分4式。

1式：以万宝山M1：1为代表（图4-37，2）。

2式：以星星哨DM15：2为代表（图4-37，4）。

3式：以小团山M2：1为代表（图4-37，6）。

4式：以汶水后山M1壶为代表（图4-37，10）。

演变趋势：腹最大径上移，颈渐短。

Ⅱ型：长颈。可以分三亚型。

Ⅱa型：鼓肩。可以分3式。

1式：以骚达沟53M2：598为代表（图4-37，7）。

2式：以猴石山79西M36：1为代表（图4-37，11）。

3式：以两半山M1：5为代表（图4-37，14）。

演变趋势：腹腔渐窄，颈渐长。

Ⅱb型：鼓腹。可以分3式。

1式：以土城子56M6：1为代表（图4-37，8）。

2式：以狼头山M105：1为代表（图4-37，12）。

3式：以猴石山79西M60：18为代表（图4-37，15）。

演变趋势：腹腔渐扁，颈渐长。

Ⅱc型：长腹。可以分2式。

1式：以猴石山79西M57：1为代表（图4-37，13）。

2式：以猴石山79西M20：5为代表（图4-37，16）。

演变趋势：腹腔渐窄，颈渐长。

横桥耳壶。根据腹部形态可分为三型。

Ⅰ型：圆腹。根据颈部特征可分二亚型。

Ⅰa型：直颈。可以分4式。

1式：以星星哨AM19：2为代表（图4-38，1）。

2式：以西团山50M14：3为代表（图4-38，6）。

3式：以西团山50M15：2为代表（图4-38，12）。

4式：以小团山M1：4为代表（图4-38，17）。

期别 \ 型式		Ⅰ型		Ⅱ型		
		Ⅰa型	Ⅰb型	Ⅱa型	Ⅱb型	Ⅱc型
第一期	第一组	1 星星哨BM2：2	2 万宝山M1：1			
第二期	第二组	3 星星哨AM11：1	4 星星哨DM15：2			
第二期	第三组	5 西团山56M2：1	6 小团山M2：1	7 骚达沟53M2：598	8 土城子56M6：1	
第三期	第四组	9 猴石山76M3：2	10 汶水后山M1壶	11 猴石山79西M36：1	12 狼头山M105：1	13 猴石山79西M57：1
第三期	第五组			14 两半山M1：5	15 猴石山79西M60：18	16 猴石山79西M20：5

图4-37 D群无耳壶分期图

演变趋势：颈部渐长。

Ⅰb型：斜颈。可以分5式。

1式：以东梁岗04ⅠM14：2为代表（图4-38，2）。

期别		Ⅰ型		Ⅱ型		Ⅲ型	
期别＼型式		Ⅰa型	Ⅰb型	Ⅱa型	Ⅱb型	Ⅲa型	Ⅲb型
第一期	第一组	1 星星哨AM19：2	2 东梁岗04IM14：2	3 西团山50M19：1		4 东梁岗04IM14：1	5 星星哨AM26：3
第二期	第二组	6 西团山50M14：3	7 星星哨CM6：1	8 西团山50M8：4	9 东梁岗82M2：5	10 东梁岗04IM15：1	11 星星哨CM19：1
	第三组	12 西团山50M15：2	13 星星哨AM6：1	14 西团山50M1：8	15 东梁岗82M7：4	16 东梁岗04IM9：1	
第三期	第四组	17 小团山M1：4	18 小团山M1：5	19 骚达沟49M4：517	20 二甲沟壶		
	第五组		21 猴石山79西M59：5				

图4-38　D群横桥耳壶分期图

2式：以星星哨CM6：1为代表（图4-38，7）。

3式：以星星哨AM6：1为代表（图4-38，13）。

4式：以小团山M1：5为代表（图4-38，18）。

5式：以猴石山79西M59：5为代表（图4-38，21）。

演变趋势：颈部渐长，腹腔渐深。

Ⅱ型：长腹。根据口颈部特征可以分二亚型。

Ⅱa型：喇叭口。可以分4式。

1式：以西团山50M19：1为代表（图4-38，3）。

2式：以西团山50M8：4为代表（图4-38，8）。
3式：以西团山50M1：8为代表（图4-38，14）。
4式：以骚达沟49M4：517为代表（图4-38，19）。
演变趋势：喇叭口渐窄，腹腔渐深。
Ⅱb型：侈口。可以分3式。
1式：以东梁岗82M2：5为代表（图4-38，9）。
2式：以东梁岗82M7：4为代表（图4-38，15）。
3式：以二甲沟壶为代表（图4-38，20）。
演变趋势：腹腔渐窄长。
Ⅲ型：垂腹。根据口颈部特征可以分二亚型。
Ⅲa型：折沿。可以分3式。
1式：以东梁岗04ⅠM14：1为代表（图4-38，4）。
2式：以东梁岗04ⅠM15：1为代表（图4-38，10）。
3式：以东梁岗04ⅠM9：1为代表（图4-38，16）。
演变趋势：腹最大径上移，口沿渐瘦长。
Ⅲb型：领微弧。可以分2式。
1式：以星星哨AM26：3为代表（图4-38，5）。
2式：以星星哨CM19：1为代表（图4-38，11）。
竖耳壶。可以根据腹部特征划分二型。
Ⅰ型：长腹。根据口沿特征可以分二亚型。
Ⅰa型：矮颈。可以分2式。
1式：以东梁岗04ⅡM3：1为代表（图4-39，1）。
2式：以星星哨DM5：1为代表（图4-39，5）。
演变趋势：口部渐小，腹部渐瘦长。
Ⅰb型：高颈。可以分2式。
1式：以星星哨AM31：3为代表（图4-39，2）。
2式：以星星哨AM23：1为代表（图4-39，6）。
演变趋势：腹部渐瘦长。
Ⅱ型：垂腹。根据口沿特征可以分二亚型。
Ⅱa型：矮颈。可以分3式。
1式：以星星哨CM23：1为代表（图4-39，3）。
2式：以星星哨AM25：1为代表（图4-39，7）。
3式：以东梁岗04ⅠM11：1为代表（图4-39，9）。
Ⅱb型：高颈。可以分3式。

型式／期别		竖耳壶				錾耳壶
		Ⅰa型	Ⅰb型	Ⅱa型	Ⅱb型	
第一期	第一组	1 东梁岗04ⅡM3：1	2 星星哨AM31：3	3 星星哨CM23：1	4 东梁岗04IM1：1	
第二期	第二组	5 星星哨DM5：1	6 星星哨AM23：1	7 星星哨AM25：1	8 东梁岗04IM4：1	
	第三组			9 东梁岗04IM11：1	10 星星哨DM11：4	11 西团山56M1：1
第三期	第四组					12 骚达沟山顶大棺
	第五组					

图4-39　D群竖耳壶、錾耳壶分期图

1式：以东梁岗04ⅠM1：1为代表（图4-39，4）。

2式：以东梁岗04ⅠM4：1为代表（图4-39，8）。

3式：以星星哨DM11：4为代表（图4-39，10）。

演变趋势：腹最大径向上，耳部渐上移。

錾耳壶

可以分2式。

1式：以西团山56M1：1为代表（图4-39，11）。

2式：以骚达沟山顶大棺鋬耳壶为代表（图4-39，12）。

罐

横桥耳罐。根据腹部特征可以分四型。

Ⅰ型：扁腹。可以分3式。

1式：以星星哨AM20：5为代表（图4-40，1）。

2式：以星星哨DM16：3为代表（图4-40，5）。

期别		Ⅰ型	Ⅱ型		Ⅲ型	Ⅳ型
			Ⅱa型	Ⅱb型		
第一期	第一组	1 星星哨AM20：5	2 星星哨AM30：5	3 星星哨BM2：1	4 星星哨AM31：4	
第二期	第二组	5 星星哨DM16：3	6 星星哨DM16：1	7 星星哨CM6：2		8 东梁岗04ⅠM15：2
	第三组	9 小团山M2：2	10 西团山50M9：4	11 东梁岗04ⅠM8：1	12 星星哨DM9：3	13 东梁岗04ⅠM8：2
第三期	第四组			14 小西山甲M1：2	15 猴石山79西M19：2	16 狼头山M109：1
	第五组					

图4-40　D群横桥耳罐分期图

3式：以小团山M2：2为代表（图4-40，9）。
演变趋势：口部渐宽。
Ⅱ型：圆腹。根据口部特征可以分二亚型。
Ⅱa型：弧颈，折沿。可以分3式。
1式：以星星哨AM30：5为代表（图4-40，2）。
2式：以星星哨DM16：1为代表（图4-40，6）。
3式：以西团山50M9：4为代表（图4-40，10）。
演变趋势：腹腔渐深。
Ⅱb型：简化折沿。可以分4式。
1式：以星星哨BM2：1为代表（图4-40，3）。
2式：以星星哨CM6：2为代表（图4-40，7）。
3式：以东梁岗04ⅠM8：1为代表（图4-40，11）。
4式：以小西山甲M1：2为代表（图4-40，14）。
演变趋势：口沿渐不明显。
Ⅲ型：斜腹。可以分3式。
1式：以星星哨AM31：4为代表（图4-40，4）。
2式：以星星哨DM9：3为代表（图4-40，12）。
3式：以猴石山79西M19：2为代表（图4-40，15）。
演变趋势：腹腔渐深，口沿渐退化。
Ⅳ型：弧腹。可以分3式。
1式：以东梁岗04ⅠM15：2为代表（图4-40，8）
2式：以东梁岗04ⅠM8：2为代表（图4-40，13）。
3式：以狼头山M109：1为代表（图4-40，16）。
演变趋势：腹腔渐深，口沿渐退化。
无耳罐。球腹。可以分2式。
1式：以星星哨DM8：3为代表（图4-41，1）。
2式：以西团山50M17：3为代表（图4-41，4）。
盲耳罐。可以分为3式。
1式：以西团山50M7：4为代表（图4-41，5）。
2式：以骚达沟49M3：509为代表（图4-41，11）。
3式：以骚达沟53M3：605为代表（图4-41，18）。
演变趋势：腹腔渐浅。
钵。根据腹部特征可以分四型。
Ⅰ型：斜腹。根据腹部深浅可以分二亚型。

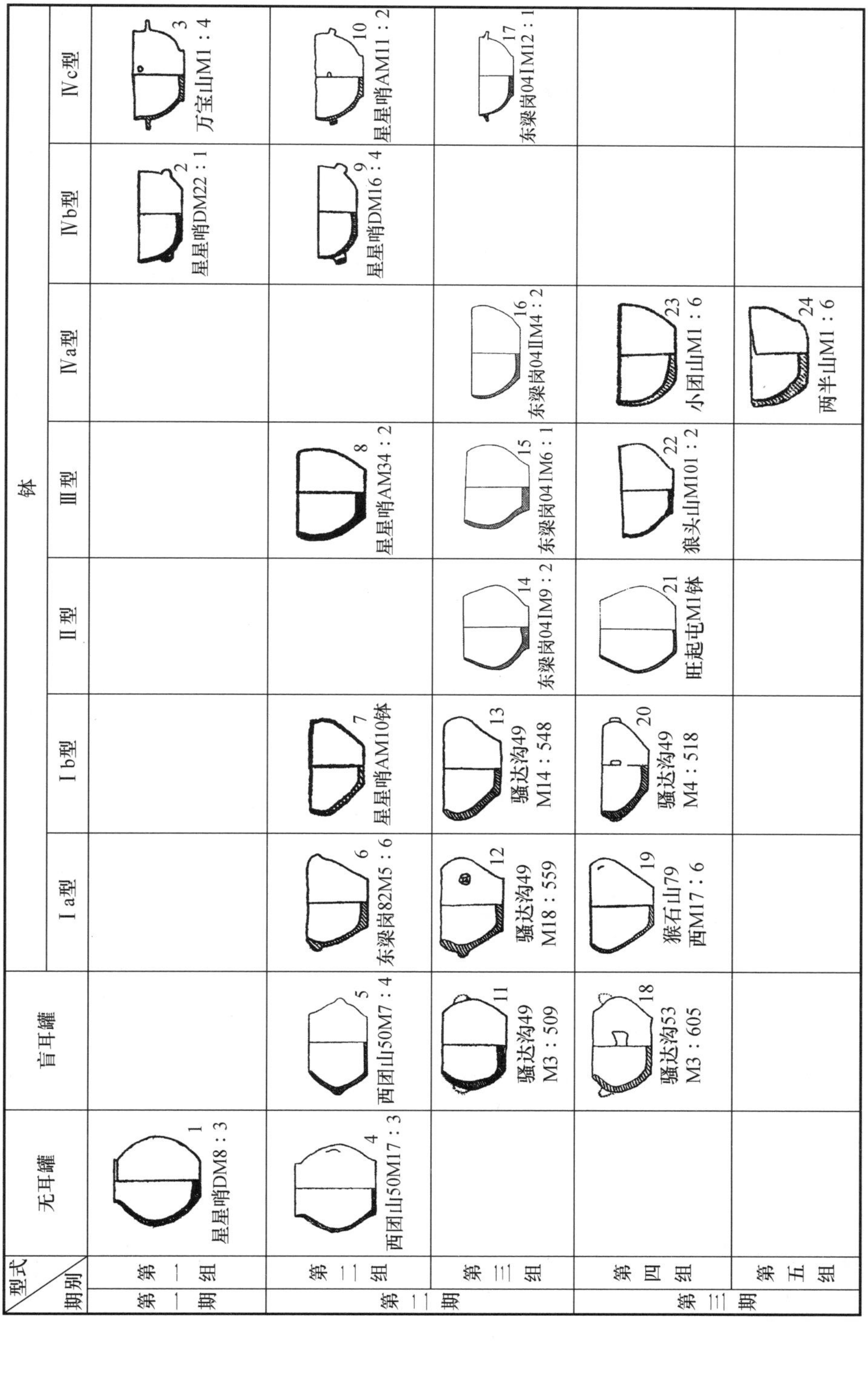

期别		无耳罐	盲耳罐	钵 Ⅰa型	钵 Ⅰb型	钵 Ⅱ型	钵 Ⅲ型	钵 Ⅳa型	钵 Ⅳb型	钵 Ⅳc型
第一期	第一组	1 星星哨DM8：3							2 星星哨DM22：1	3 万宝山M1：4
第二期	第二组	4 西团山50M17：3	5 西团山50M7：4	6 东梁岗82M5：6	7 星星哨AM10钵		8 星星哨AM34：2		9 星星哨DM16：4	10 星星哨AM11：2
	第三组		11 骚达沟49 M3：509	12 骚达沟49 M18：559	13 骚达沟49 M14：548	14 东梁岗04ⅠM9：2	15 东梁岗04ⅠM6：1	16 东梁岗04ⅡM4：2		17 东梁岗04ⅠM12：1
第三期	第四组		18 骚达沟53 M3：605	19 猴石山79 西M17：6	20 骚达沟49 M4：518	21 旺起屯M1钵	22 狼头山M101：2	23 小团山M1：6		
	第五组							24 两半山M1：6		

图4-41　D群无耳罐、盲耳罐、钵分期图

Ⅰa型：深斜腹。可以分3式。
1式：以东梁岗82M5：6为代表（图4-41，6）。
2式：以骚达沟49M18：559为代表（图4-41，12）。
3式：以猴石山79西M17：6为代表（图4-41，19）。
演变趋势：腹腔渐窄长，口渐内收。
Ⅰb型：浅斜腹。可以分3式。
1式：以星星哨AM10钵为代表（图4-41，7）。
2式：以骚达沟49M14：548为代表（图4-41，13）。
3式：以骚达沟49M4：518为代表（图4-41，20）。
演变趋势：腹腔渐浅。
Ⅱ型：垂腹。可以分2式。
1式：以东梁岗04ⅠM9：2为代表（图4-41，14）。
2式：以旺起屯M1钵为代表（图4-41，21）。
Ⅲ型：鼓腹。可以分3式。
1式：以星星哨AM34：2为代表（图4-41，8）。
2式：东梁岗04ⅠM6：1为代表（图4-41，15）。
3式：以狼头山M101：2为代表（图4-41，22）。
演变趋势：口渐内收，腹腔渐浅。
Ⅳ型：弧腹。可以分三亚型。
Ⅳa型：无耳，平底。可以分3式。
1式：以东梁岗04ⅡM4：2为代表（图4-41，16）。
2式：以小团山M1：6为代表（图4-41，23）。
3式：以两半山M1：6为代表（图4-41，24）。
演变趋势：腹腔渐深。
Ⅳb型：横桥耳，大平底。可以分2式。
1式：以星星哨DM22：1为代表（图4-41，2）。
2式：以星星哨DM16：4为代表（图4-41，9）。
演变趋势：腹腔渐浅。
Ⅳc型：鋬耳，假圈足底。可以分3式。
1式：以万宝山M1：4为代表（图4-41，3）。
2式：以星星哨AM11：2为代表（图4-41，10）。
3式：以东梁岗04ⅠM12：1为代表（图4-41，17）。
演变趋势：腹腔渐浅。
碗　根据腹部特征可以分二型。

Ⅰ型：斜腹。分二亚型。

Ⅰa型：浅腹，横耳。可以分3式。

1式：以星星哨DM8：4为代表（图4-42，1）。

2式：以星星哨AM23：2为代表（图4-42，6）。

3式：以星星哨AM29：2为代表（图4-42，12）。

演变趋势：腹腔渐浅。

Ⅰb型：深腹。可以分3式。

1式：以星星哨DM13：4为代表（图4-42，2）。

2式：以星星哨CM22：3为代表（图4-42，7）。

3式：以星星哨DM9：4为代表（图4-42，13）。

Ⅱ型：弧腹。分二亚型。

Ⅱa型：浅腹。可以分3式。

1式：以东梁岗82M5：5为代表（图4-42，8）。

2式：以骚达沟53M2：600为代表（图4-42，14）。

3式：以猴石山79西M36：2为代表（图4-42，19）。

Ⅱb型：深腹。可以分3式。

1式：以东梁岗04ⅠM1：2为代表（图4-42，3）。

2式：以东梁岗04ⅠM15：3为代表（图4-42，9）。

3式：以东梁岗04ⅠM9：3为代表（图4-42，15）。

演变趋势：腹腔渐窄长。

杯　根据耳部特征可以分二型。

Ⅰ型：鋬耳。可以分4式。

1式：以西团山50M19：3为代表（图4-42，4）。

2式：以西团山50M14：5为代表（图4-42，10）。

3式：以西团山48一区横坟杯为代表（图4-42，16）。

4式：以猴石山79西M80：2为代表（图4-42，20）。

演变趋势：腹腔渐浅，耳渐下垂。

Ⅱ型：纽状耳。可以分3式。

1式：以万宝山M1：5为代表（图4-42，5）。

2式：西团山50M6：5为代表（图4-42，11）。

3式：以西团山50M1：3为代表（图4-42，17）。

盘　可以分3式。

1式：以东梁岗82M7：6为代表（图4-42，18）。

2式：以西团山50M8：4为代表（图4-42，21）。

期别		碗 Ⅰa型	碗 Ⅰb型	碗 Ⅱa型	碗 Ⅱb型	杯 Ⅰ型	杯 Ⅱ型	盘
第一期	第一组	1 星星哨DM8：4	2 星星哨DM13：4		3 东梁岗04ⅠM1：2	4 西团山50M19：3	5 万宝山M1：5	
第二期	第二组	6 星星哨AM23：2	7 星星哨CM22：3	8 东梁岗82M5：5	9 东梁岗04ⅠM15：3	10 西团山50M14：5	11 西团山50M6：5	
	第三组	12 星星哨AM29：2	13 星星哨DM9：4	14 骚达沟53M2：600	15 东梁岗04ⅠM9：3	16 西团山48一区横坟杯	17 西团山50M1：3	18 东梁岗82M7：6
第三期	第四组			19 猴石山79西M36：2		20 猴石山79西M80：2		21 西团山50M8：4
	第五组							22 猴石山79西M60：19

图4-42　D群碗、杯、盘分期图

3式：猴石山79西M60：19为代表（图4-42，22）。

演变趋势：腹腔渐深。

鼎　尚不能划分型式，列举如下：东梁岗04ⅠM13：2、东梁岗82M2：6、东梁岗82M2：7、西团山50M8：3、骚达沟53M2：599、小西山乙M3：1、猴石山79西M33：6、猴石山79西M42：2（图4-43）。

还有一些器物形态特殊，不能划分型式，列举如图4-44。

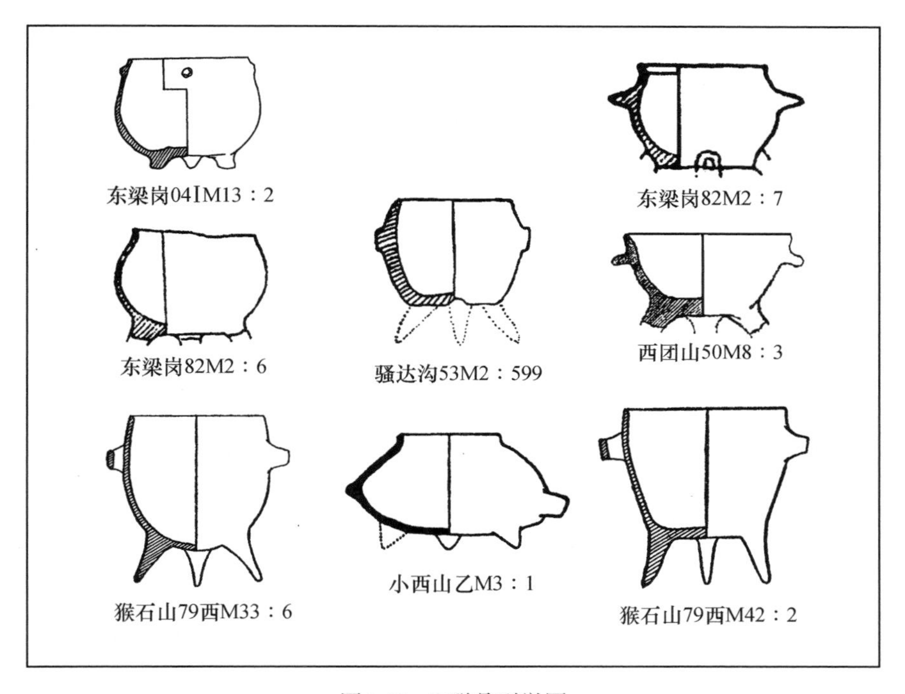

图4-43　D群鼎列举图

4.4.3　分期与年代讨论

前文已经对D群陶器做了型式举要，每型陶器的式别关系都呈现了一个逻辑发展序列。以演变关系最完整的Ⅰb型横桥耳壶为标杆，再根据陶器的共存关系，将各型式的代表性陶器分为五组，将与各组型式相同的器物分别纳入其中（见附表4），每型陶器的组别关系又呈现了一个逻辑发展序列。

附表4所示的五组陶器均可划分型式并具有分期意义，另外此五组陶器所属

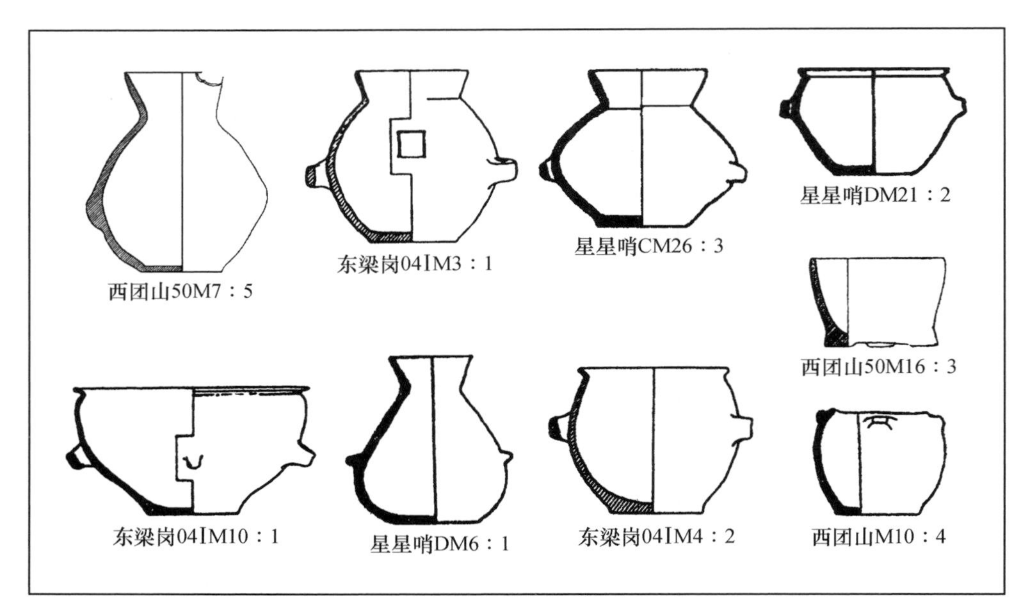

图4-44　D群未划分型式器物举例

墓葬中有一些不能划分类型的器物，因具有共存关系，仍可参与分期。还有一些器物不能划分型式，且又无共存关系者，根据器物特征及风格，经逐一分析后，亦可纳入各组，余者因证据不足无法进行年代讨论。以上统计表中各组的单位，加之上述讨论的可参与分期的其他陶器所出的单位，合并为如下五组。

第一组：星星哨AM19、AM20、AM24、AM25、AM26、AM30、AM31、CM1、CM12、CM18、CM21、DM6、DM8、DM12、DM13、DM22、BM2、BM4，西团山50M19，万宝山M1，小育英屯M2、M3、M4，东梁岗04ⅡM1、04ⅡM3、04ⅠM1、04ⅠM3、04ⅠM4、04ⅠM14。

第二组：星星哨AM1、AM10、AM11、AM23、AM34、AM35、CM6、CM19、CM22、DM5、DM15、DM16、DM18、DM19、DM21，西团山49一区M8、49一区M9、50M5、50M6、50M7、50M13、50M14、50M17，东梁岗04ⅠM10、04ⅠM15、04ⅡM2、82M2、82M3、82M5，东辽黎明M3、庆丰水库石棺墓。

第三组：星星哨AM6、AM29、DM9、DM11，西团山50M1、50M4、50M9、50M12、50M15、50M18、48一区横坟、48一区M3、49一区M14、56M1、56M2，骚达沟49M3、49M6、49M14、49M18、53M2，东梁岗04ⅠM6、04ⅠM8、04ⅠM9、04ⅠM11、04ⅠM12、04ⅠM13、04ⅡM4、

82M7，小团山M2，土城子56M6、土城子M8，旺起屯M5，池水南山M3，小西山乙M2、M3，小西山乙M4。

第四组：猴石山79西M17、79西M19、79西M36、79西M57、79西M80、76M3，骚达沟49M4、49M8、49M15，山顶大棺、53M3，狼头山M101、M105、M109，旺起屯M1，小团山M1，二甲沟石棺墓，汶水后山M1，土城子M24，小西山甲M1，西团山50M8、50M10、50M16、49一区M11。

第五组：猴石山79西M20、79西M59、79西M60，两半山M1。

在第一组中，分属于不同类别或型别的陶器共出于一个单位的情况有如下几例：横桥耳壶Ⅰb型东梁岗04ⅠM14：2与横桥耳壶Ⅲa型东梁岗04ⅠM14：1共存；竖耳壶Ⅱ型东梁岗04ⅠM1：1与Ⅱb型碗东梁岗04ⅠM1：2共存；无耳壶Ⅰb型万宝山M1：1与Ⅳ型钵万宝山M1：3、万宝山M1：4共存，与之共存的还有Ⅱ型杯万宝山M1：5；横桥耳罐Ⅰ型星星哨AM20：5与横桥耳罐Ⅱa型星星哨AM20：4共存；竖耳壶Ⅰb型星星哨AM31：3与横桥耳罐Ⅲ型星星哨AM31：4共存；横桥耳罐Ⅱb型星星哨BM2：1与无耳壶Ⅰa型星星哨BM2：2共存。Ⅱa型横桥耳壶西团山50M19：1与Ⅰ型杯西团山50M19：3共存。由此可见，上述不同类别或型别的第一组器物年代应该比较接近。

在第二组中，分属于不同类别或型别的陶器共出于一个单位的情况有如下几例：横桥耳罐Ⅰ型星星哨DM16：3与横桥耳罐Ⅱa型星星哨DM16：1共存，与之共出的还有横桥耳壶Ⅲa型星星哨DM16：2和Ⅳ型钵星星哨DM16：1；无耳壶Ⅰb型星星哨DM15：2与Ⅲ型钵星星哨DM15：3共存；无耳壶Ⅰa型星星哨AM11：1与Ⅳc型钵星星哨AM11：2共存；竖耳壶Ⅰb型星星哨AM23：1与Ⅰa型碗AM23：2共存；横桥耳壶Ⅰa型西团山50M14：3与Ⅰ型杯西团山50M14：5共存；横桥耳壶Ⅲa型东梁岗04ⅠM15：1与横桥耳罐Ⅳ型东梁岗04ⅠM15：2共存，与之共出的还有Ⅱb型碗东梁岗04ⅠM15：3。由此可以推断上述不同类别或型别的第二组器物年代大致相当。

在第三组中，分属于不同类别或型别的陶器共出于一个单位的情况有如下几例：横耳壶Ⅱb型东梁岗04ⅠM12：2与Ⅳc型钵东梁岗04ⅠM12：1共存；横桥耳罐Ⅱb型东梁岗04ⅠM8：1与横桥耳罐Ⅳ型东梁岗04ⅠM8：2共存；横桥耳壶Ⅲa型东梁岗04ⅠM9：1与Ⅱb型碗东梁岗04ⅠM9：3共存，与之共存的还有Ⅱ型1式钵东梁岗04ⅠM9：2；Ⅲ型钵东梁岗04ⅡM4：3与Ⅳa型钵东梁岗04ⅡM4：2共存，与之共出的还有东梁岗盘04ⅡM4：4；横桥耳罐Ⅱb型东梁岗82M7：4与东梁岗盘82M7：6共存；横桥耳壶Ⅱb型西团山50M4：8与Ⅲ型钵西团山50M4：10、西团山50M4：11共存；无耳壶Ⅰb型小团山M2：1与横桥耳罐Ⅰ型小团山M2：2共存。由此可以推断上述不同类别或型别的第三组器物年代大致相当。

在第四组中，分属于不同类别或型别的陶器共出于一个单位的情况有如下几例：横桥耳壶Ⅰa型小团山M1：4与横桥耳壶Ⅰb型小团山M1：5共存，与之共出的还有Ⅳa型钵小团山M1：6；横桥耳壶Ⅱa型骚达沟53M3：604与盲耳罐骚达沟53M3：605共存。横桥耳壶Ⅱa型骚达沟49M4：517与Ⅰb型钵骚达沟49M4：518共存。Ⅱa型横壶狼头山M101：1与Ⅲ型钵狼头山M101：2共存。由此可见，上述不同类别或型别第四组的器物年代应该比较接近。

在第五组中，无耳壶Ⅱb型猴石山79西M60：18与猴石山79西M60：19共存；无耳壶Ⅱa型两半山M1：5与Ⅳa型钵两半山M1：6共存。由此可见，上述不同类别或型别第五组的器物年代应该比较接近。

从五组陶器的整体风格观之，第一组陶器风格及器类较为原始，与B群晚期和C群早期的陶器风格多有相似，且若干器形于第二组已然不见。可见，一、二两组为D群墓葬两个不同的发展阶段，应区分开来，划为两段。第二组墓葬较第一组风格鲜明，且增加了一些新器形，这些新器形一直延续至四、五组；第一组的部分原始器形发展至第三组时消失，相比之下，第二组与第三组共同存在的器形最多，且风格相同，虽有式别差异，但二者仍然多有相似，可将两组划至同一段。四、五两组的陶器风格均呈现出晚期的特点，虽有式别差异，但是若干二、三组流行的器形均已不见，且个别器形与F群的墓葬遗存颇有渊源，呈现出D群墓葬晚期的态势，且第五组陶器标本有限，故将四、五两组合为一段。经过上述讨论，本书将D群墓葬划分为五组三段，一段即为一组，二段包括二、三两组，三段包括四、五两组。

从第一段的器物形态可以看出：星星哨横桥耳壶AM30：4（图4-45，5）与C群大伙房双房式陶壶M3：2（图4-45，6）如出一辙，年代应与之相当，上文讨论认为大伙房M3为C群第一期墓葬，故推断星星哨AM30也应与之同时，相当于西周早中期。东梁岗横桥耳壶04ⅠM14：1（图4-45，1）与C群抚顺甲邦双房式1号壶（图4-45，2）侈口、垂腹特征相同，尤其是前者为单横桥耳，在C群中也屡有发现，二者应为同时。C群一期竖耳壶凤城东山M10：2（图4-45，7）与星星哨AM31：3（图4-45，8）相似，年代应比较接近。东梁岗竖耳壶04ⅠM1：1（图4-45，4）形态风格与C群早期抚顺甲邦的双房式2号壶（图4-45，3）颇有渊源，且该壶腹部施半月形贴耳，此风格为C群陶壶的标志性特征，可见其完全是受到C群早期双房式陶壶的影响，二者应为同时。根据前文所述抚顺甲邦双房式陶壶的年代为C群一期，即西周早中期，故此推断东梁岗04ⅠM14、04ⅠM1亦应处于西周早中期。因同组内单位年代大体相当，结合以上证据可以判断第一组墓葬的年代大体相当于西周中早期。

第三段猴石山墓葬中所出无耳壶79西M20：5（图4-45，19）与松嫩平原汉

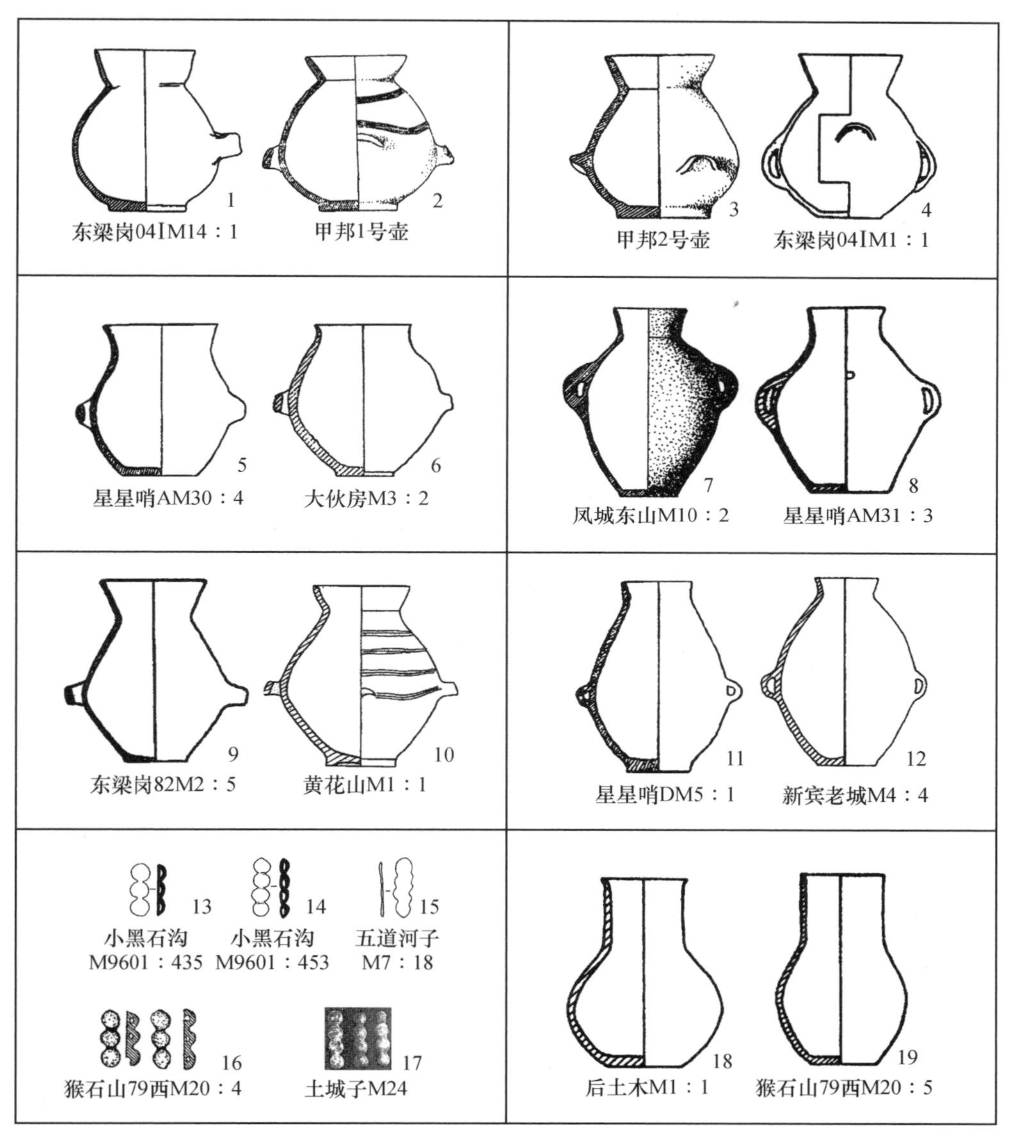

图4-45　D群一、二、三期与其他地点器物比较图

书二期文化后土木无耳壶M1：1（图4-45，18）极为形似，年代应与之相当。且在此单位中出土连珠形青铜饰件M20：4（图4-45，16），这种连珠形青铜饰件在吉林江北土城子M24中（图4-45，17）亦有发现。此类连珠形青铜饰件是欧亚大陆草原地带及辽西地区广泛流行的一类小件青铜器，有双连、三连、四

连、五连、六连、七连、八连等多种形制。在内蒙古宁城地区的小黑石沟石椁墓中出现了大量连珠形饰件①，M9601出土了三连珠饰件M9601：435和四连珠饰件M9601：453（图4-45，13、14），背面有鼻纽，与猴石山的连珠形制完全相同，此种连珠形饰在小黑石沟M8601中也有发现，M8601的年代属于夏家店上层文化的晚段，大致相当于春秋早期②，亦有学者根据陶器分析将夏家店上层文化晚段的年代下限推定为春秋晚期③。凌源县五道河子战国墓地④ M7中发现了四连珠饰件M7：18（图4-45，15），形制与江北土城子的四连珠饰件完全相同。两处地点在地域上与长白山地西部边缘接壤，吉林市猴石山、土城子等地发现的连珠形饰件可能由此二地传来。从年代范围上看，小黑石沟M8016和五道河子M7的年代处于春秋战国时期，故此可以判断猴石山79西M20与土城子M24的年代上限不应超过春秋早期，鉴于吉林地区青铜文化发展的滞后性，两墓的年代可能大致处于春秋晚期至战国时期的范围，故以猴石山79西M20和土城子M24为代表的第三段墓葬年代应在此上下。土城子M24石棺底部出现了黄泥土框，而猴石山79西M59、M60亦出现完全相同的黄泥土框，大致可判断三者年代相当，这种黄泥土框在D群一、二段墓葬中不见，时代较晚。第三段墓葬年代大概处于春秋晚期至战国时期。

C群二期横桥耳壶法库石砬子黄花山M1：1（图4-45，10）与红旗东梁岗82M2：5（图4-45，9）十分相似。C群二期竖耳壶新宾老城M4：4（图4-45，12）与星星哨DM5：1（图4-45，11）形制相同，如此可以推断D群墓葬第二期年代与C群二期年代相当，约相当于西周晚期至春秋早期。

通过对第一段和第三段墓葬的比较分析可以得出以下结论：在一至三段这个逻辑序列中，第一段早于第三段，二者应为此序列的头和尾，且此序列的时间范围应该处于西周早中期至战国早期之间。可将D群墓葬三段分为三期，第一段为第一期，约相当于西周早中期；第二段相当于第二期，大致相当于西周晚期至春秋早期；第三段约相当于第三期，相当于春秋晚期至战国时期。

---

① 内蒙古自治区文物考古研究所、宁城县辽中京博物馆：《小黑石沟夏家店上层文化遗址发掘报告》，科学出版社，2009年。

② 乌恩岳斯图：《北方草原考古学文化比较研究——青铜时代至早期匈奴时期》，科学出版社，2008年。

③ 赵宾福：《中国东北地区夏至战国时期的考古学文化研究》，吉林大学博士学位论文，2005年。

④ 辽宁省文物考古研究所：《辽宁凌源县五道河子战国墓发掘简报》，《文物》1989年2期，52～61页。

4.5　E群墓葬及分期

4.5.1　E群墓葬

E群墓葬的分布范围主要是长白山右翼图们江流域的延吉、图们、珲春、汪清等地。属于D群的墓葬材料主要有延吉小营子墓地①、金谷墓地②、新龙墓地③，汪清金城墓地④、百草沟墓地⑤、新华闾墓地⑥、图们石岘墓地⑦、珲春新兴洞墓地⑧、珲春迎花南山墓葬⑨、北山墓地⑩、和龙兴城瓮棺墓⑪ 等。

E群的墓葬类型以封石墓为主，涵盖了Ⅰ、Ⅱ、Ⅲ型封石墓，另外还有少量的Ⅰa、Ⅱa、Ⅱb、Ⅱc 型土坑墓、Ⅰd型石棺墓及个别的Ⅱ型瓮棺墓。墓葬的陶器种类主要为直腹筒形罐、斜腹平底罐、大平底钵、假圈足碗及圈足豆等。陶器以红褐色和黑褐色为大宗，多为手制，少有纹饰。器物造型简单，口沿多为直口

---

① 〔日〕藤田亮策：《延吉小营子遗迹调查报告》，《满洲国古迹古物调查报告》（第五编），满洲国文教部，康德十年（1943年）。

② 延边朝鲜族自治州博物馆：《延吉德新金谷古墓葬清理简报》，《东北考古与历史（第一辑）》，文物出版社，1982年，191～198页。

③ 侯莉闽：《吉林延边新龙青铜墓葬及对该遗存的认识》，《北方文物》1994年3期，2～14页。

④ 吉林省文物考古研究所：《吉林汪清金城古墓葬发掘简报》，《考古》1986年2期，125～131页。

⑤ 王亚洲：《吉林汪清县百草沟古墓葬发掘》，《考古》1961年8期，423、424页；《吉林省文物志》编委会：《汪清县文物志》，1983年，26～33页。

⑥ 材料出自《汪清县文物志》，1983年，26～33页。

⑦ 侯莉闽、朴润武：《吉林省图们石岘原始社会墓地的调查与清理》，《博物馆研究》1995年2期，54～65页。

⑧ 吉林省文物考古研究所、延边朝鲜族自治州文物管理委员会、延边朝鲜族自治州博物馆：《吉林珲春新兴洞墓地发掘报告》，《北方文物》1992年1期，3～9页。

⑨ 吉林省图珲铁路考古发掘队：《吉林珲春市迎花南山遗址、墓葬发掘》，《考古》1993年8期，701～708页。

⑩ 图珲铁路考古发掘队：《吉林珲春市河西北山墓地发掘》，《考古》1994年5期，405～412页。

⑪ 吉林省文物考古研究所、延边朝鲜族自治州博物馆：《和龙兴城——新石器及青铜时代遗址发掘报告》，文物出版社，2001年。

或微向外弧，不见横桥耳器，除极少量小环耳罐外，无耳器和乳突耳器各居一半，还存在一定数量的圈足器。墓葬中石器大量存在，主要包括斧、锛、镞、矛、刀、环状石器等。其中磨制石镞数量最多，有柳叶形和锥形等，还存在一定数量的打制石镞；石刀有长方形单孔或长条形无孔两种形制；石器中较有特点的是环状石器和花冠状石器，几乎每个墓地都有少量存在。骨器在该群墓葬中特点鲜明，雕刻骨管和雕刻骨板为他群所不见，在骨管或骨板上钻孔，刻划网格纹饰，似为装饰之用，也可能有特殊意义。青铜器稀有，均为小件青铜器，仅见铜泡、铜扣、铜环等饰件若干。墓葬内还存在一定比例的装饰品，主要包括牙饰、贝饰、石管、骨管等。E群典型器物列举见图4-46。

4.5.2　分期与年代讨论

E群墓葬所包括的诸墓地均属于“柳庭洞类型”。“柳庭洞类型”是林沄先生于1985年发表的《论团结文化》一文中首次提出的[①]，文章指出延吉柳庭洞遗址、金谷墓地、新华闾墓地、汪清金城墓地等遗存应为区别于团结文化的另一种文化类型，并以代表性遗址柳庭洞命名此类遗存为“柳庭洞类型”。“柳庭洞类型”的提出得到了学术界的普遍认可，并由此确立“柳庭洞类型”为图们江流域青铜时代文化序列中的重要一环。

与以上几群墓葬有所不同的是，属于柳庭洞类型的E群墓葬与柳庭洞类型居址的陶器类型和风格几无区别，因此在为E群墓葬确定文化内涵和年代关系时，可将“柳庭洞类型”各居址的陶器作为重要参考资料。

到目前为止，我国境内未曾发现具有地层叠压关系的属于柳庭洞类型遗址，而分布于同一区域的以和龙兴城遗址为代表的“兴城文化”亦未发现准确的地层关系，关于柳庭洞类型与兴城文化的年代早晚及柳庭洞类型自身的年代关系的讨论均缺乏相应的地层证据。但是值得关注的是，近年来国内有两位学者把视线聚集到相邻的朝鲜北部地区，并找到了间接的地层证据。

宋玉彬利用朝鲜会宁五洞遗址F5与F4的打破关系找到了答案[②]。文中提及朝鲜会宁五洞遗址的F5和F4两座房址之间的关系为F5→F4，可见，F5为晚于F4的遗存，且文中认为“F4、F5陶器形制上的差异看不出递进演化关系的迹象，缺少趋同共性，这种差异应该是文化属性的不同”。中国境内发现的属于兴城文化的遗存特征与F4内的遗存特征相同；属于柳庭洞类型的遗存与F5内的遗存内涵

① 林沄：《论团结文化》，《北方文物》1985年1期。

② 宋玉彬：《图们江流域青铜时代的几个问题》，《北方文物》2002年4期，1～10页。

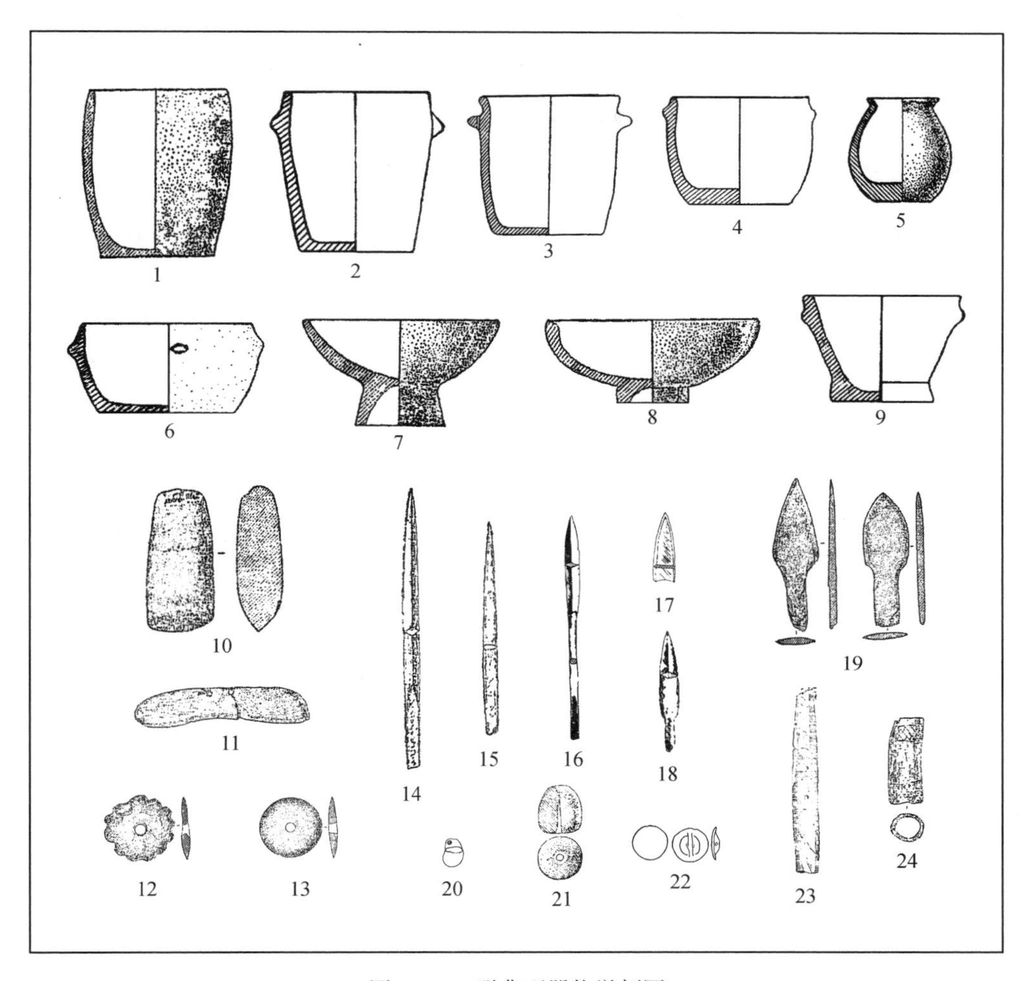

图4-46　E群典型器物举例图

1～4. 罐　5. 盅　6. 钵　7. 豆　8、9. 碗　10. 石斧　11. 石刀　12. 花冠状石器　13. 环状石器　14～18. 石镞　19. 石矛　20. 石坠　21.石网坠　22. 铜泡　23. 雕刻骨板　24. 雕刻骨管

（1、7、8、10～15、19、24. 金谷；2. 珲春北山；3、4. 新兴洞；5、21. 新华间；6、16、18. 石砚；9、20、22、23. 金城；17. 新龙）

一致，F5→F4这一层位关系为判断兴城文化和柳庭洞类型早晚关系提供了极为有力的证据。另外，参考兴城文化及柳庭洞类型的^{14}C数据，将兴城文化的年代跨度定于龙山末至夏代，而柳庭洞类型的年代跨度应在商至春秋战国。对于柳庭洞类型自身年代序列的划定，也有了进一步讨论。将柳庭洞类型划分为早、晚两

段：早段陶器基本不施器耳，存在极个别的单耳陶器；晚段施耳的陶器增多并逐渐占据主导地位，并出现了新的器形——陶豆。

赵宾福进一步对朝鲜会宁五洞的几处房址的叠压打破关系进行了分析①。举证出F6→F5→F4 这一叠压打破关系后，对F6内的遗物进行了判别，认为F6中出现的“带乳形把手的深罐子”及部分陶片口沿的整体形制与F5中的陶器风格基本相同，区别只在于前者口沿外侧多施乳突形小耳。显而易见，F6、F5遗存应为晚于且不同于F4遗存的另一种文化属性，而F5和F6遗存的区别应视为同一文化内部时间早晚上的差异，这一结论揭开了柳庭洞类型年代早晚的面纱。文中明确提出了柳庭洞文化的陶器是否有耳是为年代上的差异，依据层位关系和共存关系，在原有认识的基础上，将柳庭洞文化划分为早、晚两期，“早期陶器特点是素面无耳，晚期陶器特点是除了少数器型以外，绝大多数都在器物的上腹部（近口沿处）施对称的乳突形小耳”。

以上二位学者对于柳庭洞类型的把握和认识，为柳庭洞类型的分期提供了有力的论据。因此，本书的讨论将建立在二位学者的研究成果基础之上，根据柳庭洞类型早、晚两期的文化特征，将E群墓葬按照不同的内涵特点划分为早、晚两期。早期墓葬包括：延吉金谷墓地M2、M5、M7、M10、M17，汪清金城墓地79M1、80M2、80M7、80M8、80M22、80M28，图们石砚墓地出土的一部分无耳陶器、和龙兴城遗址87BM1瓮棺葬，年代处于西周早期至春秋晚期；晚期包括珲春新兴洞墓地M10、M14、M16、M28，珲春河西北山墓地全部遗存，汪清金城墓地79M3、80M1、80M3、80M4、80M15、80M29，图们石砚墓地出土的一部分施乳突形小耳的陶器，汪清百草沟新华间北山墓地，年代相当于战国时期。E群陶器分期列举见图4-47。

另外，该地区新近发现的安图仲坪遗址的瓮棺墓2004ⅡW1② 的瓮棺为小折沿长腹筒形罐，其形态与和龙兴城遗址早期③及朝鲜西浦项遗址出土的大型陶罐④ 十分相似，应属同一文化范畴，年代大致在夏至早商时期。

---

① 赵宾福：《中国东北地区夏至战国时期的考古学文化研究》，吉林大学博士学位论文，2005年。

② 吉林省文物考古研究所、安图县文管所：《吉林安图县仲坪遗址发掘》，《北方文物》2007年4期，13～23页。

③ 吉林省文物考古研究所、延边朝鲜族自治州博物馆：《和龙兴城——新石器及青铜时代遗址发掘报告》罐87AF6甲：3，文物出版社，2001年。

④ 朝鲜民主主义人民共和国社会科学院考古研究所编，李云铎译：《朝鲜考古学概要》，黑龙江省文物出版编辑室，1983年，图三十九。

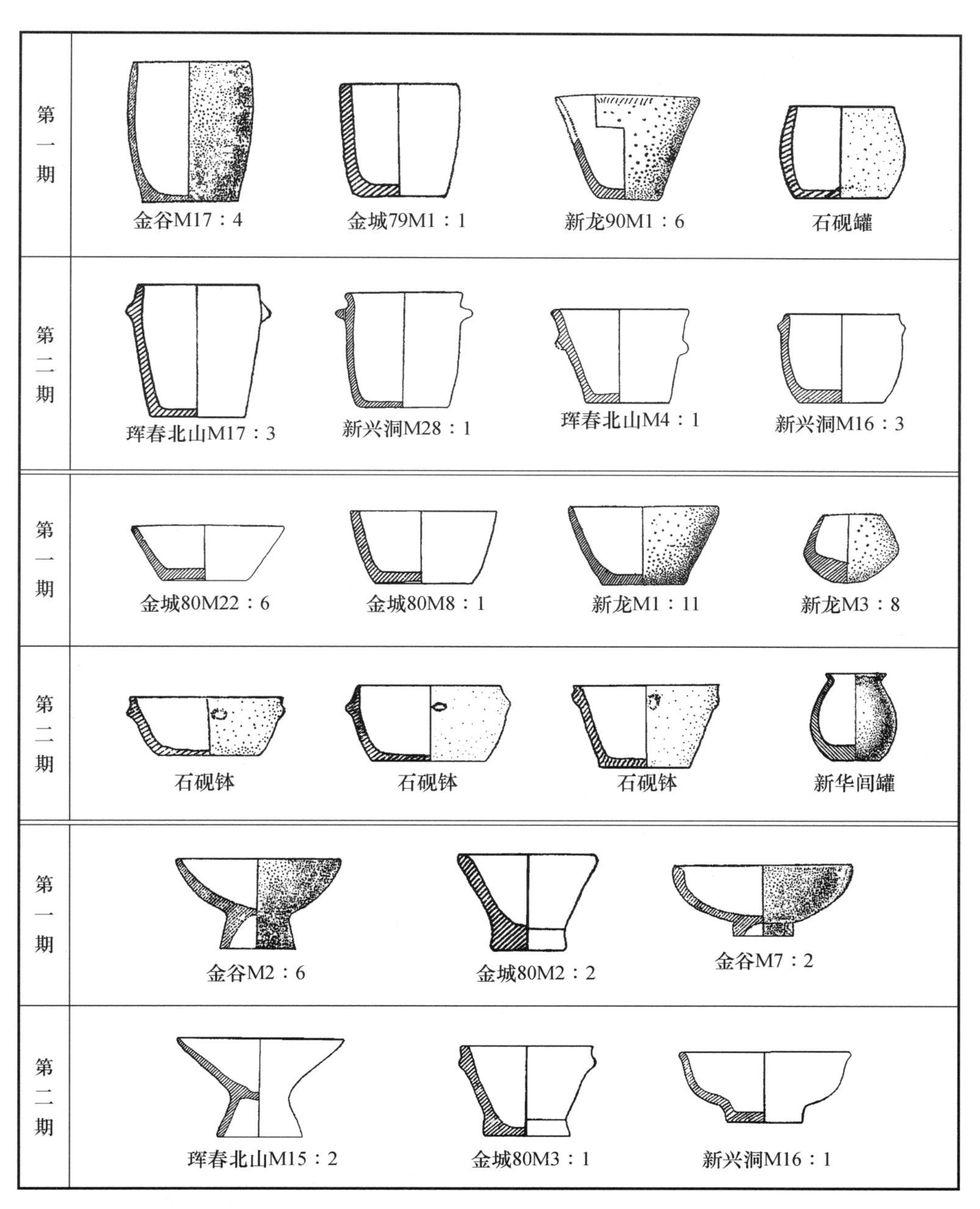

图4-47　E群陶器分期图

4.6　F群墓葬及年代讨论

4.6.1　F群墓葬

在长白山西翼东辽河北岸的丘陵地带，分布着一些明显区别于同时期相邻地区的青铜时代墓葬遗存，由于目前发表材料有限，该类遗存的文化内涵尚不十分明朗。但此类遗存具有自身的特点，在长白山地及其延伸地带这一范围内的青铜文化中占有一席之地，仍有必要做简要的讨论。这些遗存主要包括：桦甸西荒山屯墓[①]、公主岭猴石墓[②]、九台石垃山墓地[③]、辽源高古墓地[④]、东丰赵秋沟墓地、大阳东山墓、大阳林场墓、大阳遗址墓、大阳龙头山墓、大阳三里北山墓、杜家沟墓、驼腰村墓[⑤]、舒兰黄鱼圈M1等[⑥]。

F群墓葬类型以大石盖墓为主，包括Ⅲ、Ⅳa、Ⅳb、Ⅳc、Ⅳd型，另外还有少量的Ⅱd型石棺墓。此类遗存多分布于山丘的顶部或山腰平地处，均为长方形竖穴，多深穴。墓内人骨较多，可辨识者多为多次火葬。部分墓底边缘有木框，可能是为了火葬更加彻底，也反映出墓内焚骨的葬式特点。随葬器物以陶器为主，陶器陶质粗糙，以夹砂灰褐陶、夹砂红褐陶为主。陶器实用器占少数，器形大多较小，手工捏制，应属明器，主要包括大口溜肩罐、矮领折腹罐、直领罐、长颈壶、直领壶、斜腹杯、碗等。陶器基本不见纹饰，多数陶罐肩、腹部饰瘤状小耳或鋬耳，杯、碗亦有之。墓葬中不乏青铜器的存在，包括青铜短剑、铜镜、刀、斧、镞、装饰品等；石器较少，包括双孔石刀、石斧、穿孔砾石、装饰性石管等，其中穿孔砾石为他群所不见；个别墓葬发现铁刀、铁锛等实用铁器。F群典型器物列举见图4-48。

---

① 吉林省文物工作队、吉林市博物馆：《吉林桦甸西荒山屯青铜短剑墓》，《东北考古与历史（第一辑）》，文物出版社，1982年，141～152页。

② 武保中：《吉林公主岭猴石古墓》，《北方文物》1989年4期，8～23页。

③ 吉林省文物考古研究所：《吉林九台市石砬山、关马山西团山文化墓地》，《考古》1991年4期，336～346页。

④ 吉林省文物考古研究所、辽源市文管会办公室：《吉林省辽源市高古村石棺墓发掘简报》，《考古》1993年6期，518～523页。

⑤ 金旭东：《1987年吉林东丰南部盖石墓调查与清理》，《辽海文物学刊》1991年2期，12～22页。

⑥ 吉林省文物工作队：《吉林舒兰黄鱼圈珠山遗址清理简报》，《考古》1985年4期，336～348页。

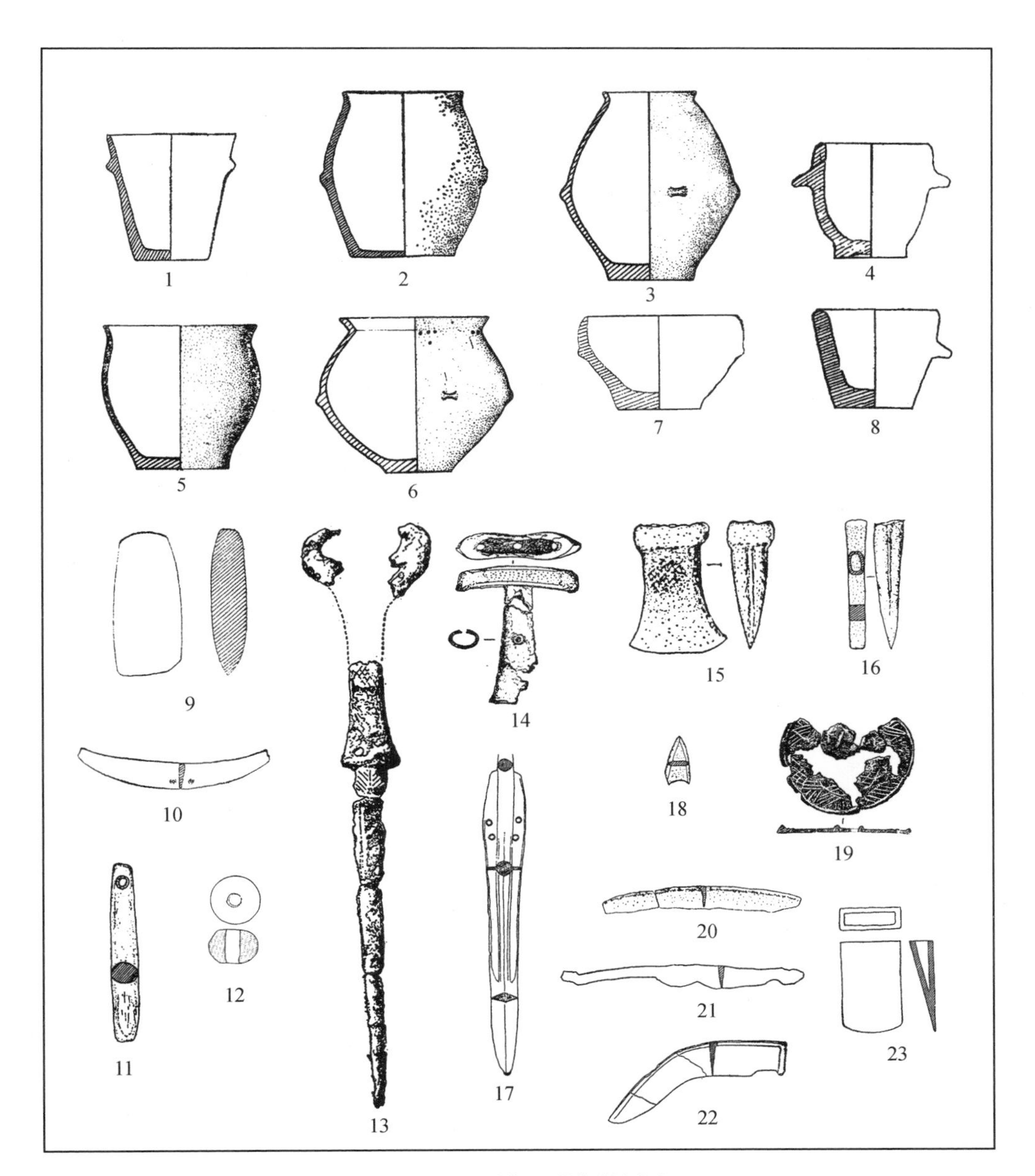

图4-48　F群典型器物举例图

1～3、5、6. 罐　4、8. 杯　7. 钵　9. 石斧　10. 石刀　11. 穿孔砾石　12. 穿孔石球　13、17. 铜剑　14. 铜剑柄　15. 铜斧　16. 铜凿　18. 铜镞　19. 铜镜　20. 铜刀　21. 铁刀　22. 铁镰　23. 铁锛

（3、6赵秋沟；4、8、11、15、16、18、20猴石；5龙头山；余为西荒山屯出土）

4.6.2　年代讨论

F群墓葬的陶器面貌复杂，除具一定的自身特点外，还包含了具有D群、E群墓葬陶器的文化因素。公主岭猴石墓的陶杯（图4-49，1）在D群中晚期陶杯中找到祖型，所不同的是猴石墓陶杯的鋬耳全部向下，可能为受到D群陶杯影响后演化的产物，年代应较之更晚，大致在春秋晚期至战国时期。还有一种对称乳突耳的陶杯（图4-49，3）与E群晚期的陶杯风格一致，前者为斜直腹，后者接近直腹，这种鋬耳和对称乳突耳的风格在F群晚期墓葬中尤为突出，年代可晚至战国时期。对称乳突耳的风格在陶罐上也有所体现，西荒山屯H2：1罐口底相若，腹部微折，折腹处饰对称乳突耳（图4-49，5）。此种罐形饰三个小盲耳者亦有之，如赵秋沟M2：2（图4-49，4）；饰三盲耳者除此形罐外还有大口小底的折

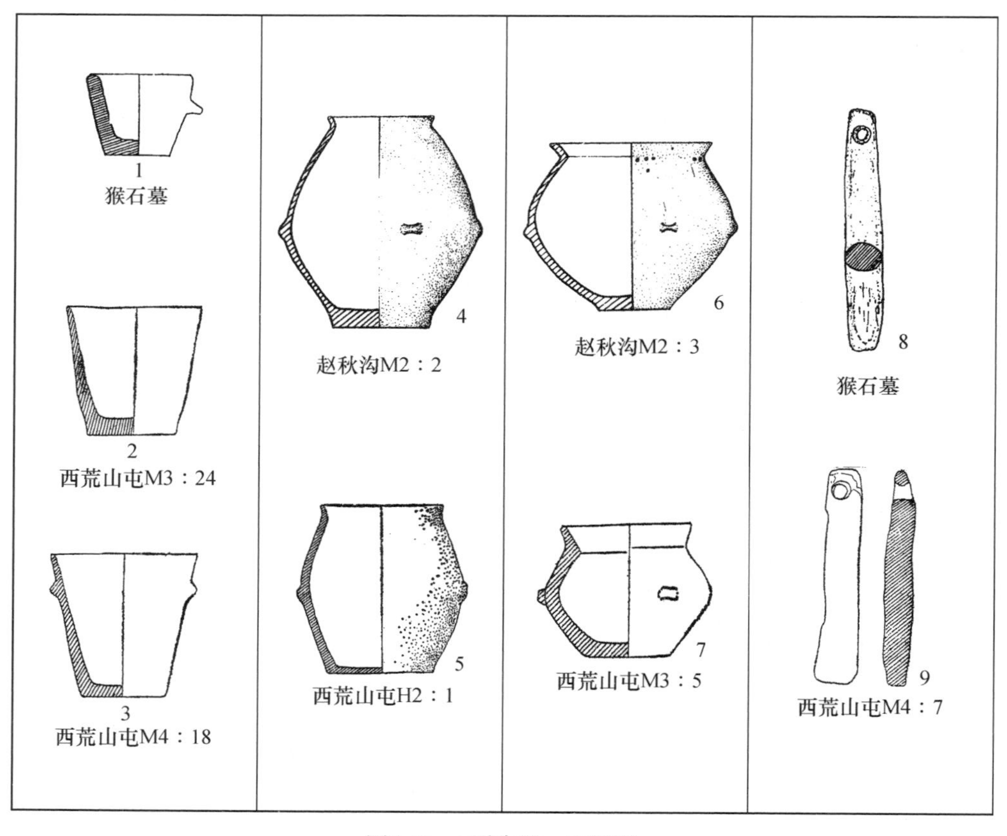

图4-49　F群陶器、石器图

肩罐，如赵秋沟M2：3和西荒山屯M3：5（图4-49，6、7）。这种肩、腹部饰三盲耳的风格应该是F群墓葬自身的因素。另外，一端钻孔的砺石（图4-49，8、9）在F群中广泛出现，也是其自身特有的文化因素。

对于F群墓葬的内涵认识到目前为止尚未有统一的观点，应是受到墓葬材料零散、陶器面貌复杂的影响。此群墓葬无直接的地层证据可判断年代早晚，且出土陶器多为手制明器，器形较小，不够规整，根据现有陶器划分墓葬年代刻度还具有一定的困难，其中伴出的青铜器和铁器具有一定的年代参考价值。

桦甸西荒山屯M1出土了两件铜剑，一件为短茎曲刃铜剑M1：9（图4-50，1），短茎细身，柄身合铸，剑身尾部有对称钻孔4个，T字形剑柄，截面舟形，上饰平行叶脉纹。另一件为触角式细身铜剑M1：17（图4-50，4），柄身合铸，剑柄端部伸出两“触角”，“触角”向内对弯，再向下折回与剑柄相接，每个触角圈成一孔，两孔对称。剑柄截面为椭圆形，饰凸起的网格纹，柄身结合处饰平行叶脉纹。另出铜刀2件，刀身均饰平行叶脉纹。此种曲刃青铜短剑和触角式细身铜剑的共存，加之此4件青铜器纹饰均为平行叶脉纹，体现了此4件青铜器的年代应大体相当，这种组合关系和纹饰风格可以成为判断M1年代的参考依据。M1：17和M1：9两件铜剑在铜剑的发展序列中均体现了晚期的风格。M1：17剑与西岔沟出土的“双鸟回首式”铜柄铁剑（图4-50，5）似有渊源①，其形制和风格已与“双鸟回首式”剑相差无几，只是后者剑身为铁制，年代较晚，大概在战国晚期至西汉时期，而M1：9剑应较之年代为早。M1：9剑与C群晚期尹家村M12（图4-50，3）的铜剑十分相似，年代应大体相当。以上证据表明此两件铜剑年代大致在战国时期。M2所出剑柄M2：4（图4-50，8）与M1剑柄M1：11（图4-50，6）相同，铜境M2：7（图4-50，9）纹饰与M1青铜器纹饰风格同源，年代亦大致相当。与M1出土相同形制铜剑的还有M6，M6所出铜剑M6：7（图4-50，2）剑身更加窄长，且共存器物还有铁锛和铁刀（图4-50，10、11），推测其年代与M1同时或稍晚，下限可能晚至战国晚期。M3出土触角式剑柄M3：17（图4-50，7），与之共存的还有铁镰M3：13（图4-50，12），年代应与M6同时。这样看来，M1、M2与M3、M6虽然年代上略有早晚，但是大体都处于战国时期，下限可至战国晚期，故将此四座墓划分为同一时期。

总之，通过对F群典型陶器和典型墓葬的分析，可以发现该群墓葬自身传统较弱，多吸收外来因素，延续时间较短，根据陶器的文化因素分析推定各墓葬的年代相差不大，大致范围在战国时期，下限可能进入西汉前期。

---

① 孙守道：《“匈奴西岔沟文化”古墓群的发现》，《文物》1960年Z1期。

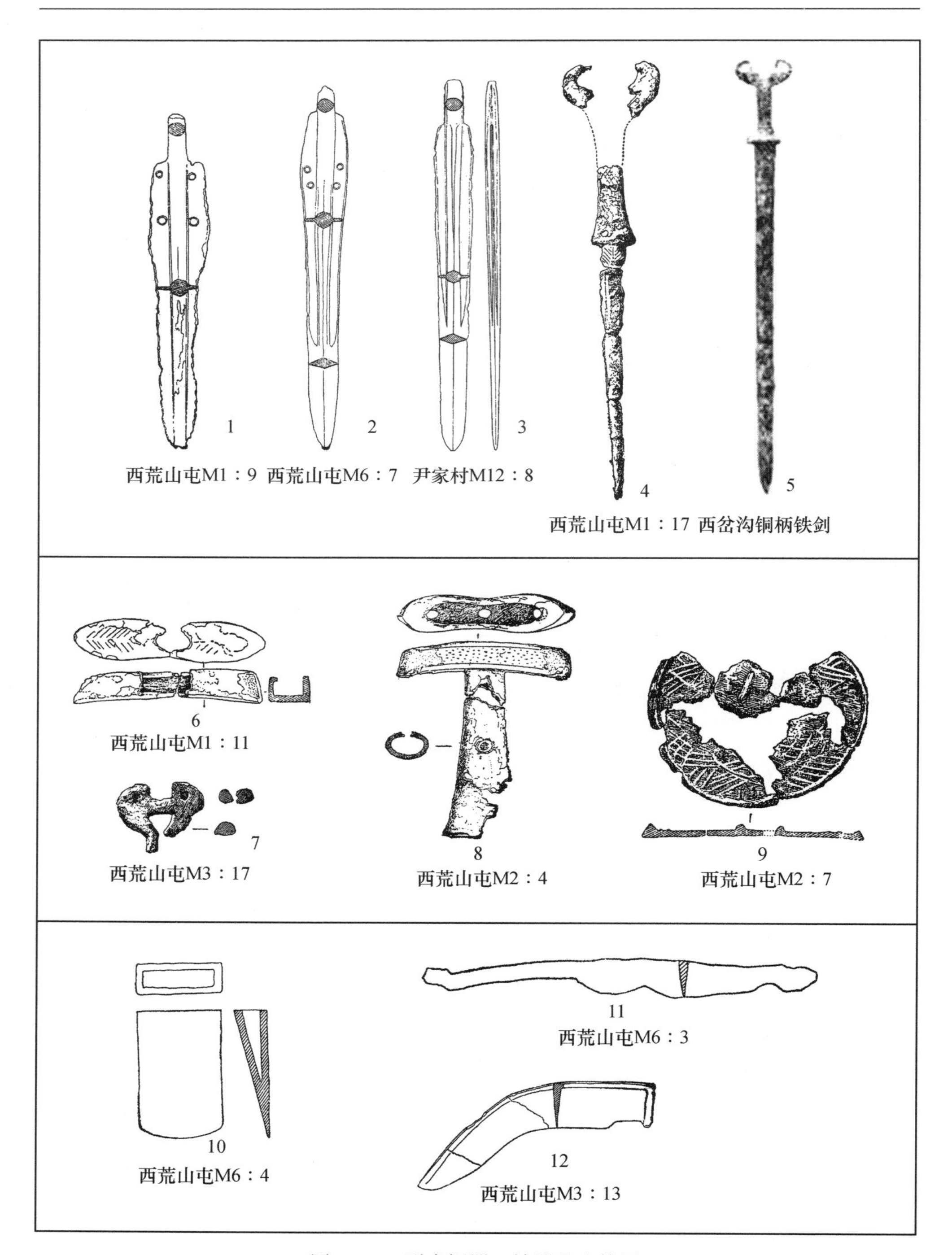

图4-50　F群青铜器、铁器及比较图

第5章　年代、谱系与分布格局

在夏代初期至战国中晚期2000多年的时间里，长白山地及其延伸地带存在着既相对独立又保持某种联系的六个墓葬群，每个墓葬群均具有自身发展的年代序列，各个墓葬群之间形成了复杂的相互关系和分布格局，呈现出该地区青铜时代墓葬多元演进和此消彼长的发展过程。

5.1　各群墓葬的编年序列与阶段划分

前文对A、B、C、D、E、F六群墓葬分别进行了分期及年代讨论，划分出长白山地及其延伸地带青铜时代墓葬的六个年代序列，各序列之间的年达跨度及时间刻度均有不同，各群墓葬的期别与年代比较如下。

A群　分为三组二期，一组为一期，相当于商代中期；二、三组为二期，相当于商代晚期。

B群　分为四期，一期相当于夏代晚期至商代早期；二期相当于商代中晚期；三期相当于西周早期；四期相当于西周中期。

C群　分为三期，一期相当于西周早中期；二期相当于西周晚至春秋时期；三期相当于战国时期。

D群　分为五组三期，一组为一期，相当于西周早中期；二、三组为二期，相当于西周晚期至春秋早期；四、五组为三期，相当于春秋晚期至战国时期。

E群　分为二期，一期相当于西周至春秋时期；二期相当于战国时期。

F群　均属同一期，相当于战国时期。

另外，双砣子一、二期文化的墓葬在长白山地及其延伸地带亦有分布，前文对其年代进行过简要讨论，由于材料所限，其时间刻度尚无法细化。为完整地呈现出该地区青铜时代墓葬的年代框架，本书将此两种文化的墓葬共同纳入长白山地及其延伸地带青铜时代墓葬的编年体系中。

通过对A、B、C、D、E、F六群墓葬分期与年代的比较，长白山地及其延伸地带青铜时代墓葬的时间刻度及对应关系已近明了，现将各群墓葬及双砣子一、二期文化墓葬的年代框架整合如表5-1所示。

表5-1　双砣子一、二期文化及各群年代框架表

<table>
<tr><th>阶段</th><th colspan="2">年代</th><th>双砣子一期</th><th>双砣子二期</th><th>A群</th><th>B群</th><th>C群</th><th>D群</th><th>E群</th><th>F群</th></tr>
<tr><td rowspan="6">一</td><td rowspan="3">夏</td><td>早</td><td>■</td><td></td><td></td><td></td><td></td><td></td><td></td><td></td></tr>
<tr><td>中</td><td></td><td rowspan="2">▲</td><td></td><td></td><td></td><td></td><td></td><td></td></tr>
<tr><td>晚</td><td></td><td></td><td rowspan="2">一期</td><td></td><td></td><td></td><td></td></tr>
<tr><td rowspan="3">商</td><td>早</td><td></td><td></td><td></td><td></td><td></td><td></td><td></td></tr>
<tr><td>中</td><td></td><td></td><td>一期</td><td rowspan="2">二期</td><td></td><td></td><td></td><td></td></tr>
<tr><td>晚</td><td></td><td></td><td>二期</td><td></td><td></td><td></td><td></td></tr>
<tr><td rowspan="5">二</td><td rowspan="3">西周</td><td>早</td><td></td><td></td><td></td><td>三期</td><td rowspan="2">一期</td><td rowspan="2">一期</td><td rowspan="5">一期</td><td></td></tr>
<tr><td>中</td><td></td><td></td><td></td><td>四期</td><td></td></tr>
<tr><td>晚</td><td></td><td></td><td></td><td></td><td rowspan="3">二期</td><td rowspan="2">二期</td><td></td></tr>
<tr><td rowspan="2">春秋</td><td>早</td><td></td><td></td><td></td><td></td><td></td></tr>
<tr><td>晚</td><td></td><td></td><td></td><td></td><td rowspan="2">三期</td><td></td></tr>
<tr><td>三</td><td colspan="2">战国</td><td></td><td></td><td></td><td></td><td>三期</td><td>二期</td><td>F群</td></tr>
</table>

注：■代表将军山、老铁山、四平山积石墓等双砣子一期文化墓葬。

▲代表上马石瓮棺墓、单砣子土坑墓等双砣子二期文化墓葬。

由表5-1可见，双砣子一期文化的墓葬年代最早；B群一期晚于双砣子二期墓葬出现，下限与之相当；处于商代的A群年代与B群二期大致相当；B群三、四期年代与C、D群的一期年代同时；C群一、二期与E群一期同时；C群二、三期与D群二、三期基本相当；C群三期与E群二期及F群同时。根据各群墓葬的分期与年代刻度可以将长白山地及其延伸地带青铜时代墓葬划分为三大阶段：第一阶段为夏商时期；第二阶段为西周至春秋时期；第三阶段为战国时期。第一阶段包括将军山、老铁山、四平山积石墓，上马石瓮棺墓、单砣子土坑墓，A群一、二期，B群一、二期墓葬遗存。第二阶段包括B群三、四期，C群一、二期，D群一、二期及三期早段和E群一期墓葬遗存。第三阶段包括C群三期、D群三期晚段、E群二期及F群的墓葬遗存。

5.2　谱系关系

长白山地及其延伸地带青铜时代的A、B、C、D、E、F六群墓葬，在青铜时代的发展进程中或紧密传承，或相互影响，或并行发展，形成了复杂的谱系关系。如图所示。

A群与B群　在上文所划分的六群墓葬中，B群出现的年代最早，于夏代晚期就开始出现；至商代中期时，B群进入二期，A群墓葬开始出现，二者并行发展；B群二期结束时，A群墓葬也已进入尾声。B群墓葬的土著性成分很明显，从纹饰风格来看，早期的陶器口沿处经常出现具有新石器时代特征的圆点凹窝附加堆纹、平行刻划纹，叠唇的筒形罐口沿也经常出现，这些纹饰和残片在马城子B洞下层和北甸A洞下层的新石器时代地层中均能找到祖型，虽然洞穴墓的上下两层年代差距尚不甚清楚，但是新石器时代陶器的风格已经很明显地传承至青铜时代，这种新石器时代的遗风并没有在洞穴墓的发展中成为主流，仅器物口沿的叠唇风格仍一直保留。

B群早期的直领陶罐颈部和腹部所饰的凸棱形附加堆纹并非其原有的土著因素，而是明显受到双砣子二期文化影响的施纹风格，且这种凸棱形附加堆纹也并未在该群陶器中始终沿用，至第二期时就已近乎消退。B群一期还出现了成组平行的刻划弦纹（如ZAM45：6），器身的刻划线整齐笔直，此种纹饰在一期极为少见，可能为受到双砣子二期文化中轮制陶器的平行弦纹影响所形成的手制施纹方法。A群器物出现的成组平行横弦纹亦线条笔直，似对同地区双砣子二期文化中带有岳石文化因素的成组平行弦纹或浅凸棱纹的模仿，这种模仿首先发生于B群一期，而后又在A群墓葬中得到了充分的继承和规范的运用。

B群二期墓葬中也出现了一些A群陶器的因素，B群Ⅶb型折腹罐仅见2件，同时出现于二期，而此种器物与A群典型的Ⅲ型2式的折腹罐十分相近，明显是受到了A群陶器风格的影响。B群贯穿始终的是大量的素面斜颈壶、横桥耳罐和钵、碗等器物，此类器物应为其本身固有的土著文化因素，但此类因素对A群的影响却很难见到。此时期A群自身经历了由一期到二期的转变，二期出现了带有半月形贴耳与平行刻划弦纹组合的钵口壶M40：1，虽然仅为少数，但是特征十分鲜明。此种钵口弦纹带半月形贴耳的陶壶（如SCM2：2）在B群三期时开始少量出现，似为对A群二期曲颈钵口壶（如M40：1）的继承，只是钵口的大小和贴耳的位置有了调整，弦纹更加随意，不甚整齐，整体器物的造型更加规范。

虽然A群出现的年代较B群略晚，但其文化因素在一定时期内对B群产生了影响，这种影响对于B群自身陶器的演变并未起到主导作用，却成了C群陶器文化因素存续的原动力。

A、B群与C群　B群文化特征从三期开始稳定，具有早期特征的Ⅲa型深腹罐等器形消失，横桥耳罐发达，壶类增多，陶器风格明显趋于统一，壶、罐、钵组合具有自身特色。B群进入三期时，C群墓葬也已开始出现，与之并行发展。C群墓葬的很多器物都继承了A群和B群二期的文化因素，如钵口和圈足等造型特点均存在于A群晚期的陶器之中，C群的半月形贴耳、横弦纹、弦纹间夹平行折线纹和带状网格纹等诸多元素都能在A群中找到源头。B群的横桥耳特征在C群得到了最广泛的继承，筒形罐的叠唇风格在C群的代表性器物中也有所体现，B群的竖桥耳壶亦被C群继承发展。由此可见，A、B两群陶器对于C群文化内涵的形成起到了关键作用，应为C群陶器的两个源头，二者最鲜明的器物特征被C群继承并整合为新的器形，使C群得以延续发展并迅速扩张。

B群与C、D群　在B群三期和C群一期出现的同时，D群一期亦同时出现，D群一期则明显继承了B群二期陶器的横桥耳特征，除横桥耳罐和钵外，还形成了具有自身风格的横桥耳壶。D群的器物组合与B群大致相同，均为壶、罐、钵、碗、杯等，这些器物的形制和组合特征体现了D群对B群文化内涵的纵向继承关系。在C群一期与D群二期并行发展的过程中，C群对于D群的影响亦有迹可循，如D群早期出现的带半月形贴耳的陶壶（如东梁岗04ⅠM1：1）就是C群早期文化横向传播的产物，而D群出现的长腹竖桥耳壶亦于C群所见。B群对于D群文化特征的传播有两种途径，一种为直接纵向传播，另一种是通过C群间接横向传播，比较之下，B群较C群对D群产生了更为深入的影响。

B群发展至四期时已渐衰落，器类简单，钵类明显减少，多为壶、罐或壶、碗的组合，B群的消亡之际，C群、D群均进入二期阶段。B群的逐渐衰落是伴随着C、D群的兴盛而发生的，B群二期以后一部分人群已经迁移北上，在吉长地区发展为D群并稳定下来，B群原住地的少数人群势单力薄，面对C群势力范围的扩张丧失了对抗的能力，最终消亡。D群的墓葬分布集中，人群规模迅速扩大，并由B群的家族性墓地演变成庞大的氏族性公共墓地，这种稳固的氏族性结构为C群所少见。与D群相比，C群墓葬分布广泛，陶器的器形多样，各种类型的墓葬同时并存，文化面貌较为复杂。C群的兼收并蓄和D群的高度统一使得二者对立并行，直至战国晚期，C群逐渐被燕文化融合并取代，D群也渐行分裂，部分传统因素如被夫余文化继承和保留，原有的模式已不复存在。

D群与E、F群　E群一期的陶器面貌较为单一，D群进入三期以后，其文化因素传播至E群，E群二期带小鋬耳的陶器可能是受到D群的影响而形成的制作风格，另有乳突耳的陶器应为在小鋬耳的基础上演变而成。F群器物面貌复杂，接受D群影响的因素主要见于鋬耳杯。F群中亦存在乳突型耳和直腹陶器，应是受到E群影响的结果。F群分布于D群的边缘地带，有若干地点出现于D群和E群的交界地带，虽然D群和E群之间有长白山相隔，但二者还是出现了细微的文化交流。F群的形成与D、E两群的碰撞应有关系。F群的活动范围不固定，从墓葬所出青铜器和铁器的形制可以推断其辽西地区的交流甚多，应为战国时期长白山地的边缘地带先行发展的一小部分人群，该群部分文化因素成了夫余文化的组成部分。

5.3　文化因素的消长与群分布格局的阶段性考察

从各群墓葬随葬品的文化因素来看，长白山地及其延伸地带青铜时代的墓葬在整个青铜时代的发展进程中呈现出一定的阶段性特征，文化因素的消长又促使墓葬群的分布格局产生阶段性的变化。

第一阶段，辽东半岛南端双砣子一期文化的墓葬出现最早，双砣子二期文化墓葬出现其后，此两种文化墓葬中的陶器均受到来自山东半岛同时期文化的强烈影响。辽东半岛南端继双砣子二期文化以后出现的A群墓葬在陶器上表现出较为突出的土著风格，除在纹饰上继承并简化了双砣子二期文化陶器纹饰风格外，几乎未见同时期山东半岛文化因素的影响。另一群土著风格鲜明的墓葬来自千山山地的B群，B群的一、二期处于该阶段之中，陶器纹饰受到双砣子二、三期文化及高台山文化的影响，个别器物的纹饰还保留了新石器时代晚期的遗风，呈现出较为原始的特征。陶器的形制特征尚未形成固定的风格，出现一些形态特殊的器形，带耳器类较多，但形态各异，器物施耳杂乱无章。这一阶段墓葬中陶器的土著风格随着外来文化因素的消减而逐渐形成，但影响力和传承性较弱。

此阶段长白山地及其延伸地带青铜时代的墓葬分布范围较小，除双砣子一、二期文化的少数墓葬以外，仅见A群和B群，两群墓葬拘泥于辽东半岛南端一隅和千山山地的洞穴之中，交流不甚密切，发展进程较为缓慢。墓葬群分布格局参见图5-1。

第二阶段，各群墓葬的发展进入鼎盛时期，A群墓葬已消失不见，B群墓葬进入三、四期，C、D、E群墓葬亦同时于此阶段出现。B群的陶器形制及组合特征较为突出，特殊形态的器物减少，陶器风格明显趋于统一，呈现出鲜明的自身特色。C群的陶器受B群影响，迅速形成了自身的风格。D群陶器的文化因素也多来自B群，甚至受到C群某些文化因素的直接影响，这些文化因素在一期经过整合后，发展成为较为固定的土著风格。E群的分布区域较为封闭，自形成伊始就较少受到外来因素的影响，其土著文化因素得到了较为稳固的传承。辽西地区文化因素的渗透主要体现在青铜器方面。曲刃青铜短剑和铜泡等小件青铜器在C群有一定数量的发现，D群中仅少量出现，而此类青铜器在辽西地区较为发达的青铜文化中均为大宗；C群青铜器的分布区域与发达程度并不均衡，接近辽西边缘及南部地区有所发现并较为发达，余地并未出现，可以推测C、D群的曲刃青

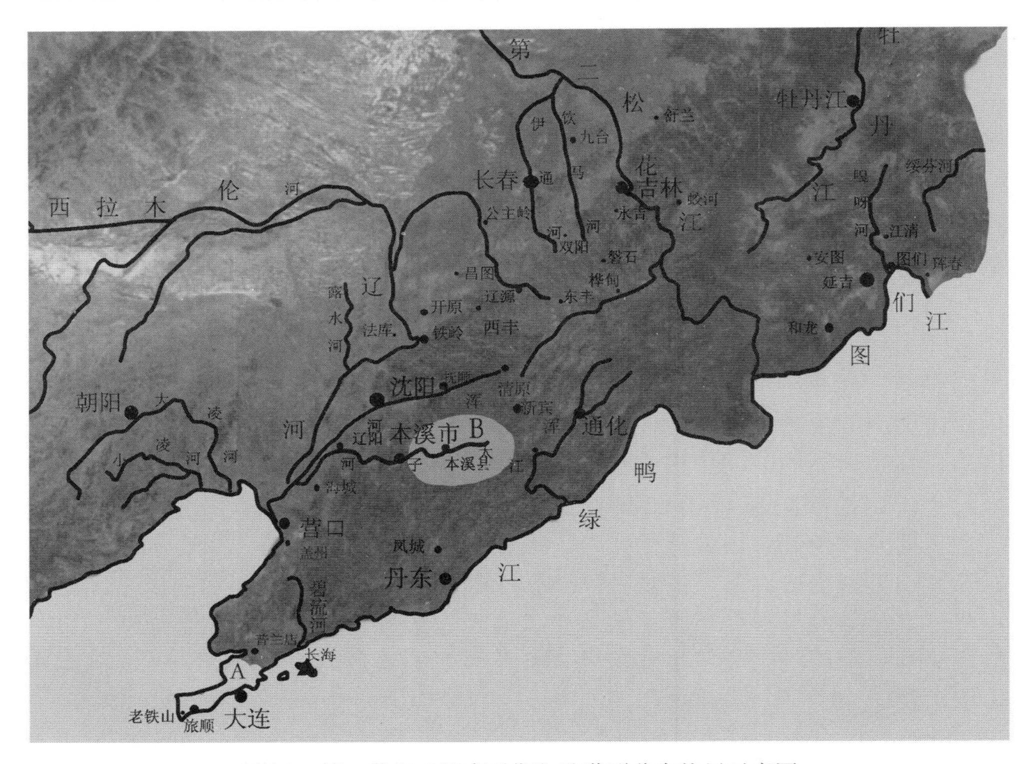

图5-1　第一阶段（夏商时期）墓葬群分布格局示意图

铜短剑和小件装饰品等青铜器应为辽西地区青铜文化因素渗透和影响的结果①。此阶段土著文化因素的强盛促使长白山地及其延伸地带的墓葬进入稳定发展的时期，先进的文化因素的渗透在整个文化发展进程中起到了一定的推动作用。

随着A群墓葬的消失，B、C、D、E 群墓葬均达到了鼎盛的发展阶段。各群墓葬的分布范围均得到了相应的扩张，C群的墓葬包围了B群并覆盖了A群原有的分布范围，其北部与D群相衔接。同时E群墓葬已占据了长白山东麓的图们江流域。墓葬群分布格局参见图5-2。

第三阶段，墓葬随葬品面貌出现了较大变化，C群在辽东半岛南端和本溪

① 目前学术界对青铜短剑起源的问题尚不能达成一致，吕军从青铜短剑产生的客观条件、铸范的发现、早期形态的出土情况及祖源等方面均找到了青铜短剑西部起源的证据，本书赞成吕军的青铜短剑西部起源说。参见吕军：《中国东北系青铜短剑研究》，吉林大学博士学位论文，2006年。

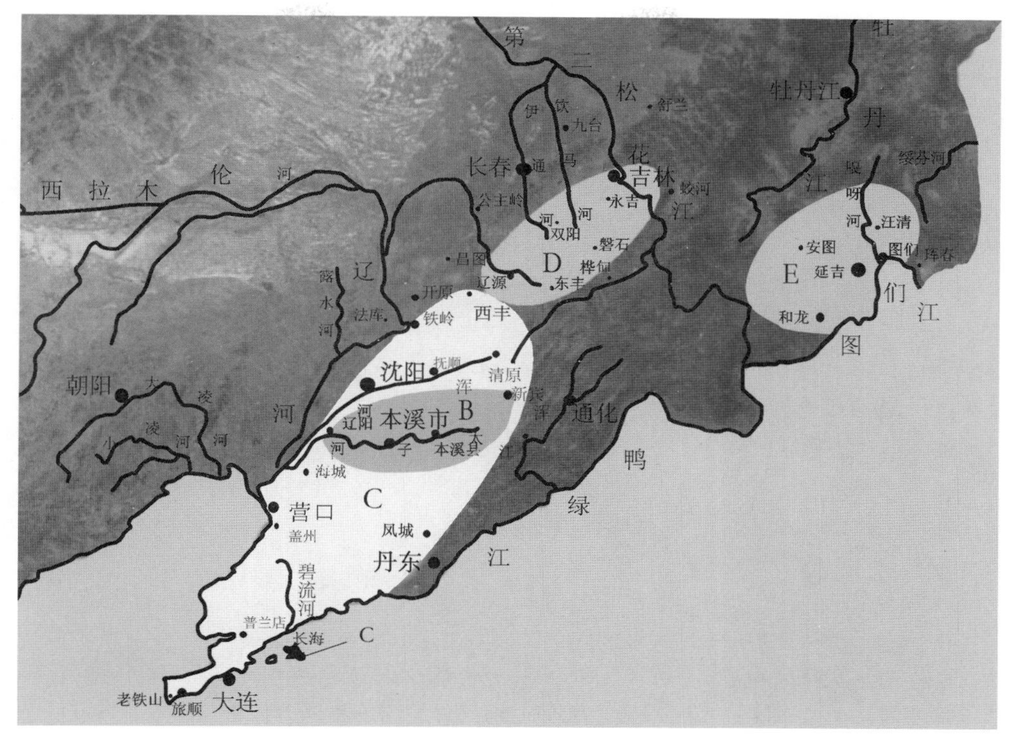

图5-2　第二阶段（西周至春秋时期）墓葬群分布格局示意图

地区均出现了燕式的陶器、明月刀币等燕文化因素，燕文化的到来使得C群南部地区随葬品的面貌受到很大影响，北部地区受到燕文化因素影响相对较小，仍一定程度地保持自身传统，但总体来说，C群的土著文化因素因燕文化的侵入而被迫分解。D群的文化内涵也不再单纯，青铜器的数量明显增多，主要以青铜削刀和小件青铜器为主，均具有鲜明的辽西地区的特征。F群出现于D群的外围，文化因素复杂的陶器及青铜器、铁器的出现使得该群墓葬的面貌十分复杂，土著因素被大量的外来因素所分解，成为弱势因素。E群墓葬尚未受到燕文化势力的影响，陶器对称乳突耳的大量出现体现了该群墓葬土著因素自身的微妙变化。

此阶段C群已经覆盖了B群墓葬的分布范围，随着燕文化的侵入，C群逐渐向北退却。D群的分布范围亦有缩减，外围出现的F群与C群相衔接并对D群形成包围之势。E群则较少受到外来因素的干扰，但其分布区域进一步扩张，与F群已达到了较大程度的接近。墓葬群分布格局参见图5-3。

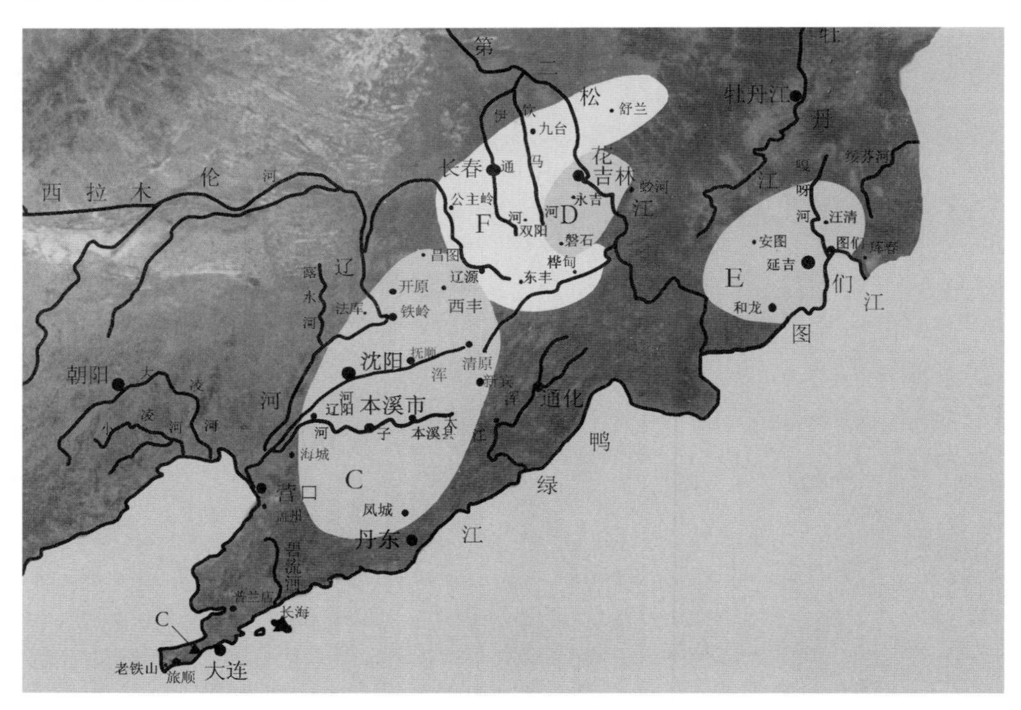

图5-3　第三阶段（战国时期）墓葬群分布格局示意图

第6章　各类型墓葬的历时演变及动态分布

经过对长白山地及其延伸地带的青铜时代墓葬类型、分群及分期等问题的研究，可以发现不同群所包含的墓葬形制不尽相同，而各类型墓葬也呈现出历时性的变化。对于上述现象，下文将做进一步讨论。现将各群墓葬包括的墓葬类型总结如表6-1所示。

表6-1　各群墓葬类型总表

群 类	A	B	C	D	E	F
洞穴墓	——	Ⅰ、Ⅱ、Ⅲ、Ⅳ	——	——	——	——
石棺墓	——	Ⅰc、Ⅱa、Ⅲa	Ⅰa、Ⅰb、Ⅰc、Ⅱa、Ⅲa	Ⅰa、Ⅰc、Ⅱa、Ⅱb、Ⅱc、Ⅲa、Ⅲb、Ⅳ	Ⅰd	Ⅱd
石棚墓	——	——	Ⅰ、Ⅱ、Ⅲ	——	——	——
积石墓	Ⅰ2、Ⅱ2、Ⅲ2	——	Ⅳ	——	——	——
大石盖墓	——	——	Ⅰa、Ⅰb、Ⅱ	——	——	Ⅲ、Ⅳa、Ⅳb、Ⅳc、Ⅳd
封石墓	——	——	——	——	Ⅰ、Ⅱa、Ⅱb、Ⅲa、Ⅲb	——
土坑墓	——	——	Ⅰb、Ⅰc	Ⅰ	Ⅰa、Ⅱa、Ⅱb、Ⅱc	——
瓮棺墓	——	——	——	Ⅲ	Ⅱ	——

6.1　洞穴墓的演变

洞穴墓为B群墓葬独有的墓葬类型，一至四期均存在。洞穴墓分为无葬具墓、石板铺底墓、石圹墓和简易石棺墓四型，其中Ⅰ型无葬具墓数量最多，一期至三期均存在。由前文B群墓葬分期结果一览表统计可以得出：可确定期别的洞穴墓共计107座，一期47座墓中Ⅰ型墓为38座，Ⅱ型、Ⅳ型各1座，Ⅲ型7座；二期36座墓中Ⅰ型墓24座，Ⅱ型和Ⅳ型各3座，Ⅲ型6座；三期24座墓中Ⅰ型墓19座，其中Ⅱ型、Ⅲ型各2座，Ⅳ型1座。

后核定为：可确定期别且对墓葬形制有明确记录的洞穴墓葬共计132座，一期47座墓中Ⅰ型墓38座，Ⅱ型、Ⅳ型各1座，Ⅲ型7座；二期38座墓中Ⅰ型墓25座，Ⅱ型3座，Ⅳ型4座，Ⅲ型6座；三期24座墓中Ⅰ型墓19座，Ⅱ型、Ⅲ型各2座，Ⅳ型1座；四期23座墓中Ⅰ型墓21座，Ⅲ型2座。

以上数据表明，B群Ⅰ型无葬具墓数量最多，于一至四期始终存在，所占比例变化不明显，Ⅱ、Ⅲ、Ⅳ型墓葬于一至三期均有发现，亦不见有规律增减。可见洞穴墓葬存在以无葬具墓为主体，少数存在墓底铺石板、石圹和石棺的现象。尤其是山城子B洞，所有墓葬均为Ⅲ型墓，这可能是某个关系紧密的群体集中使用的埋葬风格。这种墓葬边缘垒石圹的风格多存在于一、二两期，至第三、四期几乎不见，而Ⅲ型石圹墓的消失与B群石棺墓的出现大致同时。Ⅳ型的简易石棺墓从一期就有少量发现，直到三期有所增加，但仍仅占墓葬总数的小部分。洞穴内存在的Ⅰ、Ⅱ、Ⅲ、Ⅳ型墓葬之间呈现不出明显的演变关系，墓葬内的铺石、石圹和简易石棺更可能仅仅是为区分墓与墓之间界限的表现方式，也可能是墓地所属家族内部的特殊埋葬形式，或者体现了同一墓地中各墓葬之间的等级差异。

从随葬品的形制分析，B群四期的东升洞穴墓地为洞穴墓发展的晚期阶段，虽然洞穴内墓葬受到一定程度的破坏，但仍然可以看出，四期洞穴墓的陶器风格逐渐退化，显示出衰落的迹象。

在夏代晚期至商代早期这段时间里，辽东半岛南端的积石墓出现了缺环，双砣子二期文化墓葬未见积石墓，而B群一期洞穴墓内出现了很多受到双砣子二期文化影响的陶器，甚至有的洞穴的多数陶器都能找到双砣子二期文化的因素。B群的洞穴墓地附近同时期的居址目前发现很少，所出陶器与墓葬出土的陶器大相径庭，如果做出部分洞穴墓地主人为辽东半岛南部移民的推断，似乎也有道理。B群二期洞穴墓出现了少量双砣子三期文化的因素，器物组合和形制特征已经趋于固定，此时期应为文化发展的稳定期。第三期洞穴墓与石棺墓同时存在，虽然二者的墓葬形制不同，但随葬陶器的面貌完全相同。相同文化面貌的陶器存在于不同形制的墓葬中，反映了当时B群墓葬人群关系的特殊性与复杂性，亦体现了此时人群的丧葬观念经历了一个变化过程，这种变化过程发生于青铜时代中期，始于西周早期，终于西周中期。

6.2　石棺墓的演变

石棺墓数量众多，类型多样，B、C、D、E、F群均有发现，唯多寡不同，形制特点相异。各群石棺墓期别和形制对应关系统计如表6-2所示。

表6-2　各群石棺墓期别与形制对应关系

群属	期别	Ⅰ型					Ⅱ型					Ⅲ型		Ⅳ型
		Ⅰa	Ⅰb	Ⅰc	Ⅰd	△	Ⅱa	Ⅱb	Ⅱc	Ⅱd	△	Ⅲa	Ⅲb	
B群	一													
	二													
	三			1			5					3		
	四			1			2							
	○						2				1			
C群	一	5	2				1	2			1	1		
	二	3				1	1	1			2			
	三	2				6		1			3			
	○	3	1	1		2	1	1			5	1		3
D群	一			3		14		4			1	1	1	
	二		1	3		20	2	10			9		1	2
	三	1		2		6	2	16	1					
	○	4	1	3		4	1	38	3		10	1	2	2
E群	一				1									
	二													
	○				1									
F群	○									3				

注：表中所列墓葬仅为群属明确、型别明确者，余者详见“墓葬登记表”。△代表各群中仅期别明确、亚型不明确的墓葬；○代表各群中型别明确、期别不明确的墓葬。

B群　B群石棺墓数量不多，仅出现于三期和四期。三期共有石棺墓14座，其中可确认具体形制的石棺墓9座，包括Ⅱa型5座、Ⅲa型3座和Ⅰc型1座，均无副棺。四期的石棺墓有5座，可以确认形制的有3座，其中Ⅱa型2座、Ⅰc型1座。由此可见，Ⅱa型块石垒砌墓、Ⅰc型板石立支墓从三期开始出现，延续至四期，Ⅲa型板块结合墓仅见于三期，四期不见。余者仅能确定为Ⅱ型的石棺墓还有3座。可以看到，B群石棺墓以Ⅱ型的块石垒砌墓为主，上盖一块大石板的Ⅱa型石棺墓占多数，多块板石立砌的Ⅰc型数量较少，Ⅲa型板块结合墓数量居中。B群的石棺墓均无副棺，随葬品极为简单，随葬陶器者均存在素面无耳壶，陶器组合以素面无耳壶和横桥耳罐或钵碗类为主，石器多为以斧、锛组合，亦出现了截面为四棱形的无茎石剑。斧、锛与石剑共出，三者均不与纺轮共出。墓中不见石刀，不见青铜器，不见装饰品。可辨葬式者除一座为双人合葬外，余者均为单人仰身葬。B群的石棺墓与同时期洞穴墓相比，内涵更加单纯，少有外来因素影响，随葬品简单，石棺以块石垒砌居多，多零散分布，此类石棺墓当是该群游离于洞穴墓主体之外的一种墓葬形态，或与C群石棺墓存在着某种联系。

C群　C群石棺墓的数量和范围均达到一定规模。分布范围南至辽东半岛南端，包括辽中和辽北等地，北至辽吉两省交界的西丰地区。石棺墓多以零散的形式出现，或几座为一组，也有少量的小型墓群，从目前发表的考古资料来看，每一墓群内包含的石棺墓数量在20～30座。C群的石棺墓涵盖了Ⅰ、Ⅱ、Ⅲ、Ⅳ四种形制，主要为Ⅰ型和Ⅱ型。

C群一期可以确定型别的石棺墓共12座，其中Ⅰ型7座、Ⅱ型4座、Ⅲ型1座，Ⅰ型板石立砌墓又以Ⅰa型居多。可以看出，在C群早期的石棺墓中，板石立砌的箱式石棺墓为主流，这种石棺墓板石规整，结构严谨，出现了有副棺的石棺墓，属Ⅱ型的块石垒砌墓也十分规整，均为两侧块石垒砌，两端立堵的规整型石棺，石棺上的盖石为大块规整板石，有副棺者亦较为规整，是典型的石棺墓类型。此时期石棺形制规整，但随葬品却不甚丰富，似乎人们对石棺本身的形制比随葬器物更加重视。此种典型式石棺中出土的器物群较为固定，双房式陶壶和叠唇筒形罐的组合，双房式陶壶和曲刃青铜短剑、青铜斧、青铜镞的组合确定了C群石棺墓的基本内涵。双房式陶壶与叠唇筒形罐的组合仅出现于辽东半岛南部，双房式陶壶和青铜短剑和斧、镞的组合则贯穿了长白山地南端西麓的平缓地带，该地带恰好与现今哈大铁路的四平至大连段沿线基本重合。

C群二期石棺墓的分布范围主要在辽北地区抚顺、新宾一带，辽东半岛南部几乎不见。可确定型别者数量有所缩减，计有8座，Ⅰa型的典型式石棺墓与块石垒砌的Ⅱ型石棺墓均等，墓葬极少出现副棺，Ⅰa型板石立砌者能够保持石棺的基本形制，但已不甚规整。

C群三期石棺墓的分布范围有所变化，主要分布于辽北至辽中的抚顺、本溪、辽阳地区，分布范围逐渐缩小。石棺形制仍以Ⅰa型板石立砌墓为主，Ⅱ型块石垒砌墓比例减小，不见副棺。出现了大型块石垒砌的Ⅳ型石棺墓，似为典型石棺墓的变体。此时期石棺墓的随葬品出现了装饰性的小件青铜器以及受到燕文化影响的绳纹陶罐、铁器等，双房式陶壶依然存在，但已呈退化之势。

由以上分析可见，C群石棺墓葬在不同时期体现了动态分布的特点。一期石棺墓分布于自辽东半岛南端直至辽吉交界西丰等地的狭长地带；二期范围有所缩小，集中分布于辽北地区；三期重心南移至辽中地区，深入千山山地，辽北的部分地区石棺墓也仍然存在。

值得注意的是，C群墓葬一期以新金县为基点，以千山山脉为界，东为碧流河大石盖墓，凤城东山、西山大石盖墓，长海上马石青铜短剑墓分布区；西为石棺墓分布区。新金双房石棺墓M2，原始简报称之为“石盖石棺墓”①，亦有学者直接将其划为大石盖墓的类别之中②。此种“石盖石棺墓”兼具了石棺墓和大石盖墓的特点，既有规整的石棺，又有整块厚重大石为盖，而其出土的双房式陶壶亦出现于东西两区。这些现象似乎体现了双房石棺墓M6为C群墓葬东、西部区域文化交融的产物。三期的石棺墓已经消失于辽东半岛南端，且与千山山脉东麓的大石盖墓失去了联系，除辽北地区的石棺墓相对稳定之外，余者逐渐转移至千山腹地的本溪地区。在沈阳、辽阳等地的辽中地区，土坑墓取代了石棺墓的分布范围，西部的文化因素和战国时期燕文化因素均已到达了本溪地区。

D群　D群的墓葬类型绝大多数为石棺墓，且石棺墓的数量庞大，包含了Ⅰ、Ⅱ、Ⅲ、Ⅳ型，其中Ⅱb型为大宗，Ⅰ型次之。石棺墓的分布范围比较集中，主要是以吉林市为中心的吉林省中部地区。石棺多以成片墓地的形式出现，每座墓地中的石棺造型特点和葬式葬俗又各具特点。

D群一期石棺墓可辨型别者计24座，其中属Ⅰ型板石立砌者17座、Ⅱ型块石垒砌者5座、板块混合的Ⅲ型墓有2座。此期以Ⅰ型墓为主导的特点与C群一期相同，只是D群的Ⅰ型石棺形制不甚规整，多为多块板石覆盖，且石棺较窄，不甚讲究形状。Ⅱ型块石垒砌者仅内壁求齐，多为数块板石封盖。此期墓葬除几组零散的墓葬以外，大部分为永吉县的星星哨墓地和东梁岗墓地的石棺墓。两墓地相距很近，石棺墓和随葬品形制均比较相似，无副棺，可辨葬式者多为仰身直肢，陶器除横桥耳壶外还见部分竖桥耳壶，石器以石斧和石刀为主，仅见1件青铜短剑，不见青铜刀，上述共同点使得二者有别于其他地点的墓葬而体现出更加紧密的关系。

D群二期除星星哨墓地和东梁岗墓地石棺墓继续存在外，西团山墓地石棺墓在该阶段也开始大量出现。西团山墓地的部分石棺墓还存在副棺。骚达沟墓地石棺墓亦于晚段（D群第3组）开始出现，一些中小型墓群如土城子墓群、小西山

① 许明纲、许玉林：《辽宁新金县双房石盖石棺墓》，《考古》1983年4期，293～295页。

② 王嗣洲：《试论辽东半岛石棚墓与大石盖墓的关系》，《考古》1996年2期，51、73～77页。

墓群同时存在。此期石棺墓的形制仍以Ⅰ型板石立砌墓为主，棺壁多为粗略修整的自然板石立砌而成，其间缝隙以小石块填充。Ⅱb型石棺墓也占有较大比例，其数量较一期有大幅增长。此期石棺墓出现了一些非典型的形制特点，如骚达沟Ⅳ型石棺墓49M18，棺壁为大型条石垒砌，棺体窄长；Ⅱb型石棺墓如小西山乙M3，墓壁块石垒砌，平面呈梯形，棺尾为板石立砌副棺，这在同时期Ⅱb型石棺墓中是极为少见的现象。骚达沟、小西山等地非典型石棺墓的出现意味着此时期石棺墓的形制已经不再单纯，但此时期石棺墓的随葬品除了D群典型的陶器组合外，很少见青铜器，仍然呈现出较为传统的器物群特征。

D群三期的石棺墓形制与二期相比出现了很大变化，首先表现为Ⅰ型石棺墓的大量缩减，Ⅱb型石棺墓成为大宗，三期应该是石棺墓形制变化的转折时期。这一时期的石棺墓形制多为块石垒砌，有副棺者数量增多，块石垒砌墓的结构不甚规整，部分石棺墓已经不再讲究内壁整齐，可能由于石材的局限或是观念的改变，大规模石棺墓的筑造已不在乎形制而更在乎功能。早段（D群第4组）骚达沟墓地还出现了山顶大棺，是明显有别于其他石棺墓的特殊墓葬，其随葬品亦最为丰富，出现了形制特殊的曲颈陶壶和大量青铜小件器物。山顶大棺的出现成了骚达沟墓地权力集中的象征，说明此时期已经出现了明显的社会分层和等级分化的现象。陶器仍为横桥耳壶和罐、钵类组合，石器为斧、锛、刀等，不见青铜短剑。晚段（D群第5组）绝大多数为Ⅱb型石棺墓，以猴石山墓地的石棺墓为典型，墓壁多为较小自然石块垒砌，甚至有的石棺出现了省略两墓壁仅以块石垒砌两端的退化现象。猴石山墓地晚段出现了Ⅱc型石棺墓，墓底抹出长方形黄泥土框，尸骨置于土框之中，具有了椁的雏形，部分石棺墓的泥框和棺壁之间还见有木质痕迹。这种Ⅱc型石棺墓在D群一、二期墓葬中从未发现，应该是石棺墓发展至晚期的一种形态。晚段的石棺墓随葬青铜器的数量明显增多，主要以青铜削刀和小件青铜器为主，这种削刀为辽西和内蒙古东部地区所常见①，为夏家店上层文化特有的铜刀，应该由西部传至此地。削刀和铜泡、铜扣等青铜饰件的出现意味着此时期已经有相当一部分外来因素到达该地区，石棺墓的器物面貌已经不再单纯。

综上所述，D群石棺墓的形制和内涵均经历了一个变化的过程。一期的石棺墓形制较为规整，以Ⅰ型板石立砌为主，Ⅱ型块石垒砌墓也有一定数量，几乎不见副棺，随葬品面貌亦比较单纯，除1件年代较早的青铜短剑外，几乎不见青铜器。二期的石棺墓仍以Ⅰ型石棺墓为主，但Ⅱ型石棺墓数量大增，石棺的形制不甚规整，筑造石棺的板石和块石多为粗略修整的厚重山石，棺体较窄，存在一定

---

① 中国社会科学院考古研究所东北工作队：《内蒙古宁城县南山根102号石椁墓》，《考古》1981年4期，304～308页。

数量的副棺，随葬品器物不丰富且组合简单。三期石棺墓的形制逐渐脱离了典型石棺墓的特征，出现了小型不规则块石垒砌的石棺墓，尤其是部分棺内的黄泥土框的出现，呈现出青铜时代晚期石棺墓的发展态势。另外，猴石山墓地出现了若干件与夏家店上层文化晚期相似的青铜削刀，仅见少量铜剑和铜镜，另有零散墓地偶出铜剑、铜斧、铜矛等，均带有明显的辽西地区的特征，此类青铜器可能为辽西地区文化流布的产物。从星星哨、东梁岗、骚达沟几处大型墓地来看，均不见青铜短剑、铜斧、铜矛等，葬式亦比较统一，可见此几处大型墓地的人群规模较大，成分单纯且极为稳定和封闭。

E群　E群的石棺墓数量较少，仅在延吉小营子墓地和金谷墓地有所发现，其类型均属于Ⅰd型，且一部分石棺墓与土坑墓出现于同一墓地中。小营子墓地的石棺墓仅见照片和简单的资料介绍，从照片上仅能分辨出石棺墓的大体形制应属于Ⅰd型，且出土遗物与金谷墓地相差无几，两墓地的年代范围应大致相当。金谷墓地清理的石棺墓也仅有2座，此种石棺墓与B、C、D群的石棺墓均有很大差异，从石棺墓外形来看，与赤峰红山后M1[①] 极为相似，均为长方形浅穴，多层薄石板立支，多层板石叠错封盖，唯副棺为后者所不见，但两地距离相隔较远，前者是否受后者影响，此种石棺墓以何种途径传播，尚有待证实；而其副棺的作风与D群的部分墓葬相同，但随葬品方面却未见其受D群影响的迹象。据原报告介绍，金谷墓地石棺墓的石材非本地所出，应为外地运至此处，同一墓地石棺墓与土坑墓并存，二者葬式均为多人二次迁葬，未见火葬迹象，随葬品均同，此种现象可能意味着同一墓地中的人群虽构成有别，但相同大于相异。Ⅰd型石棺墓仅存在于E群早期，应该是以封石墓为主要特征的E群墓葬较为特殊的形态。

F群　F群中存在少量石棺墓，均为Ⅱd型块石垒砌石棺墓，为其他墓群所不见。目前发现的此类石棺墓数量较少，年代均在战国时期。整块石板覆盖，多人合葬，一次葬、二次葬和火葬多种葬式并存一墓。一般为较大的深穴墓室，深者达3米，墓中人骨分层埋葬，个体数量和墓葬深浅成正比。这种类型的石棺墓与以上四群的石棺墓差别最为明显，随葬品以青铜器居多，青铜短剑和铜斧均常见，还见一定数量的铁器，而当地土著风格的陶器大多为简化明器，辽源高古M5还出现了墓道，这些均体现了墓葬年代较晚的特征。

6.3　石棚墓的演变

本书仅对随葬品保存较好的石棚墓进行了简要探讨，大致可以确定群属和年

---

① 〔日〕东亚考古学会：《赤峰红山后》，东方考古学丛刊甲种第六册，1938年。

代的石棚共有7处，分布范围在辽东半岛向北至千山与长白山交界地区。

此7处石棚墓均为中小型石棚，其中至少有4座可以确定为C群，分属于Ⅰ、Ⅱ、Ⅲ、Ⅳ四型。其中属于一期的为双房2号石棚墓，二期包括伙家窝堡M1、M3，属于三期的为赵家坟石棚墓和河夹心石棚墓。虽然石棚墓的数量有限，但却分别具有较为鲜明的特征。一期的Ⅰ型石棚，墓室为正方形的巴式结构，四壁大石规整，大型圆角正方形盖石，大棚檐；二期的Ⅱ型石棚，墓室为形状较为规整的长方形H形结构，盖石略大于壁石，有封门石；三期的Ⅲ型石棚，墓壁石未经修整，两壁大石板竖立，堵石立于壁石两端外缘，墓室呈长方形，有封门石。Ⅳ型棚室建于基岩之上，墓壁未经加工，上以积石覆盖，形成丘状积石堆，外观见巨大顶石。从一至三期石棚墓形制特点来看，这种中小型石棚墓早期精工细琢，中期逐渐简陋，至晚期已不经雕琢，棚室逐渐矮小，直至积石封顶，更似为石棚与积石墓的结合体。一、二期石棚墓发现于辽东半岛，三期石棚墓则发现于抚顺地区。Ⅰ至Ⅳ型的石棚墓基本上形成一个具有早晚关系的逻辑发展序列，从年代上限来看，Ⅰ型最早，Ⅳ型最晚。

另外，通化东山石棚墓的形制与Ⅲ型石棚较为相像，区别在于石棚的盖石为两层，下层为整块大石板，上层为两块并列的较小石板，墓内随葬品较上述4座石棚墓有很大区别，文化内涵不甚清楚。

抚顺地区还发现了外观与Ⅳ型石棚墓十分相似的石棚墓，抚顺山龙墓地M1、M2①，均为低矮石棚，支石少部分露于地表，四周积石，上压大型盖石。除M2中见一石纺轮外，未见其他随葬品。从这两座石棚墓的形制来看，应该处于Ⅰ至Ⅳ型石棚墓发展序列的末端，年代应不早于战国晚期。此类墓葬的形制已经不再是单纯的石棚墓，而是兼具石棚和积石特点的新的墓葬类型，被称为“石棚积石墓”②。

6.4　积石墓的演变

积石墓存在于A群和C群之中。

A群　A群墓葬的类型较为单一，均为积石墓，包括Ⅰ型2式、Ⅱ型2式、Ⅲ型2式积石墓。以将军山73M1为代表的Ⅰ型1式积石墓不属A群，属于双砣子一期文化的墓葬，但其形制与以土龙4号冢为代表的Ⅰ型2式石棺墓有很大共性，两者的区别可能是年代差距所致。同样，以将军山64M1为代表的Ⅱ型1式积石墓与

① 武家昌：《抚顺山龙石棚与积石墓》，《辽海文物学刊》1997年1期，13～18页。
② 李新全：《辽东地区积石墓的演变》，《东北史地》2009年1期，3～9页。

以于家砣头墓地为代表的Ⅱ型2式积石墓之间，形制相似，又有早晚之别，应存在演变关系；以老铁山M4为代表的Ⅲ型1式与以土龙1号冢为代表的Ⅲ型2式之间亦存在演变关系。Ⅰ、Ⅱ、Ⅲ型的1式与2式之间均存在演变关系，1式积石墓均为双砣子一期文化的墓葬，年代大致在夏代早期，2式均为A群墓葬，年代约在商代，二者的年代上还存在缺环。这种缺环存在的原因可能有二：一是处于二者之间的夏代中晚期积石墓遗存尚未发现或已不存，二是该地区在夏代中晚期不存在积石墓，当然前者的可能性很小。该地区相当于夏代中晚期的遗存主要为双砣子二期文化，现已确定的该文化墓葬有上马石瓮棺墓和单砣子土坑墓，未曾发现属于该文化的积石墓。且双砣子二期文化的陶器存在大量的山东半岛岳石文化因素，本地因素很少，带有强烈的外来风格。从墓葬形制和陶器特征的变化可以推测，该地区在夏代早期和商代之间，人群的活动范围可能出现了重大变化。A群墓葬积石墓演变经历了一个从青铜时代早期中段开始出现，延续至青铜时代早期晚段消失的过程，其源头可以追溯到夏代早期的双砣子一期文化。

Ⅰ、Ⅱ、Ⅲ型的1式积石墓大多分布于山脊上，形成若干并列相邻的积石冢，冢内墓室数量不多，墓葬的规格和随葬品存在差异，尚不突出；2式积石墓则多分布于低矮的土岗或砣地上，墓域扩大，墓葬聚集数量增多，墓葬大小不一，等级差异明显。

C群　Ⅳ型积石墓属于C群。以岗上积石墓地为代表的Ⅳ型1式积石墓地与以楼上为代表的Ⅳ型2式积石墓地颇为相似。墓地形状较为规整，墓区经过规划，均出现中心大墓，周围数座中小墓葬围绕四周，又保持相对独立。二者的区别就是岗上墓地仅有一座中心大墓M7，为石板底，余者多为石板壁和砾石底，且M7中出土随葬品与其他墓葬差别不大；而楼上墓地却出现两座中心大墓，均为石椁墓，余者为石板底墓和砾石底墓，虽然1960年第一次清理时将处于中心位置的M1、M2、M3的部分遗物相互混淆，但仍可以确定随葬品以中心大墓M1为最多，墓地等级分化现象十分明显。

Ⅳ型积石墓的墓地经统一规划，且主体部分墓葬之间未见多次接筑和叠压打破的现象，推测各墓之间年代应相差不远。在同一区域内，同时存在石棚墓和石棺墓，也说明了此种积石墓可能专属于某一人群，而非所有人共享。前文已推定岗上墓地M13的年代属于C群二期，即西周晚至春秋时期，由此可以推测岗上墓地的年代大致处于这个范围。楼上墓地属于战国时期，时间上可与岗上墓地年代相衔接，可以确定二者存在承袭关系，楼上积石墓的形制由岗上积石墓演变而来。Ⅳ型积石墓出现于C群二期，即青铜时代中期，结束于C群三期，即青铜时代晚期。

在葬式方面，Ⅰ、Ⅱ、Ⅲ型的1式积石墓内很少发现人骨，亦未发现火葬及多人合葬的现象；属于A群的Ⅰ、Ⅱ、Ⅲ型的2式积石墓和Ⅳ型积石墓则多为多人火葬，也有少数二次葬。虽然不同时代积石墓埋葬风格不同，但从宏观角度来看，积石墓形制呈现出连续性的发展态势。

战国晚期，随着燕文化的侵入，辽东半岛的积石墓、石棚墓、大石盖墓向北退缩，形成了各类墓葬形态的结合体，如与上文所述抚顺山龙墓地的M1、M2同处一座墓地的M4、M5①，这两座墓从外观看有一大石压于积石堆正中，周围小碎石整齐排列，积石堆的边缘四角上均有直立石块，以示范围。M5中出土一些陶器口沿和器底，还有一件器物的流部，从陶器的残部及墓葬形制的综合分析，此类墓应该晚于战国晚期，可能已经进入西汉早期。在桓仁地区，出现了望江楼积石墓，为目前发现的高句丽时期最早的积石墓②，外观为圆丘形积石堆，积石用鹅卵石层层垒砌，上以大石封顶。每一层积石的外面可以看见摆砌的圆圈状，墓室为低矮石圹。此类墓葬与抚顺山龙积石墓M4、M5似有渊源，从墓葬形制来看，应为后者发展演变而来。

综上所述，在东北地区东部的青铜时代，即夏代初期到战国时期，积石墓的发展经历了一个渐变的过程，积石墓的分布由狭窄的山脊到宽阔的丘地，由少数墓室连接成冢到多墓室聚集成墓地，由墓葬规格和随葬品的均匀分配到明显的等级分化，折射出氏族社会发展的轨迹。战国晚期，由于燕文化的占领和挤压，辽东半岛南部的积石墓及石棚墓被迫北上，大型积石墓地解体，墓葬形制进一步分化，逐渐演变为相对独立的圆丘形石棚积石墓，进入汉代以后，积石墓内的类石棚墓室逐渐简化，形成简易石圹，被称为“石盖石圹积石墓”③。此种积石墓应该是高句丽早期无坛石圹积石墓的雏形。

6.5　大石盖墓的演变

大石盖墓出现于C群和F群中。

C群　C群的大石盖墓均以墓群的形式出现，碧流河大石盖墓、凤城东山、西山大石盖墓均分布于千山山地的东麓。碧流河大石盖墓可以确定期别者存在于C群一、二期，见Ⅰa型和Ⅱ型，分别为无石箱和有石箱者。碧流河大石盖墓不见双房式陶壶，随葬陶器为Ⅱ型无耳壶或叠唇筒形罐，石器仅见石斧，滑石斧范亦有出现。墓葬中随葬器物简单，均不超过2件。

凤城东山大石盖墓亦在C群一、二期中出现，见Ⅰa、Ⅰb两型，并出现1座

① 武家昌：《抚顺山龙石棚与积石墓》，《辽海文物学刊》1997年1期，13～18页。

② 李新全：《辽东地区积石墓的演变》，《东北史地》2009年1期，3～9页。

③ 李新全：《辽东地区积石墓的演变》，《东北史地》2009年1期，3～9页。

带有圆形耳室的墓葬。随葬陶器主要为竖耳壶和双房式陶壶，石器主要为斧锛类，也见有长方形双孔石刀，不见青铜器，随葬器物简单，一般为3件左右。

凤城西山大石盖墓出现于C群三期，只见双房式陶壶，陶壶的形制已与东山大石盖墓产生很大差别，出现1座带有椭圆形耳室的墓葬。碧流河大石盖墓、凤城东山、西山大石盖墓均为土坑浅穴大石盖墓，前者出现块石垒砌的圆形耳室和后者出现板石立砌的石箱意义和功能均相同。从随葬品来看，两地区虽然有所区别，但都体现了简约化的埋葬风格。前者的葬式已不清楚，人骨多已不存，后者墓穴内常见火烧过的木炭，似为火葬墓。碧流河大石盖墓虽然没有发现青铜器，但却出现了滑石斧范，相比之下，凤城东山、西山大石盖墓则更显封闭。C群的大石盖墓于一、二、三期均有发现，存在于一、二期的碧流河大石盖墓于第三期已经消失。

凤城东山、西山的大石盖墓于三期结束后，新宾地区出现了一种新的大石盖墓类型——旺清门龙头山大石盖墓[①]，长方形土坑竖穴，上以积石叠涩覆盖，积石上压大石盖封顶。这种带有积石的大石盖墓中出土的随葬器物较为特殊，除大量陶器以外，还出现了小铜铎、铜柄铁剑、铁戈等具有汉代早期特征的遗物，此类墓葬应该进入西汉时期无疑。旺清门大石盖墓与凤城西山大石盖墓在时间上不存在缺环，且在地域上基本能够衔接，后者与前者的发展演变可能存在因果关系。旺清门大石盖墓已经具有了积石墓的特征，与上文所述"石棚积石墓""石盖石圹积石墓" 在某些方面具有一定的相似性，墓葬中均出现了积石，且均未出现大型墓地，且均具有多种类型墓葬融合的特点。

F群　F群的大石盖墓见Ⅲ、Ⅳa、Ⅳb、Ⅳc、Ⅳd五型，均为深竖穴大石盖墓，此群的大石盖墓基本属于战国时期。该群大石盖墓的埋葬方式和随葬器物的风格均与Ⅱd型的石棺墓大致相同，亦有学者将辽源高古的Ⅱd型石棺墓划入大石盖墓的范围[②]。Ⅲ型大石盖墓仅见于桦甸西荒山屯墓地，岩圹竖穴，墓室一端有墓道，顶部花岗岩石板封盖。Ⅳ型大石盖墓均为无墓道大石盖墓，墓室底部多见长方形木框痕迹，Ⅳd型还出现了石框木椁的墓室风格，木椁的出现为东北东部地区所少见。F群位于长白山地西侧南段，其位置与东北平原接壤，木椁的出现很可能与辽河平原地区土坑木椁墓的影响有关，F群大石盖墓出土的随葬品与Ⅱd型石棺墓大致相同，随葬品的土著风格几乎退化，青铜器居多，且均具有辽西地区的风格。此种深穴大石盖墓多是伴随多人多次火葬而出现的，墓盖可以反复开启，多次放入人骨，并于墓室内直接火化。此时期的大石盖墓与D群偶有联系，

① 肖景全、李荣发：《新宾旺清门镇龙头山大石盖墓》，辽宁省第五届考古学会论文，2005年。

② 旅顺博物馆：《论中国东北地区大石盖墓》，《考古》1998年2期，53～63页。

猴石墓出土的单鋬耳杯和双鋬耳杯等器物风格均见于D群陶器之中，F群墓葬成为多种文化因素交汇融合后形成的面貌复杂的一群遗存。

6.6　封石墓的演变

封石墓在E群墓葬中数量占多数，且较为流行，为E群独有的一种墓葬类型。墓内的葬式有单人仰身直肢葬和多人二次迁葬，部分墓葬人骨经过焚烧。封石墓的内涵特征与E群土坑墓相同，葬式也大同小异。几乎未见封石与封土两种类别的墓葬同时出现于一个墓地的现象，相同文化面貌下出现的墓葬形制不同并非年代上的差异，可能为氏族或家族的区别。E群墓葬出土的完整陶器较少，墓葬多破坏严重，出土单位明确的墓葬更为少数。从现有的分期结果来看，一、二期的封石墓未见有型别的差异和式别的演变，因此对于各型封石墓的特征只能做总体上的把握。E群晚期流行的乳突形耳的直腹罐（或杯）于战国时期的黄鱼圈珠山M1中可见同类器物，黄鱼圈珠山M1的墓葬形制较为特殊，墓圹为碎石垒成，与延吉新龙M1（Ⅱb型封石墓）十分相似，二者年代相当，后者应该受到前者的影响。可以推测，E群封石墓的某些因素可能影响到了F群。总体来说，E群封石墓的分布范围和影响范围均有局限，但其固有的特征和风格却贯穿了整个青铜时代。

6.7　土坑墓的演变

长白山地及其延伸地带青铜时代的土坑墓发现较少，发现地点也较为分散。土坑墓于C、D、E群均有发现，D群的3座土坑墓和C群抚顺市塔峪乡土坑墓均发现于石棺墓群中，原报告均因未发现其他葬具而将其推定为土坑墓，具体细节不甚清楚，故难以讨论。早于A群的单砣子土坑墓从陶器形制分析确定为双砣子二期文化墓葬，属于该地区青铜时代早期的土坑墓，未见墓葬形制的详细资料，具体型别难以确定，亦不做讨论。以下主要针对C群和E群的土坑墓进行探讨。

C群　C群土坑墓可辨形制者有Ⅰa、Ⅰc型。Ⅰa型土坑墓存在于二期和三期，Ⅰc型土坑墓仅存在于三期。属于Ⅰa型的上马石土坑墓仅出现于二期，出土素面无耳长颈壶和青铜短剑。亮甲山土坑墓和郑家洼子土坑墓分别属于Ⅰa、Ⅰc型，均属于三期，其共同点是均出现素面无耳的长颈壶，出土有相同形制的青铜短剑。此三处地点的土坑墓内涵几乎相同，均不见石器出土。亮甲山的土坑墓与郑家洼子土坑墓的相异之处仅在于前者为规整的长方形土坑竖穴，后者为不规则形，前者为深穴，后者为浅穴，且见生土二层台。从分布区域来看，此两处墓葬均位于长白山——千山山地西侧的边缘，与辽西和内蒙古东部地区的青铜文化接壤，成为联系东北地区东部与西部的纽带。从二期至三期，除了陶器形制略有变化以外，还出现了等级较高的大型木椁墓（沈阳郑家洼子M6512），虽然此墓已经不是典型意义的土坑墓，但与Ⅰc型土坑墓共存一处，且陶器风格与之相同，此墓出土的部分青铜器体现出了辽西和内蒙古东部地区同时期青铜器的特征。M6512的发现再次证明了C群晚期墓葬等级的差异性和文化内涵的复杂性。三期出现的本溪市南芬火车站A地点土坑墓所出的燕国刀币和铁器足以证明此时期燕文化已经渗透到千山山地。需要说明的是，在千山山地的腹地及东麓地区，发现了一定数量出土情况不明的青铜短剑，其中是否为土坑墓所出已经不得而知，但与南芬火车站A地点形制相同的青铜短剑却也为数不少，其年代亦应较晚。

目前能够确定形制的属于C群的土坑墓主要分布于千山山地的边缘地带，早、中期一直未能进入腹地，直至燕文化到来之时方融入以石构墓葬为主体的格局之中。

E群　E群土坑墓主要发现于延吉金谷墓地和珲春河西北山墓地，见Ⅰb、Ⅱa、Ⅱb、Ⅱc型，而此四型墓葬亦仅见于E群。E群一期的土坑墓可见Ⅰb、Ⅱa、Ⅱb型，二期可见Ⅰb、Ⅱc型，可以看出Ⅰb型的典型性土坑墓一直延续，而局部以石块作为标记的土坑墓消失不见，取而代之的是以部分墓壁上部砌石块加固的土坑墓，葬式由多人二次葬演变为以单人一次葬与二次葬同时并存。

E群的土坑墓随葬器物以石器为主，陶器多破碎，器形简单，墓葬等级分化不明确，亦少见外来因素。其中Ⅱb型土坑墓似乎为Ⅰd型石棺墓的简化形态，而Ⅰb型浅穴土坑墓形态可能为本地起源或受到北部地区的影响产生。E群土坑墓与C群土坑墓之间因地域所限和起源不同，未见互相影响之态势。

6.8　瓮棺墓的演变

在长白山地及其延伸地带的青铜时代，瓮棺墓仅占极少数，是较为特殊的一类墓葬。瓮棺墓于D、E群均有发现，瓮棺墓除了随葬品简单和以大型陶器为棺，内葬小儿骨骼以外，本身并无固定的形制特征。

该地区青铜时代最早的瓮棺墓当属Ⅰ型单体瓮棺，瓮棺为单个陶罐，口部以石板封盖，若干瓮棺墓同处一专属墓地。此时的瓮棺为大型高领折肩陶罐，为双砣子二期文化的典型陶器。

E群　青铜时代中期的瓮棺墓出现于E群，为Ⅱ型套合瓮棺，长方形墓穴中间横置两大型筒腹陶罐，两罐口部相对，相互套合，未有其他葬具。此期的瓮棺为大型敞口深腹筒形罐，具有柳庭洞文化早期陶器的特征，其年代相当于E群墓葬早期。在E群分布范围内发现的另一处瓮棺墓——安图仲坪瓮棺墓亦属Ⅱ型，但其瓮棺形制特征更接近年代早于E群的兴城文化的陶器风格。Ⅱ型瓮棺分布于同一地区，仅年代有早晚之别，可以说明此型瓮棺墓在图们江流域存在延续的现象。

D群　青铜时代晚期瓮棺墓出现于D群，为Ⅲ型残器瓮棺。以大型陶壶打掉颈部以上为葬具，器口盖石板。此期的瓮棺为折肩横桥耳壶，具有D群墓葬晚期陶器的特征。青铜时代以后进入汉代仍然存在瓮棺墓，旅顺口尹家村的汉代瓮棺葬以具有中原式特征的瓮、罐、盆等为葬具，器形多样。

由上述分析可见，瓮棺的形制取决于当地同时期的陶器特征，不同地区不同年代的瓮棺会呈现出相异的特点。

6.9　墓葬的阶段性动态分布

在青铜时代的三大发展阶段中，随着各群墓葬谱系的变迁，墓葬类型也呈现出动态的分布和演变过程。

第一阶段，夏商时期。此阶段的墓葬除少数土坑墓和瓮棺墓以外，仅见积石墓和洞穴墓。在青铜时代初期的夏代，积石墓于辽东半岛南端开始出现并发展，占据了半岛上很多连绵的山脊，其陶器风格明显受到山东龙山文化的影响。进入夏代中晚期，该地区的积石墓突然消失不见，取而代之的是受到山东半岛岳石文化强烈影响的属于双砣子二期文化的土坑墓和瓮棺墓。商代早期，在辽东半岛南端的低矮土岗或砣地上，又出现了积石墓，墓内出土的陶器带有突出的土著风格及特有的文化因素，少见外来因素的影响。此时积石墓的形态均能在夏代的积石墓中找到源头，只是二者的年代上还存在缺环。而在积石墓发展中断的时间里，千山山地的洞穴墓开始出现并在以后的一段时间内与积石墓并行发展，延续至青铜时代中期早段。洞穴墓的陶器具有明显的土著性特征，受到外界影响程度较弱，在有限的外来文化因素中，大部分受到双砣子二期文化的影响。可见山东半岛岳石文化对辽东地区积石墓的格局产生了重大影响，其影响已经波及千山山地的洞穴墓葬。推测此时期辽东半岛的人群成分发生了较大变化，亦不排除有部分来自山东半岛的人群向辽东半岛南部迁徙的可能。

第二阶段，西周至春秋时期。此阶段的石棺墓开始大量出现并盛行，其分布区域几乎覆盖了整个长白山地及其延伸地带。西周早中期的石棺墓分布范围最广，辽东半岛南端积石墓和石棚墓分布的区域内均有发现；西周晚期至春秋时期石棺墓的范围有所缩小，辽东半岛积石墓分布区域中已不见石棺墓，而北部的吉长地区石棺墓的分布范围较为固定。此阶段长白山地及其延伸地带的南、北地区分别出现了等级较高的大型墓葬，岗上积石墓地的中心大墓和骚达沟石棺墓地的山顶大棺均为权力集中的例证。石棺墓分布范围的退缩体现了辽东积石墓与石棚墓势力范围的扩大，与石棺墓遗存逐渐形成了遥相对峙的南、北两大集团。此阶段石棚墓出现于辽东半岛地区，在半岛南端的新金县，出现了双房石棺墓与石棚墓共存一处的现象。但在相同的时间刻度里，大部分石棚未见与石棺墓出现于同一地点，二者未见相互影响的迹象。此阶段在千山山地东麓出现的大石盖墓、土坑墓，均小范围地出现于石棺墓分布区以外的边缘地带，其遗存特征相对简单，折射出该地区墓葬相对封闭的空间分布状态。东北部地区的E群墓葬分布范围较小且相对集中，一期出现的少量土坑墓似受到北部地区的影响，至二期时逐渐被封石墓所取代，但在整个青铜时代中期，E群墓葬的变化较为迟缓，无论随葬品还是墓葬形制，均未见有明显的演变轨迹。

第三阶段，战国时期。此阶段是各类型墓葬融合与演变的重要时期。此时期洞穴墓早已消失，积石墓规模渐小，但其势力在小范围内得以巩固并逐渐向北扩张。石棺墓发展已成衰落之势，石棺墓的形制不再典型，出现了很多变体，如D群出现的墓底带有黄泥土框的石棺墓和F群出现的块石垒砌的深穴石棺墓等。C群的石棺墓与千山山脉东麓的大石盖墓失去了联系，除辽北地区的石棺墓相对稳定之外，余者逐渐后退至千山腹地的本溪地区。战国时期燕文化到来之时，该地区除保留石棺墓的形态以外，土坑墓已悄然进入千山腹地，墓葬中均出现具有燕文化特征的随葬品。在千山西麓延伸地带的沈阳、辽阳地区，土坑墓取代了石棺墓的分布范围，辽西地区的文化渗透使得石棺墓的分布范围再次缩小，郑家洼子土坑墓和木椁墓M6512的出现意味着具有辽西特征的土坑墓在此地已经不再是零星分布。F群位于长白山地西麓的边缘地带，F群大石盖墓中出现的木椁也应是受到辽西平原地带的影响，大量具有辽西特征青铜器与土著风格的陶器共出，体现了该地区墓葬的复杂内涵。以上墓葬特征证明，战国时期东北东部地区已不存在完全封闭的土著民风，燕文化到来之前，该地区就已经出现了成分复杂、渐行割裂的迹象。

综上所述，通过对长白山地及其延伸地带青铜时代墓葬文化因素和群分布格局的阶段性考察以及对三大发展阶段中墓葬类型的动态演变分析，可以做出以下两个推论。

第一，在长白山地及其延伸地带青铜时代的各类墓葬中，D群的石棺墓分布集中且数量庞大，墓葬形制较为单一，器物组合较为固定，应为长白山地及其延伸地带北部最具规模的人群所遗留，其稳定文化因素成为夫余文化的重要组成部分。辽东半岛南部地区的积石墓虽然几经变化，但却贯穿青铜时代的始终。直至西汉前期，这种稳固的墓葬形制成为高句丽早期墓葬形制的源头之一。东北东部图们江流域的E群墓葬从始至终均未呈现复杂的变化，保持了相对统一而固定的器物群特征。

从墓葬遗存的角度来说，人群构成的规模、墓葬形态的稳定或器物群的固定应该是文化得以传承发展的一个必要条件。

第二，在青铜时代发展进入第二阶段伊始，以洞穴墓为主要特征的B群周边逐渐出现了C群的墓葬，对B群墓葬形成环绕包围之势；进入第三阶段，C群将B群覆盖并继续向北扩张。同时，受到燕文化的占领和挤压，C群整体被迫向北退缩。在C群北上的过程中，石棺墓逐渐淡出，辽东半岛南部地区的积石墓与石棚墓、大石盖墓相互碰撞，相互糅杂，产生了新的墓葬形态，这种墓葬形态是积石墓与石棚墓或是积石墓与大石盖墓的结合体，形成了圆丘形单室积石墓的形制特征，成为高句丽早期积石墓葬的雏形。青铜时代发展进入第三阶段，D群的边缘出现了F群，F群存续的时间虽然很短，但是接受了大量辽西地区先进的文化因素，环布于D群四周，最终迫使D群分裂瓦解，二者的融合为夫余文化的产生奠定了基础。

从墓葬遗存的角度来看，文化的传承遵循着这样一个规律：首先形成一个内涵单一且相对封闭的中心墓葬群，而后在其周边出现另一个内涵复杂又相对发达的边缘墓葬群，边缘地区的墓葬对中心墓葬群形成包围之势，二者碰撞、融合成为新的文化类型产生的重要因素。

第7章　结　　语

长白山地及其延伸地带是东北地区青铜时代的一个重要的文化活动区。以往关于东北东部地区青铜时代的考古研究往往侧重于某类墓葬或某类器物的专题讨论，对于墓葬整体的类型演变和随葬品的年代讨论缺少综合考察。近年来亦有学者对东北地区青铜时代的考古学文化做过综合论述，由于研究方向和要解决的具体问题不同，故没有将墓葬作为研究重点。因此，对东北东部地区青铜时代的各类型墓葬进行综合、系统的研究，会带来一个新的研究视角。通过对前文的分析和论述，对长白山地及其延伸地带青铜时代墓葬的研究主要有以下几点收获。

第一，本书总结了长白山地及其延伸地带青铜时代墓葬的发现和研究概况，发现此区域中青铜时代的墓葬种类多样，形制复杂。根据墓葬的构筑特点和存在方式的不同，将该地区青铜时代的墓葬划分为洞穴墓、积石墓、石棚墓、石棺墓、大石盖墓、封石墓、土坑墓、瓮棺墓等八个类别，同时也对各类墓葬的分布范围、内涵和特征做出了重新界定和说明，并进行了进一步的形制划分，得出了新的研究结论。

第二，根据随葬品文化面貌的异同将墓葬进行分群研究，突破了以往考古学文化的界限，避免了考古学文化命名的矛盾和混淆。根据墓葬中随葬品的文化面貌和器物组合将该地区青铜时代墓葬划分为A、B、C、D、E、F六群，根据共性和差异将各群墓葬中出土的陶器划分型式，对陶器进行类型学排比，确定各型式之间的逻辑演变关系。在以往研究成果的基础上，结合部分新资料，分别对各群墓葬进行分期和年代讨论，对A、B、C、D四群墓葬重新进行了分期并得出不同于以往的分期结论，确立了该地区青铜时代各群墓葬的年代序列。

第三，将各群墓葬的年代序列整合后构建起长白山地及其延伸地带青铜时代墓葬的年代框架，将各群墓葬的期别进行对应与比较，划分出长白山地及其延伸地带青铜时代墓葬的三大发展阶段：第一阶段，青铜时代早期。包括将军山、老铁山、四平山积石墓，上马石瓮棺墓、单砣子土坑墓，A群一、二期，B群一、二期墓葬遗存，约相当于夏商时期。第二阶段，青铜时代中期。包括B群三、四期，C群一、二期，D群一、二期及三期早段和E群一期墓葬遗存，约相当于西周至春秋时期。第三阶段，青铜时代晚期。包括C群三期、D群三期晚段、E群二期及F群的墓葬遗存，约相当于战国时期。

另外，梳理了各群墓葬之间的谱系关系，对A群与B群，A、B群与C群，B

群与C、D群，D群与E、F群的四组横向联系和纵向传承关系进行了考察。分析了每个阶段内各群墓葬随葬品文化因素的消长与分布格局的变化：第一阶段主要表现为山东半岛文化因素的消减与土著文化因素的形成，此过程中墓葬群的分布较为零星，仅出现A群和B群，且发展缓慢；第二阶段主要表现为土著文化因素的传承与辽西地区文化因素的渗透，此过程中原有的A群消失，B群部分迁移，余者逐渐被替代，C、D、E群出现并迅速达到了鼎盛的发展时期；第三阶段，主要表现为燕文化因素的侵入与土著文化因素的分解，此过程中C、D群的分布范围均大幅缩减，D群外围的F群得以出现并扩张，独处东北部一隅的E群分布范围进一步扩大并与F群得到了较大程度的接近。

第四，通过分析归纳各类型墓葬的历时演变过程，对各类型墓葬的阶段性分布特征进行概括与总结，进一步探讨了长白山地及其延伸地带青铜时代墓葬的动态演变规律。通过对该时空范围内墓葬的文化因素和群分布格局的阶段性考察以及对三大发展阶段中墓葬类型的动态演变分析，可以做出两个推论：①在长白山地及其延伸地带，从墓葬遗存的角度来看，人群构成的规模、墓葬形态的稳定性或器物群的固定性应该是文化得以传承发展的必要条件。②内涵单一且相对封闭的中心墓葬群形成以后，在其周边出现内涵复杂又相对发达的边缘墓葬群对中心墓葬群形成包围之势，两者的碰撞和融合成为新的文化类型产生的重要因素。

在本书写作过程中，有的问题难以避免，也有问题还有待深入的讨论。

其一，由于目前发表的田野考古资料有限，关于浑江流域和鸭绿江西岸青铜时代墓葬的研究尚难以开展。

其二，鉴于长白山东翼朝鲜东北地区的地形大部为高原和高山，青铜时代的墓葬资料极为有限，因此本书未涉及该区域的墓葬，仅对个别遗址的陶器做了比较分析，期待资料进一步完善后再进行深入的讨论。

附 表

附表1 B群墓葬陶壶分期表

器物 型式 期别	壶																							
	Ⅰ								Ⅱ							Ⅲ				Ⅳ			Ⅴ	
	Ⅰa				Ⅰb			Ⅰc	Ⅱa			Ⅱb								Ⅳa	Ⅳb			
	1	2	3	4	1	2	3		1	2	3	1	2	3	4	1	2	3	4		1	2	1	2
一期	√				√				√			√				√					√			
二期		√				√				√			√				√			√		√	√	
三期			√				√	√			√			√				√						√
四期				√											√				√					

附表2　B群墓葬陶罐分期表

器物 型式 期别	罐															
	Ⅰ								Ⅱ					Ⅲ		
	Ⅰa				Ⅰb		Ⅰc		Ⅱa			Ⅱb		Ⅲa	Ⅲb	
	1	2	3	4	1	2	1	2	1	2	3	1	2		1	2
一期	√													√	√	
二期		√							√			√				√
三期			√		√		√			√						
四期				√		√		√			√		√			

器物 型式 期别	罐																
	Ⅳ				Ⅴ							Ⅵ			Ⅶ		Ⅷ
	Ⅳa		Ⅳb		Ⅴa			Ⅴb							Ⅶa	Ⅶb	
	1	2	1	2	1	2	3	1	2	3	4	1	2	3			
一期	√		√		√			√							√		
二期		√		√		√			√			√				√	
三期							√			√			√				√
四期											√			√			

附表3 B群墓葬陶钵、碗、杯分期表

器物	钵													碗							杯						
型式	Ⅰ						Ⅱ			Ⅲ				Ⅰ				Ⅱ			Ⅰ					Ⅱ	
	Ⅰa			Ⅰb						Ⅲa		Ⅲb		Ⅰa		Ⅰb		Ⅱa		Ⅱb	Ⅰa			Ⅰb			
期别	1	2	3	1	2	3	1	2	3	1	2	1	2	1	2	1	2	1	2		1	2	3	1	2	1	2
一期	√			√			√			√				√		√		√		√	√					√	
二期		√			√			√			√	√			√		√		√			√		√			√
三期			√			√			√				√										√		√		
四期																											

附表4 D群陶器类型及组别划分表

类		型	亚型	第一组	第二组	第三组	第四组	第五组
壶	横桥耳壶	Ⅰ	Ⅰa	**星星哨AM19：2**	**西团山50M14：3** 星星哨AM1：2	**西团山50M15：2**	**小团山M1：4**	
			Ⅰb	**东梁岗04IM14：2**	**星星哨CM6：1** 西团山50M5：4 东辽黎明M3壶	**星星哨AM6：1**	**小团山M1：5** 西团山50M10：3 西团山50M16：2 西团山49一区M11壶	**猴石山79西M59：5**
		Ⅱ	Ⅱa	**西团山50M19：1**	**西团山50M8：4**	**西团山50M1：8** 骚达沟49M18：558	**骚达沟53M3：604** 骚达沟49M4：517 狼头山M101：1	
			Ⅱb		**东梁岗82M2：5**	**东梁岗82M7：4** 西团山50M4：8 西团山50M18：3 东梁岗04IM12：2 东梁岗04IM13：1 池水南山M3：1	**二甲沟壶**	
		Ⅲ	Ⅲa	**东梁岗04IM14：1** 东梁岗04ⅡM1：1	**东梁岗04IM15：1** 东梁岗04ⅡM2：1 西团山49一区M9壶 星星哨DM21：1 星星哨DM16：2	**东梁岗04IM9：1**		
			Ⅲb	**星星哨AM26：3**	**星星哨CM19：1**			

续表

类		型	亚型	第一组	第二组	第三组	第四组	第五组
壶	竖耳壶	Ⅰ	Ⅰa	**东梁岗04ⅡM3：1**	**星星哨DM5：1**			
			Ⅰb	**星星哨AM31：3** 星星哨CM18：1	**星星哨AM23：1**			
		Ⅱ		**东梁岗04ⅠM1：1** 东梁岗04ⅠM4：1 星星哨CM1：1	**东梁岗04ⅠM10：2** 星星哨AM35：1	**东梁岗04ⅠM11：1** 星星哨DM11：4		
	无耳壶	Ⅰ	Ⅰa	**星星哨BM2：2**	**星星哨AM11：1**	**西团山56M2：1**	**猴石山76M3：2**	
			Ⅰb	**万宝山M1：1** 小育英屯M2：1	**星星哨DM15：2**	**小团山M2：1**	**汶水后山M1壶**	
		Ⅱ	Ⅱa			**骚达沟53M2：598**	**猴石山79西M36：1**	**两半山M1：5**
			Ⅱb			**土城子56M6：1**	**狼头山M105：1**	**猴石山79西M60：18**
			Ⅱc				**猴石山79西M57：1**	**猴石山79西M20：5**
	鋬耳壶					**西团山56M1：1**	**骚达沟山顶大棺壶**	
罐	横桥耳罐	Ⅰ		**星星哨AM20：5**	**星星哨DM16：3** 星星哨AM1：1	**小团山M2：2**		
		Ⅱ	Ⅱa	**星星哨AM30：5** 星星哨AM20：4	**星星哨DM16：1** 西团山50M6：4 西团山49—区M8罐	**西团山50M9：4** 西团山49—区M14罐		
			Ⅱb	**星星哨BM2：1**	**星星哨CM6：2** 庆丰水库罐	**东梁岗04IM8：1** 小西山乙M2：2 小西山乙M4：2	**小西山甲M1：2** 骚达沟49M8：537	

续表

类		型	亚型	第一组	第二组	第三组	第四组	第五组
罐	横桥耳罐	Ⅲ		**星星哨AM31：4**	**星星哨DM9：3**		**猴石山79西M19：2**	
		Ⅳ			**东梁岗04ⅠM15：2**	**东梁岗04ⅠM8：2**	**狼头山M109：1**	
	无耳罐			**星星哨DM8：3**	**西团山50M17：3**			
	盲耳罐				**西团山50M7：4**	**骚达沟49M3：509**	**骚达沟53M3：605**	
钵		Ⅰ	Ⅰa		**东梁岗82M5：6**	**骚达沟49M18：559** 旺起屯M5：1	**猴石山79西M17：6**	
			Ⅰb		**星星哨AM10钵**	**骚达沟49M14：548**	**骚达沟49M4：518** 骚达沟49M15：553	
		Ⅱ				**东梁岗04ⅠM9：2**	**旺起屯M1钵**	
		Ⅲ			**星星哨AM34：2** 星星哨DM15：3	**东梁岗04ⅠM6：1** 东梁岗82M3：3 骚达沟49M6：532 西团山50M4：11 西团山50M4：10 东梁岗04ⅡM4：3	**狼头山M101：2**	
		Ⅳ	Ⅳa			**东梁岗04ⅡM4：2**	**小团山M1：6**	**两半山M1：6**
			Ⅳb	**星星哨DM22：1**	**星星哨DM16：4**			
			Ⅳc	**万宝山M1：4** 万宝山M1：3	**星星哨AM11：2**	**东梁岗04ⅠM12：1**		
碗		Ⅰ	Ⅰa	**星星哨DM8：4**	**星星哨AM23：2** 星星哨DM17：3	**星星哨AM29：2**		

续表

类	型	亚型	第一组	第二组	第三组	第四组	第五组
碗	Ⅰ	Ⅰb	**星星哨DM13：4**	**星星哨CM22：3** 星星哨DM19：3	**星星哨DM9：4** 土城子M8碗		
	Ⅱ	Ⅱa		星星哨CM18：5 **东梁岗82M5：5** 星星哨DM18：1	**骚达沟53M2：600**	狼头山M105：2 **猴石山79西M36：2**	
		Ⅱb	**东梁岗04ⅠM1：2**	**东梁岗04ⅠM15：3**	**东梁岗04IM9：3**		
杯	Ⅰ		**西团山50M19：3**	**西团山50M14：5**	**西团山48一区横坟杯**	**猴石山79西M80：2**	
	Ⅱ		**万宝山M1：5**	**西团山50M6：5** 西团山49一区M3杯 西团山50M14：4	**西团山50M1：3** 西团山50M12：2 西团山50M9：5		
盘					**东梁岗82M7：6** 东梁岗04ⅡM4：4	**西团山50M8：4**	**猴石山79西M60：19**
鼎				东梁岗82M2：7 东梁岗82M2：6	东梁岗04ⅠM13：2 骚达沟53M2：599	西团山50M8：3	猴石山79西M42：2 猴石山79西M33：6

注：表中黑体字为陶器类型划分的代表性器物。

附表5　墓葬登记表

地点	墓号	方位/（°）	墓葬结构	副棺或耳室	椁或泥框	铺底石	保存程度	尺寸/厘米	随葬器物	人骨葬式	备注	类别	型	群属	期别	出处
铁岭九登山2	M1	210	顶覆3块等大石板，东西壁以大小不等石块、石板垒砌，南北以整块石板封堵	—	无	无	残	180×70—55	无	无		石棺墓	Ⅲa	C		《辽宁铁岭市清河区九登山发现两座石棺墓》，《博物馆研究》2001年2期
	M2	5	以16块石板构筑，顶3，侧壁、底各4，端头各1	—	无	无	残	210×68—56	罐口沿1、器底2	头骨		石棺墓	Ⅰb	C		同上
西丰消防队院内1		345	2石板盖顶，南、西、北壁为整块石板，东壁2块石板	无	无	无	完好	180×48—（58~50）	双房式陶壶1、錾耳钵1、石斧1	扰动，推测为仰身直肢葬		石棺墓	Ⅰa	C	1	《辽宁西丰县新发现的几座石棺墓》，《考古》1995年2期
西丰金山屯1		—	盖石为天然石板，块石石板，块石垒砌，土底	无	无	无	毁坏	—	高领壶1、矮领三錾耳罐1、四錾耳钵1	—	棺内有灰烬、木炭块	石棺墓	Ⅱa	C	2	同上

续表

地点	墓号	方位/（°）	墓葬结构	副椁或耳室	椁或泥框	铺底石	保存程度	尺寸/厘米	随葬器物	人骨葬式	备注	类别	型	群属	期别	出处
西丰诚信村1		30	大石盖加4块小板石盖顶，主棺底铺2石板，壁用7块石板立支于底上，几乎整块天然石板覆盖	有	无	有	副棺局部损坏	全长235×76；副棺65×40	双房式陶壶2、圈足器底1、矮领罐1、石刀1、石斧范1、砺石3、玉斧1、石镞16、铜镞3、青铜短剑1、青铜矛1	部分下肢、头盖骨，推测侧身曲肢葬，男	陶器、石刀、石范出自副棺中	石棺墓	Ⅰa	C	1	同上
西丰小育英屯4	M1	2	块石垒砌，墓底坚硬黄沙土	无	无	无	南壁被拆去	墓室181×64—70	陶壶1、陶罐1（残碎严重）	—	被盗	石棺墓	Ⅱ	D		《西丰钓鱼乡小育英屯石棺墓清理报告》，《博物馆研究》2004年2期
	M2	6	盖石缺，墓室石块垒砌	无	无	无	西壁大部分拆去	墓室230×64—68	束颈壶1、竖桥耳罐2、半瓮形器1、陶纺轮1、石纺轮1	不存，半瓮形器内见骨渣和牙齿	半瓮形器可能用作瓮棺	石棺墓	Ⅱ	D	1	同上

续表

地点	墓号	方位/（°）	墓葬结构	副棺或耳室	椁或泥框	铺底石	保存程度	尺寸/厘米	随葬器物	人骨葬式	备注	类别	型	群属	期别	出处
西丰小育英屯4	M3	4	盖石缺，东西侧壁长方形块石垒砌，南北壁板石立砌	无	无	无	东、西、南壁上部缺失	墓室186×44—40	双錾耳钵1（填土中出土）	不存		石棺墓	Ⅲa	D	1	同上
	M4	5	盖石6块，四壁立石和块石混砌	无	无	—	完好	墓室186×38—52	横桥耳壶1、横桥耳罐1、石斧1、石锛1	腐朽严重，见头骨和股骨，仰身直肢葬，头北		石棺墓	Ⅱb	D	1	同上
西丰忠厚屯1		东西向	3块石板为封盖、石板立砌侧壁，土底。石棺两侧壁外15厘米处各有一道石墙（石椁）	无	石椁	无	完好	175×64—55	铜斧1、圈足1、夹砂黑褐陶片3	—		石棺墓	Ⅱb	C	1	《西丰和隆的两座石棺墓》，《辽海文物学刊》1986年1期

续表

地点	墓号	方位/(°)	墓葬结构	副椁或耳室	椁或泥框	铺底石	保存程度	尺寸/厘米	随葬器物	人骨葬式	备注	类别	型	群属	期别	出处
西丰阜丰屯1		东西向	1块石板封盖、两侧壁各8块石板立砌，两端各1块石板立砌，土底	无	无	无	完好	口150×43—（45～50）	铜斧1、石镞1、豆座2、圈足1、器底1	头骨碎块和牙齿		石棺墓	Ⅰb	C	1	同上
开原建材村35	M10	355	较规整大型块石砌筑	—	无	石块黄土铺底	扰乱破坏，盖石不存	墓室240×106—98	填土中石锄1	人骨碎片	附近采集双房式陶壶1	石棺墓	Ⅳ	C		《辽宁开原市建材村石棺墓群》，《博物馆研究》2000年3期
	M24	5	不规整大石立砌、叠筑，不见盖石	—	无	—	扰乱破坏	—	石锄1、铜环1对	人骨碎片		石棺墓	Ⅳ	C		同上
	M26	20	大型块石立砌、叠筑	无	无	小型块石铺底	破坏	墓室220×（60～84）—98	石刀2、石犁1、圆形石器1、石器残段1	头骨、臂骨、肋骨等碎片	征集属该墓地陶壶1、铜刀1，采集铜环1	石棺墓	Ⅳ	C		同上

续表

地点	墓号	方位/（°）	墓葬结构	副棺或耳室	椁或泥框	铺底石	保存程度	尺寸/厘米	随葬器物	人骨葬式	备注	类别	型	群属	期别	出处
开原李家台2	M1	东北西南向	20块左右石板立砌	—	—	无	盖倾塌	约180×40—40	双房式陶壶1、滑石范1	未见		石棺墓	Ⅰ	C	3	《辽北地区原始文化遗址调查》，《考古》1981年2期
	M2	东北西南向	20块左右石板立砌	—	—	无	盖倾塌	约180×40—40	双房式陶壶1、陶网坠1	未见		石棺墓	Ⅰ	C	3	同上
铁岭县树芽屯1		—	板石立砌	—	—	无	扰乱		豆足杯8、高领壶3、矮领罐1、残壶1、豆残圈足1	扰乱残碎	小型玉管饰3，未注明是否墓中出土	石棺墓	Ⅰ	C	3	同上
法库石砬子13	M1	东西向	十块石板立砌，头尾各1，底、盖、侧壁各2	无	无	有	完好	180×60—70	双房式陶壶1、瘤状錾耳罐1（残）	朽烂不见	墓内填土中玛瑙珠1	石棺墓	Ⅰa	C	2	《法库石砬子遗址及石棺墓调查》，《辽海文物学刊》1993年1期
	M2	东西向	十块石板立砌，头尾各1，底、盖、侧壁各2	无	无	有	完好	120×40—50	不见	骨渣		石棺墓	Ⅰa	C		同上

续表

地点	墓号	方位/（°）	墓葬结构	副棺或耳室	椁或泥框	铺底石	保存程度	尺寸/厘米	随葬器物	人骨葬式	备注	类别	型	群属	期别	出处
法库石砬子13	M4	东南向	十块石板立砌，头尾各1，底、盖、侧壁各2	无	无	有	完好	140×40—50	钵口罐1	骨渣		石棺墓	Ⅰa	C	2	同上
	M5	近南北向	—	—	—	—	不存	约180×60—70	钵口罐1	—		石棺墓		C	2	同上
	M8	东南向	—	—	—	—	不存	—	豆盘1	—		石棺墓		C		同上
	M9	东南向	—	—	—	—	不存	—	双房式陶壶1、玛瑙珠2、翠坠1	—		石棺墓		C	2	同上
	M13	东南向	—	—	—	—	不存	—	罐形鼎1	—		石棺墓		C	2	同上
辽阳二道河子2	M1	—	几块石板盖顶，石块垒砌侧壁，两端板石立砌	无	无	无	扰动	240×（50～58）—64	横耳高领壶1、豆2、青铜短剑1、铜凿1、铜斧1、斧镞范1、圈足豆2、双房式陶壶1	头骨、腿骨残段		石棺墓	Ⅱb	C	1	《辽阳二道河子石棺墓》，《考古》1977年5期

续表

地点	墓号	方位/（°）	墓葬结构	副棺或耳室	椁或泥框	铺底石	保存程度	尺寸/厘米	随葬器物	人骨葬式	备注	类别	型	群属	期别	出处
辽阳二道河子2	M2	东西	盖顶石2、四壁石块垒砌，人骨头部右上、腰、腿各铺一石板	—	无	有	西端残缺	190×50—44	口沿残片1	2具成年人骨架，完好，头东脚西，仰身，两腿交叉，幼儿葬于成年人两腿之间，侧身葬		石棺墓	Ⅱb	C		同上
辽阳市接官厅26	M5	西偏南10	四壁石块围砌，内壁整齐	无	无	有	盖石不存	170×40—12	直颈壶1、纺轮1	单人、面右，上身仰，两腿相交	随葬猪头	石棺墓	Ⅱ			《辽阳市接官厅石棺墓群》，《考古》1983年1期
	M7	东偏南33	石块砌两侧壁，两端各1板石立砌，土底	无	无	无	盖石不存	205×35—25	环形铜饰1对、螺旋形铜饰1、耳环形铜饰6、顶针形铜饰1、陶壶1（残碎）	单人，头骨朽，四肢残存，两腿相交		石棺墓	Ⅱ			同上

续表

地点	墓号	方位/(°)	墓葬结构	副棺或耳室	椁或泥框	铺底石	保存程度	尺寸/厘米	随葬器物	人骨葬式	备注	类别	型	群属	期别	出处
辽阳市接官厅26	M11	—	盖石3，侧壁石板垒砌，两端石块横堵，底铺石4块	无	无	有	前端残缺	126×40—20	横桥耳罐1、錾耳钵1	单人，头胸部不存		石棺墓	Ⅱ			同上
	M13	—	双棺，石块围砌，两棺中间共用两大石板搭连，左棺石板铺底，右棺土底	无	无	有	残	左棺石板底存160×40	陶壶1（残碎）	左棺女，骨架完好，右棺仅存几段腿骨		石棺墓				同上
	M14	—	—	—	—	—	—	—	双横耳折肩壶1	单人葬		石棺墓				同上
辽阳市杏花村14	LXM2	—	石板盖顶、四壁较规则块石垒砌，土底	无	无	无	完好	150×34—34	无	—		石棺墓	Ⅱ	B		《辽阳杏花村青铜时代石棺墓》，《辽海文物学刊》1996年1期
	LXM3	—	石板盖顶、四壁较规则块石垒砌，土底	无	无	无	完好	150×34—34	直颈壶1	—		石棺墓	Ⅱ	B	4	同上

续表

地点	墓号	方位/（°）	墓葬结构	副棺或耳室	椁或泥框	铺底石	保存程度	尺寸/厘米	随葬器物	人骨葬式	备注	类别	型	群属	期别	出处
辽阳市杏花村14	LXM5	22	石板盖顶、四壁较规则块石垒砌，土底	无	无	无	完好	150×34—34	直颈壶1	单人，仅有头骨和四肢骨，头北，面下，为二次葬		石棺墓	Ⅱ	B	4	同上
辽阳亮甲山6	1号墓	—	长方形土坑	—	—	—	破坏	—	青铜短剑1、壶口残片2	不详		土坑墓	Ⅰa	C	3	《辽宁寺儿堡等地青铜短剑与大伙房石棺墓》，《考古》1964年6期
	2号墓	—	长方形土坑	—	—	—	破坏	—	青铜短剑1、罐4	单人葬		土坑墓	Ⅰa	C		同上
	3号墓	东北西南	长方形土坑	—	—	—	破坏	？×90—140	青铜短剑1	单人葬		土坑墓	Ⅰa	C		同上
	5号墓	8	长方形土坑，头骨前置2块小石板	无	无	无	破坏	157×46—110	双錾耳筒腹罐1、长颈壶1	单人仰身葬，头北，面侧，交臂		土坑墓	Ⅰa	C		同上

续表

地点	墓号	方位/（°）	墓葬结构	副棺或耳室	椁或泥框	铺底石	保存程度	尺寸/厘米	随葬器物	人骨葬式	备注	类别	型	群属	期别	出处
辽阳亮甲山6	6号墓	南北向	长方形土坑	—	—	—	破坏	—	双鋬耳筒腹罐2	人骨1架，已残乱，头向北		土坑墓	Ⅰa	C		同上
	7号墓	112	长方形土坑	无	无	无	破坏	160×（35～40）—130	双鋬耳筒腹罐1、长颈壶1	单人屈肢葬，头向东南		土坑墓	Ⅰa	C		同上
沈阳郑家洼子14	M1	—	不规则长方形土坑	无	无	无	破坏	230×50—100	陶壶残片等	—		土坑墓	Ⅰc	C		《沈阳肇工街和郑家洼子遗址的发掘》，《考古》1989年10期
	M2	—	不规则长方形土坑	无	无	无	完好	190×（40～85）—25	青铜短剑1（残）、剑柄加重器1、长颈壶1、陶纺轮1	头骨向西，侧身屈肢	纺轮出自填土中	土坑墓	Ⅰc	C	3	同上
	M659	298	不规则长方形土坑，打破生土，坑南侧有生土二层台	无	无	无	部分被打破	175×50—20	长颈壶1、骨剑1、骨环1	头西足东，仰身直肢，头微左偏，两手置于腹部，男性	生土台上殉葬1完整牛腿，骨盆下颈椎2块	土坑墓	Ⅰc	C	3	《沈阳郑家洼子的两座青铜时代墓葬》，《考古学报》1975年1期

续表

地点	墓号	方位/（°）	墓葬结构	副棺或耳室	椁或泥框	铺底石	保存程度	尺寸/厘米	随葬器物	人骨葬式	备注	类别	型	群属	期别	出处
沈阳郑家洼子14	M6512	280	不规则长方形土坑，打破生土，墓口略大于墓底，墓底放木椁、木棺各一具，仅存板灰遗迹，木椁与墓壁之间填以夯土，椁底铺席，棺椁之间四面放置器物	无	有	无	棺椁不存	墓坑500×300；椁底板320×160；棺底板200×70；墓底距现地面140	剑䪜1、青铜短剑3、铜镜1、铜簪1对、骨簪1对、弓囊1、箭束169、长颈壶3、马头用具4套、铜镜形饰6、斧囊1、斧1、凿1、锥1、刀囊1、刀1、铜泡180、石串珠2、骨针1、铜销12、马镳16、衔4、泡7、游环绞具2付、管33、珠224	人骨一具，老年男性，头西足东，仰面伸直	东侧圹边有牛骨			C	3	同上

续表

地点	墓号	方位/（°）	墓葬结构	副椁或耳室	椁或泥框	铺底石	保存程度	尺寸/厘米	随葬器物	人骨葬式	备注	类别	型	群属	期别	出处
抚顺市大伙房北山2	1号墓	196	石板盖顶、铺底、立砌四壁	—	—	有	完好	200×80—30	青铜斧1、石凿1、石斧1、陶片14	腐朽不存		石棺墓	Ⅰ	C		《辽宁寺儿堡等地青铜短剑与大伙房石棺墓》，《考古》1964年6期
抚顺市大伙房水库祝家沟4	M1	15	盖石2，四壁9块石板立砌	无	无	无	完好	189×54—60	铜斧1、陶器3	—		石棺墓	Ⅰa	C		《辽宁抚顺大伙房水库石棺墓》，《考古》1989年2期
	M2	24	盖石5，间隙较大，四壁以13块石板立砌	无	无	无	完好	198×63—43	双房式陶壶2、横桥耳罐2、石斧2	—	盖石头位叠压一板石	石棺墓	Ⅰc	C	3	同上
	M3	—	—	—	—	—	—	—	双房式陶壶2、横桥耳罐1、石斧1（回收）	—		石棺墓		C	1	同上
	M4	60	盖石3，两侧壁以扁石垒砌，两端石板立堵	无	无	无	略残	201×99—45	双房式陶壶2、横桥耳罐1、石斧1、铜矛1、铜斧1	—	铜矛、铜斧装于鸡心形皮囊中	石棺墓	Ⅱb	C	2	同上

续表

地点	墓号	方位/（°）	墓葬结构	副棺或耳室	椁或泥框	铺底石	保存程度	尺寸/厘米	随葬器物	人骨葬式	备注	类别	型	群属	期别	出处
抚顺市大伙房水库小青岛1	M5	130	四壁10块石板立砌	无	无	无	盖石无	165×48—42	双房式陶壶1、石纺轮1	—		石棺墓	I	C	3	同上
抚顺市大伙房水库八宝沟1	M6	40	四壁7块石板立砌	无	无	无	盖石无	165×59—36	双房式陶壶1、石纺轮1	—		石棺墓	I	C	3	同上
抚顺市丹东路1		—	—	—	—	—	—	—	青铜短剑1（回收）	—		石棺墓				同上
抚顺市碾盘乡茨沟1		—	—	—	—	—	—	—	盲耳壶1、横桥耳罐1	—		石棺墓		C	2	同上
抚顺市塔峪乡1		—	周围无石板石块，土坑	无	无	无	—	—	横桥耳罐1	—		土坑墓		C	1	同上

续表

地点	墓号	方位/(°)	墓葬结构	副棺或耳室	椁或泥框	铺底石	保存程度	尺寸/厘米	随葬器物	人骨葬式	备注	类别	型	群属	期别	出处
抚顺县兰山农场1		—	—	—	—	—	—	—	剑柄加重器1	—		石棺墓				同上
抚顺县莲花堡（一批，数量不详）		—	—	—	—	—	—	—	直颈壶1、盲耳壶1、横桥耳罐3、筒腹罐1	—		石棺墓		C	1	同上
新宾县城红山2	M8101	20	3石板盖顶，形成阶梯状，两壁各以两块板石中夹碎石立砌	无	无	无	—	126×108—42	直颈壶1、陶网坠1	无		石棺墓	Ⅰc	C	3	同上
	M8102	—	—				毁坏	—	石斧2、石剑1（回收）	—		石棺墓		C		同上
新宾南杂木镇西山1		—	—	—	—	—	破坏无存	—	假圈足罐1（腹饰4乳丁）、石纺轮1（回收）	—		石棺墓		C	2	同上

续表

地点	墓号	方位/（°）	墓葬结构	副棺或耳室	椁或泥框	铺底石	保存程度	尺寸/厘米	随葬器物	人骨葬式	备注	类别	型	群属	期别	出处
新宾大四平乡1		—	—	—	—	—	—	—	剑柄加重器1（采集）	—		石棺墓				同上
新宾汤图乡河西村1		—	—	—	—	—	—	—	石斧1、石凿1、石锛1（回收）	—		石棺墓				同上
清原斗虎屯镇白灰场1		—	—	—	—	—	毁坏	—	石斧1、石凿1（回收）、双房式陶壶1	—		石棺墓		C	3	同上
清原县大庙村1		—	—	—	—	—	—	—	石斧1、石凿3（回收）	—		石棺墓				同上
清原县南八家乡吴家堡子1		—	—	—	—	—	—	—	剑柄加重器1（回收）	—		石棺墓				同上

续表

地点	墓号	方位/（°）	墓葬结构	副棺或耳室	椁或泥框	铺底石	保存程度	尺寸/厘米	随葬器物	人骨葬式	备注	类别	型	群属	期别	出处
清原县任家堡大南沟1		—	—	—	—	—	破坏	—	双联罐1、双竖桥耳罐2、高直领四耳壶1	—	陶器与高句丽陶器相似	石棺墓				同上
清原县任家堡西山头1		—	—	—	—	—	破坏	—	石斧1、石剑1、砥石1（回收）	—		石棺墓		C		同上
清原县康家堡1		—	—	—	—	—	破坏	—	钵1（回收）	—		石棺墓		C	3	同上
清原县马家堡村半道沟1		—	—	—	—	—	破坏	—	直颈壶1、束颈壶1（回收）	—		石棺墓		C		同上
清原门脸2		—	四壁整块石板立砌，棺盖与棺底亦用整块石板	无	—	整块底石	破坏	1.85×0.45—0.55	罐1、双房式陶壶1（残）、青铜短剑1、铜斧1、石镞1、骨锥1、石刀2（回收）	骨渣	两墓形制相同	石棺墓	Ⅰa	C	1	同上；另《辽宁清原门脸石棺墓》，《考古》1981年2期

续表

地点	墓号	方位/（°）	墓葬结构	副椁或耳室	椁或泥框	铺底石	保存程度	尺寸/厘米	随葬器物	人骨葬式	备注	类别	型	群属	期别	出处
清原县小错草沟1		—	四壁整块石板立砌，棺盖与棺底皆铺盖石板	无	—	有	—	200×60—55	石剑2（回收）	—		石棺墓	Ⅰa	C		《抚顺地区早晚两类遗存》，《文物》1983年9期；《辽宁清原县近年发现一批石棺墓》，《考古》1982年2期
清原县土口子中学1		—	6块石板立砌四壁，石棺上下皆铺石板	无	—	有	—	石板180×80	双房式陶壶1、石斧1、石锛1（回收）	—		石棺墓	Ⅰa	C	3	《辽宁清原县近年发现一批石棺墓》，《考古》1982年2期
清原县李家堡耕地1		东南向	数块石板立砌四壁	无	—	有	残，棺盖毁	245×（63～94）—90	陶纺轮1、石纺轮1（回收）	腐朽		石棺墓	Ⅰ			同上

续表

地点	墓号	方位/(°)	墓葬结构	副棺或耳室	椁或泥框	铺底石	保存程度	尺寸/厘米	随葬器物	人骨葬式	备注	类别	型	群属	期别	出处
清原县李家堡大葫芦沟4	其中一座	—	数块石板立砌四壁，上覆石板棺盖	无	—	有	—	—	青铜短剑1、铜矛2、铜钺1	—	余三墓被破坏	石棺墓	Ⅰ	C		《辽宁清原县近年发现一批石棺墓》，《考古》1982年2期
清原县马家店1		南北向	数块石板立砌四壁，上覆石板棺盖	无	—	有	—	200×45—50	双房式陶壶1、石刀1	—		石棺墓	Ⅰ	C	3	同上
抚顺市甲邦1		南北向	盖石碎裂，四壁石板垒砌	—	—	无	盖石碎裂	230×130—100	青铜短剑1、双房式陶壶2	腐朽		石棺墓	Ⅱa	C	1	《抚顺地区早晚两类遗存》，《文物》1983年9期；《辽宁抚顺市甲邦发现石棺墓》，《文物》1983年5期

续表

地点	墓号	方位/（°）	墓葬结构	副椁或耳室	椁或泥框	铺底石	保存程度	尺寸/厘米	随葬器物	人骨葬式	备注	类别	型	群属	期别	出处
新宾永陵色家1		南北向	—	—	—	—	—	200×100—80	夹砂红陶罐3、青铜刀、石斧、石锛、石铲、石镞各1（回收）	—		石棺墓		C		《新宾县永陵公社色家发现石棺墓》，《辽宁文物》1984年6期
新宾大四平马架子1		—	石板构筑，整张石板覆盖	—	—	—	—	深50、石盖长300	青铜短剑1	—		石棺墓	Ⅰa	C		《抚顺地区早晚两类遗存》，《文物》1983年9期
新宾老城4	M1	北偏东85	十块石板构筑，盖石2，两侧壁各3，头尾各1，墓底原生黄沙土	无	无	无	完好	墓室210×（56～64）—（65～70）	竖桥耳长腹壶1、束颈壶1、双鋬耳钵2、石斧1	不存		石棺墓	Ⅰa	C	2	《新宾老城石棺墓发掘报告》，《辽海文物学刊》1993年2期
	M2	正东西	盖石2块，西壁用整块石板，其余三壁以河光石垒砌，墓底原生黄沙土	无	无	无	完好	墓室220×（60～70）—（60～70）	竖桥耳长腹壶1、束颈壶1、横桥耳钵1、双鋬耳钵1、陶纺轮1、石纺轮1	朽尽	钵中猪牙骨2枚	石棺墓	Ⅲa	C	1	同上

续表

地点	墓号	方位/（°）	墓葬结构	副棺或耳室	椁或泥框	铺底石	保存程度	尺寸/厘米	随葬器物	人骨葬式	备注	类别	型	群属	期别	出处
新宾老城4	M4	北偏东85	石板构筑，盖石2，侧壁各4，头尾各1，西壁棺尾延伸出副棺，副棺一侧不封石，墓底原生黄沙土	有	无	无	完好	墓室200×（60～65）—（60～64）	竖桥耳长腹壶1、束颈壶1双錾耳钵1、石纺轮1	腐朽极甚，仅存头骨，仰身葬		石棺墓	Ⅰa	C	3	同上
凤城东山33	M1	北偏西45	大石盖、墓室南壁和东壁南部以块石垒砌规整，西、北和东壁北部为生土壁，墓底为坚硬生土	无	无	无	完好	盖石216×166—50；墓室148×（71～78）—30	錾耳长腹壶1、磨制石斧1、石纺轮1	墓西出一烧骨片	墓底四周发现小河卵石	大石盖墓	Ⅰb	C	1	《凤城东山大石盖墓发掘简报》，《辽海文物学刊》1990年2期
	M2	北偏东50	大石盖、土坑、墓口四周以石板垫平，墓底为坚硬的生土	无	无	无	完好	盖石210×85—30；墓室170×65—（60～70）	竖桥耳长腹壶1	—	墓周和填土中出少量河卵石	大石盖墓	Ⅰa	C	1	同上

续表

地点	墓号	方位/（°）	墓葬结构	副棺或耳室	椁或泥框	铺底石	保存程度	尺寸/厘米	随葬器物	人骨葬式	备注	类别	型	群属	期别	出处
凤城东山33	M3	北偏东60	大石盖，墓室东、北壁石砌，西、南壁为土壁，墓底为坚硬的生土	无	无	无	填土扰乱	盖石270×110—50；墓室165×65—（60~80）	矮领鼓腹罐1	—		大石盖墓	Ⅰa	C	1	同上
	M4	北偏西62	大石盖，土坑，墓口四周垫少量石块	无	无	无	完好	盖石205×110—40；墓室173×62—40	竖桥耳长腹壶1	—		大石盖墓	Ⅰa	C	1	同上
	M5	北偏西60	大石盖，土坑，墓口垫石板，墓底为坚硬的生土	无	无	无	完好	盖石190×56.5—30；墓室186×85—（20~40）	折沿鼓腹罐2、石斧1、石锛1	—		大石盖墓	Ⅰa	C	2	同上
	M6	北偏西65	大石盖，东、西、北土壁，南壁三层石砌，墓口垫石板	无	无	无	完好	盖石220×130—40；墓室150×75—50	竖桥耳长腹壶2、双鋬耳壶1、石斧1、石凿1、陶纺轮1	—		大石盖墓	Ⅰa	C	2	同上

续表

地点	墓号	方位/（°）	墓葬结构	副棺或耳室	椁或泥框	铺底石	保存程度	尺寸/厘米	随葬器物	人骨葬式	备注	类别	型	群属	期别	出处
凤城东山33	M7	北偏西60	大石盖，四壁以自然石块垒砌，北壁存石3层	无	无	无	完好	盖石205×165—30；132×60—（45～55）	双横桥耳弦纹壶1、石斧1	—	墓室西南角见碎陶片、錾耳，属一器	大石盖墓	Ⅰb	C	1	同上
	M8	北偏西50	大石盖，土坑，墓口垫石板、石块	无	无	无	盖石残半	盖石残120×100—27；墓室150×80—55	双孔石刀1	墓底中部发现2块烧骨，疑为人骨		大石盖墓	Ⅰa	C		同上
	M9	北偏西75	大石盖，北、东、南壁石砌3～4层，西壁生土，墓口垫2层石板	无	无	无	完好	盖石250×150—40；墓室180×70—55	双横桥耳弦纹壶1、竖桥耳长腹壶1、石纺轮1、石铲1	—		大石盖墓	Ⅰb	C	1	同上
	M10	北偏西60	大石盖残缺，坚硬黄沙生土坑，墓口四周少量垫石	无	无	无	盖石残缺	墓室155×70—（40～60）	竖桥耳长腹壶1、长颈壶1、石斧1、石纺轮1	—		大石盖墓	Ⅰa	C	1	同上

续表

地点	墓号	方位/（°）	墓葬结构	副棺或耳室	椁或泥框	铺底石	保存程度	尺寸/厘米	随葬器物	人骨葬式	备注	类别	型	群属	期别	出处
凤城东山33	M11	北偏东60	大石盖，土坑	无	无	无	盖石碎裂	盖石200×100—40；墓室155×77—50	竖桥耳长腹壶1、石斧1、石锛1	—		大石盖墓	Ⅰa	C	2	同上
	M18	北偏西60	大石盖，土坑，墓口周围垫一层规则石板	无	无	底部周边有河卵石	完整	盖石214×137—40；墓室200×60—50	无	—	填土中有木炭，墓室内周边尤其西南角堆积大量河卵石	大石盖墓	Ⅰa	C		《凤城东山、西山大石盖墓1992年发掘简报》，《辽海文物学刊》1997年2期
	M19	北偏东20	大石盖，东、南、北壁以自然石块砌筑，西壁土壁，东壁外有一石块垒砌的椭圆形小室，小室上有一小块盖石	耳室	无	无	盖石裂为两块	盖石175×125—45；墓室190×（45～50）—（30～40）	磨制石斧1、绿松石坠1（东壁外小室出土）	—	墓室外，北、南两侧，小室周围有铺石	大石盖墓	Ⅰb	C		同上

续表

地点	墓号	方位/（°）	墓葬结构	副棺或耳室	椁或泥框	铺底石	保存程度	尺寸/厘米	随葬器物	人骨葬式	备注	类别	型	群属	期别	出处
凤城东山33	M20	北偏西20	未发现盖石，土坑之上等距横置3块条石	无	无	无	盖石不存	墓室100×40—30	直领双横桥耳长腹壶1	—	填土中发现少量夹砂红褐陶片、河卵石	大石盖墓	Ⅰa	C		同上
凤城西山5	M1	北偏东70	大石盖，四壁为整齐石块垒成，墓口四周平铺一层石块，墓东有石块垒砌的圆形耳室	耳室	无	无	完好	盖石215×110—30；墓室125×（40～50）—（20～30）	双房式陶壶1（耳室出土）墓外铺石间，以及墓室中、西部填土中发现同类陶片	—	墓室西部石板有烧痕并留有大量木炭	大石盖墓	Ⅰb	C	3	同上
	M2	北偏东13	大石盖，西壁北端残存石壁	—	无	—	破坏	盖石约200×130—30；墓室110×55—30	无	—	少量木炭	大石盖墓	Ⅰb	C		同上

续表

地点	墓号	方位/（°）	墓葬结构	副棺或耳室	椁或泥框	铺底石	保存程度	尺寸/厘米	随葬器物	人骨葬式	备注	类别	型	群属	期别	出处
凤城西山5	M3	北偏西15	大石盖，土坑，东墓口铺有垫盖石的石条，墓室北侧外平铺几块石板	无	无	无	完好	盖石190×90—25；墓室145×55—20	无	—	少量木炭	大石盖墓	Ⅰa	C		同上
	M4	北偏西15	大石盖近圆形，土坑，东侧墓口有少量垫石				完好	盖石110×115—20；墓室96×53—36	无	—	少量木炭	大石盖墓	Ⅰa	C		同上
	M5	北偏西16	大石盖，土坑，土坑上直接压盖石，无砌石、无砌底、无垫石	无	无	无	完好	盖石170×130—40；墓室120×60—30	无	—	少量木炭	大石盖墓	Ⅰa	C		同上
本溪县朴堡1		—	板石立砌，无盖石	—	—	—	不存	约200×100—100	泥质灰陶罐1（残）、器底1、叠唇罐1、青铜短剑1、铜镜1、铜环1	数块人骨		石棺墓	Ⅰa	C	3	《辽宁本溪朴堡发现青铜短剑墓》，《考古》2005年10期

续表

地点	墓号	方位/（°）	墓葬结构	副棺或耳室	椁或泥框	铺底石	保存程度	尺寸/厘米	随葬器物	人骨葬式	备注	类别	型	群属	期别	出处
本溪县上堡4	M1	北偏东	块石叠砌，无盖石	无	无	无	不存	约200×100—100	绳纹罐1、筒腹罐1、铁凿1、铜饰件1、石珠3，青铜短剑2	完整，单人、仰身直肢，头北脚南		石棺墓	Ⅱ	C	3	《辽宁本溪县上堡青铜短剑墓》，《文物》1998年6期
	M2	北偏东	块石叠砌，上覆石板	无	无	—	不存	—	绳纹罐1、筒腹罐2	同上		石棺墓	Ⅱ	C	3	同上
	M3	30	无盖石，块石叠砌，南壁2板石立支	无	无	无	东壁局部破坏	墓室190×50—45	绳纹罐1、筒腹罐1	单人仰身直肢，头北脚南		石棺墓	Ⅱ	C	3	同上
	M4	328	上盖存3石板，两壁块石叠筑	无	无	—	破坏严重，仅存中部	东壁残长140、南壁残长100	绳纹罐1（残）	一根肋骨		石棺墓	Ⅱb	C	3	同上
本溪市花房沟1		—	墓壁块石垒砌	—	—	—	—	—	残铜矛（回收）、少量夹砂红陶片	大量火烧人骨，火葬	墓底存一层白灰	石棺墓	Ⅱ	C		《辽宁本溪多年发现的石棺墓及其遗物》，《北方文物》2003年1期

续表

地点	墓号	方位/（°）	墓葬结构	副棺或耳室	椁或泥框	铺底石	保存程度	尺寸/厘米	随葬器物	人骨葬式	备注	类别	型	群属	期别	出处
本溪市南芬火车站2	A地点	—	土坑墓	无	无	无	—	—	青铜短剑1、铁镬5、刀币46	—		土坑墓		C	3	同上
本溪市东沟1		—	—	—	—	—	—	—	铜镞1（回收）	—		石棺墓		C		同上
本溪市新立屯1		—	—	—	—	—	—	—	铜斧1	—		石棺墓		C		同上
本溪市下石1		—	—	—	—	—	—	—	直领壶1	—		石棺墓		B	3	同上
本溪市龙头山1		320	西壁块石垒砌，另三壁板石立支，上无盖石	—	—	无	—	墓室200×80—70	双房式陶壶1、横桥耳罐2、横桥耳陶片、半月形饰陶片	头骨5个，多人二次迁葬		石棺墓	Ⅲa	B	3	同上
本溪市王沟玉岭1		—	—	—	—	—	—	—	青铜剑（回收）	—		石棺墓		C		同上

续表

地点	墓号	方位/（°）	墓葬结构	副棺或耳室	椁或泥框	铺底石	保存程度	尺寸/厘米	随葬器物	人骨葬式	备注	类别	型	群属	期别	出处
本溪市沙窝1		—	—	—	—	—	—	—	夹砂陶片、陶器底、青铜短剑1（回收）	—		石棺墓		C		同上
本溪市代家堡子1		—	墓壁为较大卵石叠筑，上覆石板	—	—	无	—	墓室250×130—120	直领壶3、直口罐1、陶纺轮1	2具尸骨，头南脚北，见肱骨、趾骨等		石棺墓	Ⅱa	B	3	同上
本溪市北台1		—	—	—	—	—	—	—	直领壶2、残壶2、叠唇钵1、器底2（回收）	—		石棺墓		B	3	同上
本溪县虎沟1		东西向	墓壁块石垒砌，上覆4块石板	无	无	—	北壁东段坍塌	墓室195×（45～75）—60	斜颈壶2、石斧1、石锛1	完整骨架，男性，单人仰身直肢葬，头西脚东		石棺墓	Ⅱa	B	4	同上

续表

地点	墓号	方位/（°）	墓葬结构	副椁或耳室	椁或泥框	铺底石	保存程度	尺寸/厘米	随葬器物	人骨葬式	备注	类别	型	群属	期别	出处
本溪县全堡1		—	板石立砌，上覆3块石板	—	—	—	—	约200×100—100	斜颈壶2、横桥耳罐2、石剑1	—		石棺墓	Ⅰc	B	4	同上
本溪县元宝山1		—	—	—	—	—	—	—	石斧1、石剑1（回收）			石棺墓		C		同上
本溪县蜂蜜砬子1		—	—	—	—	—	—	—	斜颈壶1、横桥耳罐1（回收）	—		石棺墓		B	3	同上
本溪县泉水乡刘家哨1		—	—	—	—	—	—	—	石斧1、石凿1、石锛2（回收）	—		石棺墓				同上
本溪县丁家峪2		—	块石垒砌，上覆大石板	—	—	—	—	200×50—100	直颈壶1、横桥耳罐1、石斧2（回收）	—	两墓并列，形制相同	石棺墓	Ⅱa	B	3	同上
本溪县望城岗子1		—	—	—	—	—	—		铜矛1（回收）	—		石棺墓		C		同上

续表

地点	墓号	方位/（°）	墓葬结构	副棺或耳室	椁或泥框	铺底石	保存程度	尺寸/厘米	随葬器物	人骨葬式	备注	类别	型	群属	期别	出处
本溪县孟家堡子1		—	—	—	—	—	—	—	斜颈壶2、钵口沿1、陶纺轮2（回收）			石棺墓		B	3	同上
本溪县观音阁1		—	—	—	—	—	不存	—	铜斧1（回收）	—		石棺墓		C		同上
本溪县通江峪1		—	块石垒砌，壁面规整	—	—	—	—	约180×70—100	双房式陶壶2、横桥耳罐1、石网坠31	单人仰身直肢，双手交于胸前	小猪遗骸	石棺墓	Ⅱ	C	2	同上
本溪县程家村1		南北向	东西壁板石立砌，南北壁块石垒砌，2块大石板封盖	—	—	无	破坏	约190×100—50	斜颈壶2、石斧1、石锛1、石凿1	完整人骨，头南脚北，应为男性		石棺墓	Ⅲa	B	3	《本溪连山关和下马塘发现的两座石棺墓》，《辽海文物学刊》1991年2期
本溪县张家堡1		—	不清	—	—	—	破坏	—	斜颈壶1、横桥耳罐1、球腹罐1、豆座1、明刀币20余枚	—		不清		C		《本溪地区发现青铜短剑墓》，《辽海文物学刊》1994年2期

续表

地点	墓号	方位/（°）	墓葬结构	副棺或耳室	椁或泥框	铺底石	保存程度	尺寸/厘米	随葬器物	人骨葬式	备注	类别	型	群属	期别	出处
本溪市南芬西山10	M2	286	块石垒砌，整块石板覆盖，墓底黄褐色石渣土	无	无	无	完好	墓室192×66—60	束颈壶1、四桥状盲耳碗1	单人仰身屈肢葬，双臂交于胸上		石棺墓	Ⅱa	B		《本溪南芬西山石棺墓》，《辽宁考古文集》，辽宁民族出版社，2003年
	M4	2	块石垒砌，整块石板覆盖	无	无	—	完好	墓室200×158—60	束颈壶1、斜颈壶1、碗1	一颠一倒双人仰身直肢葬		石棺墓	Ⅱa	B	4	同上
	M5	30	东壁2板石立砌，西壁块石垒砌，上覆整块石板，墓底为较硬石渣土	无	无	无	略残	墓室186×（55～60）—58	斜颈壶1	似为屈肢藏，人骨散乱		石棺墓	Ⅲa	B	4	同上
	M6	15	板石立支，墓底南部平铺石板	—	—	有	南壁破坏盖石不存	墓室存160×58—50	束颈壶1、器底1	—		石棺墓	Ⅰ	B	4	同上

续表

地点	墓号	方位/（°）	墓葬结构	副棺或耳室	椁或泥框	铺底石	保存程度	尺寸/厘米	随葬器物	人骨葬式	备注	类别	型	群属	期别	出处
本溪市南芬西山10	M7	17	板石立砌，墓底南北两侧铺薄石板，盖由两层多块石板构成	无	无	有	倾斜	墓室182×30—（32～40）	斜颈壶1	股骨、胫骨残段		石棺墓	Ⅰ	B	4	同上
	M9	214	块石垒砌，两端板石立堵，上覆整块大石板，不足处由小型石板补齐	无	无	—	完好	墓室178×60—60	碗1	仰身直肢单人葬		石棺墓	Ⅱa	B	4	同上
	M10	30	块石垒砌，上覆整块大石板，墓底为黄色石渣土	—	—	无	破坏	墓室184×64—50	陶器1（散失）	残存下颌骨、髋骨、胫骨		石棺墓	Ⅱa	B		同上
本溪县富楼乡刘家哨1		—	盖石2，四壁不规则块石垒砌，底铺小石板	—	—	有	不存	约200×150	青铜短剑3、铜矛1、剑钩1、剑镖1、铜环1、铜镜1、铜兽形饰2、陶片	单人，头南脚北		石棺墓	Ⅱa	C		《辽宁本溪刘家哨发现青铜短剑墓》，《考古》1992年4期

续表

地点	墓号	方位/（°）	墓葬结构	副棺或耳室	椁或泥框	铺底石	保存程度	尺寸/厘米	随葬器物	人骨葬式	备注	类别	型	群属	期别	出处
本溪市梁家村2	M1	—	存两块大石板	—	—	—	不存	—	青铜短剑1、加重器1、双纽铜镜1	未见		石棺墓		C		《辽宁本溪发现青铜短剑墓》，《考古》1987年2期
	M2	—	只存一块大石板	—	—	—	不存	石板200×150	青铜短剑1	—		石棺墓		C		同上
长海县上马石27	瓮M1	—	圆形墓穴，中间置1瓮，口向上，残存底部	无	无	—	残	—	折沿折肩罐1、石镞1、贝珠1	瓮内盛小孩骨骼，二次葬	石镞出于填土中	瓮棺墓	I			《辽宁长海县上马石青铜时代墓葬》，《考古》1982年6期
	瓮M6	—	圆形墓穴，中间置1瓮，口向下，仅存口部和肩部	无	无	—	残	—	壶1	瓮内盛小孩骨骼，二次葬	壶出自瓮棺外	瓮棺墓	I			同上
	瓮M9	—	圆形墓穴，中间置1瓮，口向下，仅存口部和腹部	无	无	—	残	—	折沿鼓肩罐1	瓮内盛小孩骨骼，二次葬		瓮棺墓	I			同上

续表

地点	墓号	方位/（°）	墓葬结构	副棺或耳室	椁或泥框	铺底石	保存程度	尺寸/厘米	随葬器物	人骨葬式	备注	类别	型	群属	期别	出处
长海县上马石27	瓮M12	—	圆形墓穴，中间置1瓮，口向下，底未铺石板	无	无	—	完好	—	高领折肩壶1	瓮内可能盛小孩骨骼		瓮棺墓	I			同上
	瓮M13	—	圆形墓穴，中间置1瓮，口向下，仅存部分残片	无	无	—	破坏	—	高领折肩壶1	瓮内盛小孩骨骼，二次葬		瓮棺墓	I			同上
	瓮M14	—	圆形墓穴，中间置1瓮，口向下	无	无	—	可复原	—	无	瓮内盛小孩骨骼，二次葬		瓮棺墓	I			同上
	瓮M15	—	圆形墓穴，中间置1瓮，口向上，上盖1石板	无	无	—	瓮棺碎	—	高领折肩壶1、骨管1	骨骼腐朽		瓮棺墓	I			同上
	瓮M16	—	圆形墓穴，中间置1瓮，口向下，仅存部分残片	无	无	—	破坏	—	高领折肩壶1	瓮内盛小孩骨骼，二次葬		瓮棺墓	I			同上

续表

地点	墓号	方位/(°)	墓葬结构	副棺或耳室	椁或泥框	铺底石	保存程度	尺寸/厘米	随葬器物	人骨葬式	备注	类别	型	群属	期别	出处
长海县上马石27	瓮M17	—	圆形墓穴，中间置1瓮，口向下	无	无	—	可复原	—	高足碗2	瓮内盛小孩骨骼，二次葬		瓮棺墓	Ⅰ			同上
	M2	325	贝壳层挖竖穴，无葬具，碎贝壳填土	无	无	无	破坏	墓圹188×80	青铜短剑1	仰身葬		土坑墓	Ⅰa	C		同上
	M3	145	贝壳层挖竖穴，无葬具，碎贝壳填土	无	无	无	破坏	墓圹170×84	青铜短剑1、长颈壶1	仰身葬		土坑墓	Ⅰa	C	2	同上
	M4	360	贝壳层挖竖穴，无葬具，碎贝壳填土	无	无	无	破坏	墓圹188×78	高领罐1	俯身葬	陶罐倒置	土坑墓	Ⅰa	C	2	同上
	M9	360	贝壳层挖竖穴，无葬具，碎贝壳填土	无	无	无	破坏	墓底164×66—90	无	侧身屈肢葬		土坑墓	Ⅰa	C		同上

续表

地点	墓号	方位/（°）	墓葬结构	副棺或耳室	椁或泥框	铺底石	保存程度	尺寸/厘米	随葬器物	人骨葬式	备注	类别	型	群属	期别	出处
新金县王屯3	M1	345	四壁以14块大小略等的石板立砌，上盖完整石板	无	无	无	完好	186×80—（13～24）	长颈壶2、筒腹罐1	不存	东、西壁各以3块石板立砌，外侧再立3块石板加固	石棺墓	Ⅰb	C	1	《辽宁新金县王屯石棺墓》，《北方文物》1988年3期
	M2	45	以7块大小相等的石板盖顶，棺室以10块大小相等的石板立砌	无	无	无	完好	224×60—20	长颈壶1、罐1（不能复原）	腐朽不存	西壁北端加1石板加固	石棺墓	Ⅰc	C	1	同上
	M3	—	—	—	—	—	残	—	高领罐1	—		石棺墓		C	1	同上
新金县碧流河大石盖墓11	M15	25	墓已不存，仅存墓前的小石箱，石箱现存三壁，有底无盖	有	无	—	破坏	石箱100×80—100	长颈壶1、罐1	壶、罐均出自石箱		大石盖墓	Ⅱ	C	2	《辽宁大连新金碧流河大石盖墓》，《考古》1984年8期

续表

地点	墓号	方位/（°）	墓葬结构	副棺或耳室	椁或泥框	铺底石	保存程度	尺寸/厘米	随葬器物	人骨葬式	备注	类别	型	群属	期别	出处
新金县碧流河大石盖墓11	M16	25	墓已不存，仅存墓前的小石箱，石箱现存四壁，有底无盖	有	无	—	破坏	石箱80×60—80	长颈壶1	壶出自石箱		大石盖墓	Ⅱ	C	1	同上
	M21	55	平地向下挖土坑，上盖大石盖，2块大石板	无	无	无	扰动	—	滑石斧范1、砥石1	零星人骨		大石盖墓	Ⅰ	C		同上
	M23	310	平地向下挖长方形土坑，上盖大石盖，2块大石板	无	无	无	扰动	墓坑150×90—50	叠唇筒形罐1、玉斧1	人骨不存		大石盖墓	Ⅰ	C	2	同上
	M24	312	平地向下挖长方形土坑，一侧修建二层台，二层台上有小石箱，整块大石封盖	有	无	无	盖石不存	墓坑150×78—36；盖石268×200—50	罐1（不能复原）、石斧1	人骨腐朽	罐边见禽类骨骼，陶罐出于石箱中	大石盖墓	Ⅱ	C		同上

续表

地点	墓号	方位/（°）	墓葬结构	副棺或耳室	椁或泥框	铺底石	保存程度	尺寸/厘米	随葬器物	人骨葬式	备注	类别	型	群属	期别	出处
新金县核桃沟1		—	板石立砌四壁，上以石板铺盖	有	无	有	—	—	叠唇筒形罐1、高领罐1	—		石棺墓	Ⅰa	C	1	《普兰店市核桃沟石盖石棺墓清理简报》，《大连文物》2000年
新金县双房3	M6	东西向	盖石圆形，侧壁各2块石板，端头1块石板，筑在基岩之上	无	无	无	盖石缺	155×（50～60）—73	青铜短剑1、滑石斧范1、双房式陶壶2、叠唇筒形罐2	无存		石棺墓	Ⅰa	C	1	《辽宁新金县双房石盖石棺墓》，《考古》1983年4期
普兰店单砣子2	M1	—	—	—	—	—	—	—	高领鼓肩罐2、长颈壶1	—		土坑墓	Ⅰ			《貔子窝》，1929年
	M2	—	—	—	—	—	—	—	高领鼓肩罐1、高领长腹罐1、叠唇鼓肩罐1、长颈壶1	—		土坑墓	Ⅰ			同上

续表

地点	墓号	方位/（°）	墓葬结构	副棺或耳室	椁或泥框	铺底石	保存程度	尺寸/厘米	随葬器物	人骨葬式	备注	类别	型	群属	期别	出处
大连市甘井子区双砣子	M1	—	无迹可寻，似为天然断崖下，土石覆盖	—	—	—	破坏	—	青铜短剑1、矮领鼓腹罐1、石纺轮1、环状石器1、石珠1	曾见零碎人骨，未经火烧		—		C		《双砣子与岗上——辽东史前文化的发现和研究》，科学出版社，1996年
大连市旅顺口区尹家村6	M12	东西向	长方形土坑，四壁以石板或石块砌成，残存11块大石，椁盖压于人骨之上，人骨下有板灰痕迹	无	石椁	—	破坏	墓坑237×125—166；墓壁残高45	青铜短剑1、叠唇筒形罐1、高领鼓腹罐2、高柄豆1、高圈足豆2、石棍棒头1	仰身直肢，头向东		—		C	3	同上
吉林永吉星星哨86	AM1	320	盖石5，板石立砌	无	无	无	完好	石棺176×31—52	横桥耳壶1、横桥耳罐1、石凿1、石锛1、石刀1	人骨朽、仰身直肢	罐内有猪颌骨，上有猪牙22枚	石棺墓	Ⅰc	D	2	《永吉星星哨石棺墓及遗址调查》，《考古》1978年3期

续表

地点	墓号	方位/（°）	墓葬结构	副棺或耳室	椁或泥框	铺底石	保存程度	尺寸/厘米	随葬器物	人骨葬式	备注	类别	型	群属	期别	出处
吉林永吉星星哨86	AM3	—	—	无	无	—	—	—	石斧1	—		石棺墓		D		同上
	AM6	—	—	无	无	—	—	—	横桥耳壶1、石斧1	—		石棺墓		D	2	同上
	AM10	—	—	无	无	—	—	—	陶钵1	—		石棺墓		D	2	同上
	AM11	340	盖石4，板石立砌	无	无	无	略残	石棺178×50—49	斜颈壶1、横桥耳钵1、石刀1、石斧1、铜矛1、翡翠坠2	人骨已朽		石棺墓	Ⅰc	D	2	同上
	AM19	20	两侧壁以花岗岩块石垒砌，两端石板立堵，4盖石	无	无	无	完好	石棺255×150—170；墓室231×60—60	横桥耳壶1、罐1（不能复原）、石刀1、石斧1、青铜短剑1、砺石1	—	墓室填土，坚硬	石棺墓	Ⅱb	D	1	《吉林永吉星星哨石棺墓第三次发掘》，《考古学集刊（3）》，1983年

续表

地点	墓号	方位/（°）	墓葬结构	副棺或耳室	椁或泥框	铺底石	保存程度	尺寸/厘米	随葬器物	人骨葬式	备注	类别	型	群属	期别	出处
吉林永吉星星哨86	AM20	343	板石立砌	无	无	—	完好	墓室160×37—44	横桥耳罐1、横桥耳钵1、石斧1、石刀1	人骨已朽，男性	墓室填土，坚硬	石棺墓	Ⅰ	D	1	同上
	AM23	345	板石立砌	无	无	—	完好	墓室160×45—59	竖桥耳长腹壶1、双錾耳碗1、石斧1	已朽，男性	墓室填土，坚硬，猪牙8枚	石棺墓	Ⅰ	D	2	同上
	AM24	326	板石立砌	无	无	—	完好	墓室140×39—45	横桥耳罐1、陶纺轮1、鼎1（残）	完好，女性	墓室填土，坚硬	石棺墓	Ⅰ	D	1	同上
	AM25	320	板石立砌	无	无	—	完好	墓室150×37—46	横桥耳钵1、碗1	朽迹，女性		石棺墓	Ⅰ	D	1	同上
	AM26	340	板石立砌	无	无	—	完好	墓室170×40—60	横桥耳壶1、碗1、石刀1、石斧1	朽迹，男性		石棺墓	Ⅰ	D	1	同上
	AM29	320	块石垒砌	无	无	—	完好	墓室220×72—73	壶1、横桥耳碗1、纺轮1	朽迹，女性	墓室填土，坚硬	石棺墓	Ⅱ	D	2	同上

续表

地点	墓号	方位/（°）	墓葬结构	副棺或耳室	椁或泥框	铺底石	保存程度	尺寸/厘米	随葬器物	人骨葬式	备注	类别	型	群属	期别	出处
吉林永吉星星哨86	AM30	324	板石立砌	无	无	—	完好	墓室162×42—43	横桥耳壶2、横桥耳罐1、石斧1、石刀1、石锛1	已朽，男性	墓室填土，坚硬	石棺墓	Ⅰ	D	1	同上
	AM31	325	板石立砌	无	无	—	完好	墓室184×50—52	竖耳壶1、横桥耳罐1	已朽，男性		石棺墓	Ⅰ	D	1	同上
	AM32	315	板石立砌，棺盖2块板石构成	无	无	无	完好	墓室73×41—19	无	已朽，男性	幼儿棺	石棺墓	Ⅰc	D		同上
	AM33	323	四壁6块板石立砌，棺盖3块石板构成	无	无	无	完好	墓室88×61—30	无	已朽	幼儿棺	石棺墓	Ⅰc	D		同上
	AM34	325	板石立砌	无	无	无	—	墓室130×35—45	壶1、钵1、石斧1、磨棒1	已朽	墓室填土，坚硬	石棺墓	Ⅰ	D	2	同上
	AM35	30	板石立砌	无	无	—	完好	墓室180×55—60	竖耳壶1、碗1、石刀1	朽迹，仰身直肢	墓室填土，坚硬	石棺墓	Ⅰ	D	2	同上，另《图们江流域青铜时代的几个问题》，《北方文物》2002年4期

续表

地点	墓号	方位/（°）	墓葬结构	副棺或耳室	椁或泥框	铺底石	保存程度	尺寸/厘米	随葬器物	人骨葬式	备注	类别	型	群属	期别	出处
吉林永吉星星哨86	BM2	340	盖石5，板石立砌	无	无	无	南端残	石棺160×29—42	斜颈壶1、横桥耳罐1	—	罐内有猪牙2枚	石棺墓	Ⅰc	D	1	《永吉星星哨石棺墓及遗址调查》，《考古》1978年3期
	BM4	—	—	无	无	—	完好	—	双錾耳钵1	—		石棺墓		D	1	同上
	CM1	—	—	无	无	—	完好	—	竖桥耳斜颈壶1	—		石棺墓		D	1	同上
	CM6	335	盖石5块，两侧壁块石垒砌，两端石板立砌	无	无	无	完好	石棺210×70—60	横桥耳壶1、横桥耳罐1、石斧2、半石刀2	人骨已朽，只存痕迹，仰身直肢		石棺墓	Ⅱb	D	2	同上
	CM7	345	板石立砌，盖石5块	无	无	无	完好	石棺160×38—39	陶罐1、石斧1、石刀1	人骨已朽，仅存牙齿2枚		石棺墓	Ⅰc	D		同上
	CM12	—	—	无	无	—	—	—	束颈壶1，余者不详	—		石棺墓		D	1	《图们江流域青铜时代的几个问题》，《北方文物》2002年4期

续表

地点	墓号	方位/（°）	墓葬结构	副棺或耳室	椁或泥框	铺底石	保存程度	尺寸/厘米	随葬器物	人骨葬式	备注	类别	型	群属	期别	出处
吉林永吉星星哨86	CM18	40	棺壁两侧数块板石堆砌，头尾板石立堵，棺盖由大小2块板石构成	无	无	无	完好	棺盖大石板240×90—30；墓室180×36—48	竖耳壶1、碗1、石刀1、石斧1	骨架保存较好，仰身直肢，男性		石棺墓	Ⅰc	D	1	《吉林永吉星星哨石棺墓第三次发掘》，《考古学集刊（3）》，1983年
	CM19	23	板石对砌，棺盖10块条状石板构成	无	无	无	完好	石棺170×90—120；墓室175×82—40	横桥耳壶1、陶纺轮1、石纺轮1	仰身直肢，女性		石棺墓	Ⅰc	D	2	同上
	CM21	48	板石立砌	无	无	—	完好	墓室167×44—33	横桥耳壶1、罐1、石刀1、石斧1、石锛1	人骨完好，仰身直肢，男性	有人骨^{14}C数据	石棺墓	Ⅰ	D	1	同上；另《图们江流域青铜时代的几个问题》，《北方文物》2002年4期
	CM22	50	板石立砌	无	无	—	完好	墓室170×42—40	壶1、碗1、石斧1、刀1	朽迹，仰身直肢，男性		石棺墓	Ⅰ	D	2	《吉林永吉星星哨石棺墓第三次发掘》，《考古学集刊（3）》，1983年

续表

地点	墓号	方位/（°）	墓葬结构	副棺或耳室	椁或泥框	铺底石	保存程度	尺寸/厘米	随葬器物	人骨葬式	备注	类别	型	群属	期别	出处
吉林永吉星星哨86	DM4	10	板石立砌	无	无	—	完好	墓室98×39—40	陶罐1（棺外东北侧）	已朽	儿童棺	石棺墓	Ⅰ	D		同上
	DM5	20	板石立砌	无	无	—	完好	墓室160×40—30	竖桥耳长腹壶1、石斧1	朽迹，仰身直肢，男性		石棺墓	Ⅰ	D	2	同上
	DM6	0	板石立砌	无	无	—	完好	墓室200×80—43	双錾耳束颈壶1、碗1、石斧1、石凿1	朽迹，男性		石棺墓	Ⅰ	D	1	同上
	DM8	0	板石立砌	无	无	—	完好	墓室155×34—40	球腹罐1、横桥耳碗1、石斧1、石刀1	朽迹，仰身直肢，男性		石棺墓	Ⅰ	D	1	同上
	DM9	0	板石立砌	无	无	—	完好	墓室180×38—48	横桥耳罐1、碗1、石斧1、石刀1	已朽，男性		石棺墓	Ⅰ	D	2	同上

续表

地点	墓号	方位/(°)	墓葬结构	副棺或耳室	椁或泥框	铺底石	保存程度	尺寸/厘米	随葬器物	人骨葬式	备注	类别	型	群属	期别	出处
吉林永吉星星哨86	DM11	0	板石立砌	无	无	—	完好	墓室180×40—50	竖耳壶2、石斧2	已朽，仰身直肢，男性		石棺墓	Ⅰ	D	2	同上
	DM12	0	板石立砌	无	无	—	完好	墓室90×60—80	素面长颈壶1、钵1	已朽，女	儿童棺	石棺墓	Ⅰ	D	1	同上
	DM13	60	四壁块石垒砌，数块石板封盖	无	无	无	完好	石棺240×100—130；墓室210×60—57	横桥耳壶1、四纽耳钵1、碗1、石刀1、石斧1、铜矛1	朽迹，仰身直肢，男性		石棺墓	Ⅱb	D	1	同上
	DM15	345	板石立砌	无	无	—	完好	墓室160×40—30	素面长颈壶1、钵1、陶纺轮1、石纺轮1	已朽，女性		石棺墓	Ⅰ	D	2	同上
	DM16	5	四壁块石垒砌，棺盖为3块厚石板	无	无	无	完好	石棺220×90—50；墓室220×92—50	横桥耳壶1、横桥耳钵2、横桥耳罐1、陶纺轮1、石纺轮1、铜泡5、铜镯1付、木梳1、木环1	朽迹，仰身直肢，双手交与胸前，女性		石棺墓	Ⅱb	D	2	同上

续表

地点	墓号	方位/（°）	墓葬结构	副棺或耳室	椁或泥框	铺底石	保存程度	尺寸/厘米	随葬器物	人骨葬式	备注	类别	型	群属	期别	出处
吉林永吉星星哨86	DM18	33	块石垒砌	无	无	—	完好	墓室164×40—50	壶1、碗1、钵1、石斧1	朽迹，仰身直肢，男性	猪牙4枚	石棺墓	Ⅱ	D	2	同上
	DM19	335	块石垒砌	无	无	—	完好	墓室170×45—44	壶1、碗1、石斧1、石锛1	完好，仰身直肢，男性	猪下颌骨	石棺墓	Ⅱ	D	2	同上
	DM21	315	板石立砌，棺盖6块石板构成	无	无	无	完好	石棺140×60—130；墓室140×60—31	横桥耳壶1、横桥耳钵1	已朽，仰身直肢，女性		石棺墓	Ⅰb	D	2	同上；另《图们江流域青铜时代的几个问题》，《北方文物》2002年4期
	DM22	0	板石立砌	无	无	—	完好	墓室175×34—34	壶1、横桥耳钵1	朽迹，仰身直肢，女		石棺墓	Ⅰ	D	1	《吉林永吉星星哨石棺墓第三次发掘》，《考古学集刊（3）》，1983年

续表

地点	墓号	方位/（°）	墓葬结构	副棺或耳室	椁或泥框	铺底石	保存程度	尺寸/厘米	随葬器物	人骨葬式	备注	类别	型	群属	期别	出处
吉林市永吉东梁岗26	82M1	330	板石立砌，盖石2块，底石2块	有	无	有	副棺被扰	墓室164×40—45	铜斧1、石斧2、石刀1、石镞3、玉坠1	骨架基本完好，仰身直肢，男性		石棺墓	Ⅰb	D		《吉林口前蓝旗小团山、红旗东梁岗石棺墓清理简报》，《文物》1983年9期
	82M2	210	板石立砌，盖石不存，底石2块	有	无	有	主棺被扰	墓室145×46—50	横桥耳壶1、鼎1（残）、铜环饰1、石刀1、纺轮2	腐朽不存	陶器出自副棺中	石棺墓	Ⅰ	D	2	同上
	82M3	50	板石立砌，盖石1或2块	无	无	有	主棺被扰	墓室165×40—42	壶1、敛口钵1、白陶管2	不清	陶器出自副棺中	石棺墓	Ⅰ	D	2	同上
	82M4	15	板石立砌，盖石1或2块	无	无	—	被扰	墓室285×132—24	石敲砸器1、石镞1、白陶管5	不清		石棺墓	Ⅰ	D		同上
	82M5	20	板石立砌，盖石1或2块	无	无	有	—	墓室165×42—51	壶1、敛口钵1、碗1、纺轮2、石刀1	葬式不清，女性	陶器出自副棺中	石棺墓	Ⅰ	D	2	同上

续表

地点	墓号	方位/（°）	墓葬结构	副棺或耳室	椁或泥框	铺底石	保存程度	尺寸/厘米	随葬器物	人骨葬式	备注	类别	型	群属	期别	出处
吉林市永吉东梁岗26	82M6	20	板石立砌，盖石1或2块	有	无	—	—	墓室149×42—30	石刀1、石凿1	不清		石棺墓	Ⅰ	D		同上
	82M7	30	板石立砌，盖石1或2块	有	无	有	—	墓室166×54—15	横桥耳壶1、敛口钵1、盘2、石刀1、石斧1、石锛1	不清	陶器出自副棺中	石棺墓	Ⅰ	D	2	同上
	04IM1	北偏东35	块石垒砌，3或4块石封盖，棺尾西侧有土坑	—	无	无	完好	315×160—70	竖桥耳壶1、钵1、石斧1（坑内）；石刀1、石锛1（棺内）	仰身直肢	尾端西部4处可能为随葬坑，坑内3件器物	石棺墓	Ⅱb	D	1	《从东梁岗墓葬看西团山文化墓葬的分期与断代》，吉林大学硕士学位论文，2006年；另李光日未发表之发掘材料
	04IM2	北偏东10	石棺	—	—	—	—	270×150—50	—	—		石棺墓		D		同上
	04IM3	北偏西55	两壁下部板石立砌，上部条石垒砌，盖石4，墓底黄沙土	无	无	无	完好	280×150—60	横桥耳壶1、盆1、石刀1、石斧1	不详		石棺墓	Ⅲb	D	1	同上

续表

地点	墓号	方位/（°）	墓葬结构	副棺或耳室	椁或泥框	铺底石	保存程度	尺寸/厘米	随葬器物	人骨葬式	备注	类别	型	群属	期别	出处
吉林市永吉东梁岗26	04IM4	北偏西10	石棺	—	—	—	—	270×160—50	竖桥耳壶1、横桥耳罐1、陶纺轮1、残陶器1	肢骨有火烧过的痕迹		石棺墓		D	1	同上
	04IM6	—	石棺，底铺2块石板	—	无	有	破坏	—	敛口钵1、纺轮1、石斧1	不详		石棺墓		D	2	同上
	04IM7	北偏西70	板石立砌	无	无	无	破坏	—	无	不详		石棺墓	Ⅰ	D		同上
	04IM8	北偏西60	块石垒砌，墓底黄沙土	无	无	无	破坏，壁石散乱	240×240—50	横桥耳罐2	不详		石棺墓	Ⅱ	D	2	同上
	04IM9	—	石棺，有墓底石2块	—	—	有	—	280×170—60	横桥耳壶1、钵2、石刀1、石锛12、石斧2、石凿1、白石管67	男女合葬，男仰身直肢，女仰身屈肢		石棺墓		D	2	同上

续表

地点	墓号	方位/（°）	墓葬结构	副椁或耳室	椁或泥框	铺底石	保存程度	尺寸/厘米	随葬器物	人骨葬式	备注	类别	型	群属	期别	出处
吉林市永吉东梁岗26	04IM10	北偏西47	石棺	—	—	—	—	260×110—45	竖桥耳壶1、横桥耳钵1、石铲1、石刀1、石凿1、石斧1	不详		石棺墓		D	2	同上
	04IM11	北偏西60	石棺	—	—	—	—	240×130—46	竖桥耳壶1、碗1、石刀1、石铲1	不详		石棺墓		D	2	同上
	04IM12	北偏西70	石棺，墓底铺石	—	—	有	—	290×150—46	横桥耳壶1、双鋬耳钵1、石刀1、陶纺轮1	不详		石棺墓		D	2	同上
	04IM13	北偏西45	石棺	—	—	—	—	240×120—50	横桥耳壶1、鼎1、石斧2、石刀1	侧身屈肢葬		石棺墓		D	2	同上
	04IM14	北偏西45	板石立砌，盖石数块，墓底黄沙土	无	无	无	完好	245×125—50	单横桥耳壶1、横桥耳壶1、石斧1、石刀1	不详		石棺墓	I	D	1	同上

续表

地点	墓号	方位/（°）	墓葬结构	副棺或耳室	椁或泥框	铺底石	保存程度	尺寸/厘米	随葬器物	人骨葬式	备注	类别	型	群属	期别	出处
吉林市永吉东梁岗26	04Ⅰ M15	—	—	—	—	—	—	—	横桥耳壶1、横桥耳罐1、双鋬耳碗1，余者不详	—		石棺墓		D	2	同上
	04Ⅱ M1	北偏东14	板石立砌，盖石7块	无	无	无	完好	220×120—（86~88）	横桥耳壶1、石刀1	不详		石棺墓	Ⅰ	D	1	同上
	04Ⅱ M2	北偏东10	板石立砌，盖石6块	无	无	无	完好	300×150—（110~141）	横桥耳壶1、碗1	不详		石棺墓	Ⅰ	D	2	同上
	04Ⅱ M3	北偏东23	土坑竖穴，无葬具	无	无	无	—	238×100—（150~161）	竖耳长腹壶1	不详	位于西坡最北端	土坑墓		D	1	同上
	04Ⅱ M4	—	板石立砌，2盖石，棺尾外侧有土圹	—	无	无	完好	墓深126~154	壶1、钵2、盘1、陶纺轮1、石刀1	仰身屈肢，上肢环抱胸前，下肢交叉	壶、钵、盘均出自土圹中	石棺墓	Ⅰ	D	2	同上

续表

地点	墓号	方位/（°）	墓葬结构	副椁或耳室	椁或泥框	铺底石	保存程度	尺寸/厘米	随葬器物	人骨葬式	备注	类别	型	群属	期别	出处
吉林市永吉小团山5	M1	325	板石立砌，盖石2块，东、西壁各2块	有？	无	无	副棺被扰	墓室165×42—51	横桥耳壶2、钵1、石刀1、石斧2	仰身直肢，男性	陶器出自棺尾外，不能确定是否有副棺	石棺墓	Ⅰ	D	3	《吉林口前蓝旗小团山、红旗东梁岗石棺墓清理简报》，《文物》1983年9期
	M2	40	块石垒砌	无	无	无	主棺被扰	墓室114×32—35	斜颈壶1、横桥耳罐1	不清	罐中有猪牙	石棺墓	Ⅱ	D	2	同上
	M3	50	块石垒砌，盖石2块，底石6块	无	无	有		墓室165×40—42	石刀1、陶纺轮2	仰身直肢，女性		石棺墓	Ⅱb	D		同上
	M4	70	块石垒砌	无	无	有	被扰	墓室115×34—36	石刀1、石斧1、石锛1	不清		石棺墓	Ⅱ	D		同上
	M5	60	块石垒砌	无	无	有	被扰	墓室97×40—37	未见	不清		石棺墓	Ⅱ	D		同上
吉林市西团山35	48ⅠM2	南北向	—	—	无	—	棺尾破坏	—	横桥耳罐1、石斧1	人骨散失		石棺墓		D		《一九四八、一九四九年西团山发掘记录整理》，《西团山考古报告集》，1987年

续表

地点	墓号	方位/（°）	墓葬结构	副棺或耳室	椁或泥框	铺底石	保存程度	尺寸/厘米	随葬器物	人骨葬式	备注	类别	型	群属	期别	出处
吉林市西团山35	48IM3	南北向	—	—	无	—	只余前部	—	横桥耳壶1、四耳罐1、杯1	人骨散失		石棺墓		D	2	同上
	48IM4	南北向	—	—	无	—	—	—	石斧2、竹针2	存头骨、下颌骨、肋骨	食肉类兽齿	石棺墓		D		同上
	48IM5	南北向	五块碎石砌成	—	无	—	未经扰动	—	石斧2、石镞8、网坠16、骨珠若干	人骨不甚完整		石棺墓	Ⅱ	D		同上
	48IM6	南北向	—	—	无	—	—	—	壶1、罐1、纺轮1	存头骨		石棺墓		D		同上
	48IM7	东南向	—	—	无	—	—	—	无	人骨数片		石棺墓		D		同上
	49IM8	南北向	—	—	无	—	—	棺长75	双耳杯2、双耳罐1	存头骨	小棺，可能仅葬头骨，另烧炭数块	石棺墓		D	2	同上

续表

地点	墓号	方位/（°）	墓葬结构	副棺或耳室	椁或泥框	铺底石	保存程度	尺寸/厘米	随葬器物	人骨葬式	备注	类别	型	群属	期别	出处
吉林市西团山35	49IM9	南北向	棺盖由9块长石铺成	—	无	—	—	—	双耳罐1	腿骨3段		石棺墓		D	2	同上
	49I M10	南北向	—	有	无	—	—	—	壶1、罐3、陶网坠90、石斧3、石刀1、石镞4、骨珠75	大部完整	兽牙1、炭块若干	石棺墓		D		同上
	49I M11	南北向	—	有	无	—	—	—	壶1、杯1、石斧1、石锛1、石镞4、骨珠71	骨骼残破不全	陶器出自副棺内，副棺处有红土	石棺墓		D	3	同上
	49I M12	南北向	—	有	无	—	—	—	横桥耳壶1、双耳杯2、石刀1、石斧2、石镞19	骨骼残破不全	陶器出自副棺内，棺外右侧剔削石刀1	石棺墓		D		同上
	49I M13	南北向	—	有	无	—	—	—	罐2、石斧2、石镞1、骨珠35	不存	陶器出自副棺内，棺侧副棺，左侧棺外小陶壶1	石棺墓		D		同上

续表

地点	墓号	方位/(°)	墓葬结构	副棺或耳室	椁或泥框	铺底石	保存程度	尺寸/厘米	随葬器物	人骨葬式	备注	类别	型	群属	期别	出处
吉林市西团山35	49I M14	南北向	—	有	无	有	棺头破损		杯2、横桥耳罐1、陶纺轮1、纺锤1	不存	陶器出自副棺内	石棺墓		D	2	同上
	49I M15	南北向	—	有	无	—	—	—	壶1、罐1、石刀1	仅存破损头骨，锁骨、下颌骨、有炭块	陶器出自副棺内，棺尾部及内侧有红土，棺侧副棺	石棺墓		D		同上
	48Ⅰ横	—	—	—	无	—	—	—	独耳杯1	小儿头骨	横于ⅠM4、ⅠM5之上	石棺墓		D	2	同上
	48Ⅱ M1	—	—	—	无	—	—	石棺170×40—35	石斧1	仅余下颌、腿骨残片	棺外小石斧1、打制石英片1	石棺墓		D		同上
	48Ⅱ M4	—	—	—	无	—	—	石棺170×40—30	陶纺轮2、石刀1、绿石管1	未见人骨		石棺墓		D		同上

续表

地点	墓号	方位/（°）	墓葬结构	副椁或耳室	椁或泥框	铺底石	保存程度	尺寸/厘米	随葬器物	人骨葬式	备注	类别	型	群属	期别	出处
吉林市西团山35	48ⅡM7	—	—	—	无	—	—	—	四耳罐1、陶网坠2	—		石棺墓		D		同上
	48ⅢM1	—	—	—	无	—	—	—	陶纺锤1、陶网坠17、石斧2、石镞若干	人骨破碎不堪		石棺墓		D		同上
	48ⅢM2	—	—	—	无	—	—	石棺200×50—50	陶鼎1、石斧2、石镞5	未见人骨	棺尾涂红色，放有红石	石棺墓		D		同上
	50M1	290	13块大石立砌，盖石4、北壁4、南壁3、首尾各1	有	无	有	完好	石棺170×35—40	横桥耳壶1、钵1、碗1、陶纺轮1、石刀1、砍砸器1、饰物2	骨架不甚完整，仰身屈肢	壶于副棺中，下颌骨下有一小块木炭，上肢骨旁有猪臼齿	石棺墓	Ⅰ	D	2	《一九五〇年西团山发掘报告资料摘录》，《西团山考古报告集》，1987年；《吉林西团山石棺墓发掘报告》，《考古学报》1964年1期

续表

地点	墓号	方位/（°）	墓葬结构	副棺或耳室	椁或泥框	铺底石	保存程度	尺寸/厘米	随葬器物	人骨葬式	备注	类别	型	群属	期别	出处
吉林市西团山35	50M2	23	块石垒砌，盖石由6块石板构成	有	无	有	完好	石棺112×28—20	双鋬耳钵1	仅见小儿牙齿	钵于副棺中	石棺墓	Ⅱb	D		同上
	50M3	45	四壁5块石板，西壁1，东壁2，首尾各1	无	无	有	完好	石棺77×30—17	无	小儿牙齿及头骨碎片	棺内木炭1片	石棺墓	Ⅰa	D		同上
	50M4	35	东西两壁平砌石块，两端板石立堵，3块盖石	无	无	有	完好	石棺200×64—60	壶3、敛口钵2、纺轮4、石刀1、砥石1、砍砸器1、网坠1、石珠11	头骨、股骨、髋骨保存尚好	棺内发现猪下颌骨	石棺墓	Ⅱb	D	2	同上
	50M5	37	四壁板石立砌	无	无	无	—	石棺180×40—38	横桥耳壶1、石刀2、石斧2	腐朽、屈下肢	棺东一块烧土	石棺墓	Ⅰ	D	2	同上
	50M6	29	两壁横砌大石，中间夹有小石首尾石板立堵，棺盖2大石平铺	无	无	有	完好	石棺176×45—40	横桥耳罐1、钵1、石刀2、纺轮2、野猪牙饰1	保存尚好，人骨移动	棺内发现猪下颌骨	石棺墓	Ⅳ	D	2	同上

续表

地点	墓号	方位/(°)	墓葬结构	副棺或耳室	椁或泥框	铺底石	保存程度	尺寸/厘米	随葬器物	人骨葬式	备注	类别	型	群属	期别	出处
吉林市西团山35	50M7	39	块石垒砌，数块盖石封盖	无	无	有	盖石不全	石棺174×41—50	双盲耳壶1、双盲耳钵1、打制石镞3、	股骨、头骨保存尚好，余皆腐朽		石棺墓	Ⅱb	D	2	同上
	50M8	34	板石立砌，盖石3大3小	有	无	有	完好	石棺145×30—35	横桥耳壶1（残）、盘1、三足器1、石刀1、纺轮1	头骨、下肢存好，屈下肢	随葬品皆出自副棺，棺侧副棺	石棺墓	Ⅰ	D	3	同上
	50M9	27	块石垒砌，首尾板石立堵，盖石1大2小	有	无	有	完好	石棺164×35—45	横桥耳罐1、钵1、纺轮2、石刀1	多已腐朽，下肢屈，另见幼儿桡骨	棺内发现猪下颌骨，罐、钵出自副棺	石棺墓	Ⅱb	D	2	同上
	50M10	22	块石垒砌，两端板石立堵，3大石覆盖	无	无	有		石棺180×54—50	横桥耳壶1、钵1、纺轮2、石刀1、砍砸器1	人骨仅存一半，屈下肢，部分移位	棺内猪牙多枚	石棺墓	Ⅱb	D	3	同上

续表

地点	墓号	方位/（°）	墓葬结构	副棺或耳室	椁或泥框	铺底石	保存程度	尺寸/厘米	随葬器物	人骨葬式	备注	类别	型	群属	期别	出处
吉林市西团山35	50M11	37	块石垒砌，盖石余两块	无	无	有	小半被拆用	石棺 80×44—50	石锛1	下肢完整，上肢被移动	被M10打破，部分棺石被拆用	石棺墓	Ⅱb	D		同上
	50M12	15	大型块石垒砌，4盖石封盖，底铺1块平整大石	有	无	有	完好	石棺 93×24—22	碗1、石珠7	小儿头骨碎片，多处小儿门齿、臼齿	棺内发现猪下颌骨，副棺内碗1	石棺墓	Ⅱb	D	2	同上
	50M13	20	板石立砌，2大石板封盖	有	无	有	略残	石棺 160×39—38	横桥耳壶1、纺轮2、石刀1	人骨保存尚好，下肢交压	棺首外有红烧土	石棺墓	Ⅰ	D	2	同上
	50M14	34	板石立砌，4盖石封盖	有	无	无	完好	石棺 136×41—43	横桥耳壶1、杯2、石刀1、纺轮1	骨架被移动，尚存股骨、胫骨	棺内猪犬齿，陶器出自副棺	石棺墓	Ⅰ	D	2	同上
	50M15	南北向	板石立砌，4盖石封盖	有	无	有	完好	石棺 157×26—22	横桥耳壶1、石刀1、石珠17	人骨腐朽甚，经扰乱		石棺墓	Ⅰ	D	2	同上

续表

地点	墓号	方位/（°）	墓葬结构	副棺或耳室	椁或泥框	铺底石	保存程度	尺寸/厘米	随葬器物	人骨葬式	备注	类别	型	群属	期别	出处
吉林市西团山35	50M16	40	盖石由2块大石组成	有	无	有	副棺倾斜	石棺142×40—41	横桥耳壶1、三足器1、纺轮1	无头骨，余者完好无缺，屈下肢		石棺墓	Ⅰ	D	3	同上
	50M17	295	板石立砌，3块板石覆盖	有	无	有	副棺倾斜	石棺138×40—40	罐1、石刀1、纺轮1	保存较好，仰面屈肢葬	棺侧副棺，副棺处有猪下颌骨	石棺墓	Ⅰ	D	2	同上
	50M18	50	块石垒砌，两侧板石封堵，2块大石封盖	有	无	有	完好	石棺185×58—54	横桥耳壶1、碗口残片1、石珠25、骨锥1	大体完整，屈下肢，头骨旁有猪牙齿	盖石中部有猪下颌骨，棺内有烧骨、木炭、烧土	石棺墓	Ⅱb	D	2	同上
	50M19	48	板石立砌，两端立堵，盖石7块	有	无	有	完好	石棺167×34—32	横桥耳壶1、横桥耳罐1、钵2、石镞12、石斧1、石珠1	头骨破碎，股骨尚好	陶器出自副棺中	石棺墓	Ⅰ	D	1	同上

续表

地点	墓号	方位/（°）	墓葬结构	副棺或耳室	椁或泥框	铺底石	保存程度	尺寸/厘米	随葬器物	人骨葬式	备注	类别	型	群属	期别	出处
吉林市西团山35	56M1	南偏西28	块石垒砌，两端整块石立堵，棺盖由10多块石合盖	无	无	有	完好	墓室129×30.4—35	鋬耳壶1	大部已朽，仅存2臼齿	根据牙齿判断可能为小孩墓	石棺墓	Ⅱb	D		《吉林西团山子石棺墓发掘记》，《考古》1960年4期
	56M2	南偏西45	块石垒砌，两端整块石立堵	无	无	有	盖石受损	墓室155×35—41	斜颈壶2、石斧1、石锛1、石镞5	已朽，仅存左腿骨，仰身直肢		石棺墓	Ⅱ	D	2	同上
蛟河市小南沟2	1号墓	10	盖石残缺，侧壁石板立砌与条石垒砌混和，两端石板立堵，墓底石板平铺	无	无	有	顶部破坏	173×53—50	平底陶器1（无法复原）、圈足器1、石斧1、石锛1、石凿1、石镞2	未见	近棺底处有灰褐色胶泥	石棺墓	Ⅲb	D		《吉林蛟河县石棺墓清理》，《考古》1964年2期
	2号墓	正南北向	盖石残缺，侧壁石板立砌与条石垒砌混和，两端石板立堵，墓底石板平铺	—	无	有	近北端破坏	残95×（50～65）—40	石斧1、石镞5	未见		石棺墓	Ⅲb	D		同上

续表

地点	墓号	方位/（°）	墓葬结构	副棺或耳室	椁或泥框	铺底石	保存程度	尺寸/厘米	随葬器物	人骨葬式	备注	类别	型	群属	期别	出处
吉林市永吉旺起屯9	1号墓	南北向	块石垒砌，两端立堵，整块石板封盖	无	无	—	—	宽90、深50～70	敛口钵1、陶纺轮2、石斧3、石刀1	5个头骨，头北足南		石棺墓	Ⅱa	D	3	《吉林省永吉旺起屯新石器时代石棺墓发掘简报》，《考古》1960年7期
	2号墓	—	块石垒砌，两端立堵	无	无	—	—	宽40	石镞3、石斧2、石凿1	—		石棺墓	Ⅱ	D		同上
	东区5号墓	约北偏西23	侧壁块石垒砌，两端板石立堵	无	无	—	—	约198×63	敛口罐1、石斧2、石刀1、石镞4、石锛1	头骨残片		石棺墓	Ⅱ	D	2	同上
吉林市永吉东响水1		—	石棺	—	—	—	破坏	—	横桥耳罐1、青铜矛1、石刀1、石凿1、石镞10余件、白石管57	—		石棺墓		D	2	《永吉发现一座青铜时代石棺墓》，《博物馆研究》1990年2期

续表

地点	墓号	方位/（°）	墓葬结构	副椁或耳室	椁或泥框	铺底石	保存程度	尺寸/厘米	随葬器物	人骨葬式	备注	类别	型	群属	期别	出处
吉林市泡子沿前山13	M3	355	盖石8块，两侧壁由1至2层石砌，两端板石立堵，底铺5块板石	无	无	有	完好	墓室205×38—32	石斧1、青铜刀1	部分股骨，仰身直肢	盖石上面有黄泥层，两壁块石间少许黄泥勾缝	石棺墓	Ⅱb	D		《吉林市泡子沿前山遗址和墓葬》，《考古》1985年6期
	M10	310	盖石4块，四壁板石立砌，棺底自然山岩	无	无	无	完好	墓室103×16—34	无	—	儿童棺	石棺墓	Ⅰa	D		同上
	M9	320	块石垒砌	—	—	—	—	墓室110×27—34	石斧1、石锛1	腐朽不存		石棺墓	Ⅱ	D		同上
	W2	—	棺盖为整块板石，折肩横桥耳壶打掉颈部以上为葬具	无	无	无	完好	瓮棺残高33.8、口径29、肩径41、底径10.9	白石管1	完整幼儿骨架，周岁左右，屈肢葬	位于F4居住面下	瓮棺葬	Ⅲ	D	3	同上

续表

地点	墓号	方位/（°）	墓葬结构	副棺或耳室	椁或泥框	铺底石	保存程度	尺寸/厘米	随葬器物	人骨葬式	备注	类别	型	群属	期别	出处
舒兰县黄鱼圈1	M1	东北西南	四壁以碎山石垒砌，底铺碎石	无	无	有	未见盖石	220×100—25	直领壶1、陶罐9、陶杯2、陶豆1（均明器）、石镞1（填土中）	未见，推测头北足南			Ⅱ	F		《吉林舒兰黄鱼圈珠山遗址清理简报》，《考古》1985年4期
吉林市长蛇山4	57M2	70	盖石5块，四壁块石垒砌和石板立砌结合，两端板石立堵墓底修筑于花岗岩上	无	无	无	完好	墓室180×（36～40）—50	石斧1、石刀1	腐朽		石棺墓	Ⅲa	D		《吉林长蛇山遗址的发掘》，《考古》1980年2期
	63M1	70	土圹，无石棺，墓内散落小型块石，填满黑灰土	无	无	无	—	墓室210×（86～78）—33	铜矛1、玛瑙管1	骨架无存				D		同上
磐石吉昌小西山6	甲M1	330	盖石残存5块，板石立砌，棺盖由7块石板	无	无	无	完好	墓室164×40—33	横桥耳罐1、石镞1	多腐朽		石棺墓	Ⅰc	D	3	《吉林磐石吉昌小西山石棺墓》，《考古》1984年1期

续表

地点	墓号	方位/（°）	墓葬结构	副棺或耳室	椁或泥框	铺底石	保存程度	尺寸/厘米	随葬器物	人骨葬式	备注	类别	型	群属	期别	出处
磐石吉昌小西山6	甲M2	350	四壁块石垒砌，棺盖残	—	无	有	残	墓室残125×65—40	青铜短剑1、石佩饰1、打制刮削器1	单人仰身直肢葬		石棺墓	Ⅱ	D		同上
	乙M2	250	盖石5块，两壁下层板石立砌，上层铺一层块石，棺盖5块石板	无	无	无	完好	墓室160×78—38	横桥耳罐1、石斧1	—		石棺墓	Ⅲb	D	2	同上
	乙M3	250	盖板3块，侧壁块石垒砌，棺尾石板立砌，副棺4块石板立砌，棺盖3块石板，墓底小板石2块	有	无	有	一端残	墓室190×（47~58）—52；副棺24×32—52	罐形鼎1、石斧1、石镞5、双耳罐1（副棺内，已破碎）	多腐朽	棺平面梯形	石棺墓	Ⅰc	D	3	同上
	乙M4	280	两侧壁块石垒砌，两端石板立堵，整块盖石封顶	无	无	无	完好	墓室202×（60~70）—70	横桥耳罐1、假圈足碗1、石凿1、石镞7、铜斧1、铜镞1	腐朽，仅见1门齿		石棺墓	Ⅱa	D	2	同上

续表

地点	墓号	方位/（°）	墓葬结构	副椁或耳室	椁或泥框	铺底石	保存程度	尺寸/厘米	随葬器物	人骨葬式	备注	类别	型	群属	期别	出处
吉林市猴石山160	76M1	345	数块石板盖，侧壁块石垒砌，两端板石立堵	无	无	—	完好	墓室226×60—86	铜削1（麻布包裹）	未见	M1棺尾叠压M2棺头	石棺墓	Ⅱb	D		《吉林猴石山遗址发掘简报》，《考古》1980年2期
	76M2	337	数块石板盖、侧壁块石垒砌，两端板石立堵底石上有黄黏土台	无	黄泥土台	有	完好	墓室230×50—60	翡翠坠2、白石管10、陶盅1	盆骨、腿骨，仰身直肢，女性	人骨放于土台之上	石棺墓	Ⅱc	D		同上
	76M3	正南北向	数块石板盖、侧壁块石垒砌，两端板石立堵	无	黄泥土框	有	完好	墓室224×70—75	素面长颈壶1、石斧1	头骨、股骨、盆骨，单人		石棺墓	Ⅱc	D	3	同上
	79西M10	40	数块石板盖、侧壁块石垒砌，两端板石立堵	无	无	无	—	石棺180×32—40	陶纺轮1、野猪牙饰1	仰身直肢		石棺墓	Ⅱb	D		《吉林市猴石山遗址第二次发掘》，《考古学报》1993年3期
	79西M12	25	盖石4，两侧壁块石垒砌，两端板石堵	无	无	无	完好	石棺253×66—50	铜刀1、石斧1、石锛1、陶网坠9	头骨已朽，存腿骨残段		石棺墓	Ⅱb	D		同上

续表

地点	墓号	方位/（°）	墓葬结构	副棺或耳室	椁或泥框	铺底石	保存程度	尺寸/厘米	随葬器物	人骨葬式	备注	类别	型	群属	期别	出处
吉林市猴石山160	79西M17	25	数块石板盖、侧壁块石垒砌，两端板石立堵	无	有	有	—	石棺270×90—50	壶1、钵1、铜钩饰1、野猪牙饰1、白石管25	—		石棺墓	Ⅱb	D	3	同上
	79西M18	23	盖石5，两壁块石垒砌，两端各一板石立堵	无	黄泥土框	有	完好	石棺280×70—50	陶碗1、陶壶1、青铜刀1、铜扣5、铜坠饰5、镂空菱形饰1、石剑1、石锛1、石斧2、陶网坠15、白石管53	人骨已朽，存少量牙齿、上肢骨和趾骨	泥框与棺壁间有木痕	石棺墓	Ⅱb	D		同上
	79西M19	20	盖石9，两侧壁石块垒砌，两端石板立砌	有	黄泥土框	有	完好	石棺235×80—60	横耳罐1、陶壶1、铜矛1、铜斧1、铜镜2、铜刀1、石斧3、石铲1、石刮削器1、白石管77	仰身直肢	泥框与棺壁间或有木头	石棺墓	Ⅱb	D	3	同上

续表

地点	墓号	方位/（°）	墓葬结构	副棺或耳室	椁或泥框	铺底石	保存程度	尺寸/厘米	随葬器物	人骨葬式	备注	类别	型	群属	期别	出处
吉林市猴石山160	79西M20	27	数块石板盖、侧壁块石垒砌，两端板石立堵	无	有	有	—	石棺282×68—52	壶1、铜连珠饰2、玉坠2、白石管7、野猪牙饰1	—		石棺墓	Ⅱb	D	3	同上
	79西M22	38	数块石板盖、侧壁块石垒砌，两端板石立堵	有	黄泥土框	有	—	石棺315×50—45	壶1、碗1、铜刀1、石斧1、石锛1	仰身直肢		石棺墓	Ⅱb	D		同上
	79西M26	27	块石垒砌，两端板石立堵，数块不规则石板盖	无	无	无	—	石棺210×32—32	铜剑1（残，可能为矛）、白石管6	仰身直肢		石棺墓	Ⅱb	D		同上
	79西M31	38	块石垒砌，两端板石立堵，数块石板封盖	无	无	无	—	石棺160×37—27	陶纺轮1	仰身直肢		石棺墓	Ⅱb	D		同上
	79西M33	45	数块石板盖、侧壁块石垒砌，两端板石立堵	无	有	有	—	石棺240×50—55	壶1、鼎1、铜刀1、铜镜1、石斧1、石锛1、绿石管1、白石管12	仰身直肢		石棺墓	Ⅱb	D	3	同上

续表

地点	墓号	方位/（°）	墓葬结构	副棺或耳室	椁或泥框	铺底石	保存程度	尺寸/厘米	随葬器物	人骨葬式	备注	类别	型	群属	期别	出处
吉林市猴石山160	79西M36	15	块石垒砌，两端板石立堵，数块石板封盖	无	无	无	—	石棺102×12—22	壶1、碗1	—		石棺墓	Ⅱb	D	3	同上
	79西M42	35	数块石板盖、侧壁块石垒砌，两端板石立堵	有	黄泥土框	有	—	石棺258×60—40	鼎1、石斧1	—		石棺墓	Ⅱb	D	3	同上
	79西M43	26	数块石板盖、侧壁块石垒砌，两端板石立堵	无	有	有	—	石棺255×60—50	壶1、碗1、铜刀1、铜斧1、铜矛1、铜镜1、钩形饰2、白石管45、玉坠2、绿松石饰1	—		石棺墓	Ⅱb	D		同上
	79西M44	30	块石垒砌，两端板石立堵，数块石板封盖	无	无	无	—	石棺171×34—30	石镞1	仰身直肢		石棺墓	Ⅱb	D		同上

续表

地点	墓号	方位/（°）	墓葬结构	副棺或耳室	椁或泥框	铺底石	保存程度	尺寸/厘米	随葬器物	人骨葬式	备注	类别	型	群属	期别	出处
吉林市猴石山160	79西M47	14	数块石板盖、侧壁块石垒砌，两端板石立堵	无	有	有	—	石棺295×58—50	壶1、铜刀1、石斧1、穿孔器1、网坠13	—		石棺墓	Ⅱb	D		同上
	79西M50	38	数块石板盖、侧壁块石垒砌，两端板石立堵	无	有	有	—	石棺286×76—45	壶1、石斧1、纺轮1、白石管6	—		石棺墓	Ⅱb	D		同上
	79西M55	30	块石垒砌，两端板石立堵，数块石板封盖	无	无	无	—	石棺220×38—46	绿石管1、白石管15、玛瑙管2	仰身直肢		石棺墓	Ⅱb	D		同上
	79西M56	30	块石垒砌，两端板石立堵，数块石板封盖	无	无	无	—	石棺164×24—32	壶1、碗1、石斧1、白石管18、玛瑙管1	仰身直肢		石棺墓	Ⅱb	D		同上
	79西M57	25	数块石板盖、侧壁块石垒砌，两端板石立堵	无	黄泥土框	有	—	石棺240×53—50	壶2、纺轮2、白石管4	—		石棺墓	Ⅱb	D	3	同上

续表

地点	墓号	方位/（°）	墓葬结构	副棺或耳室	椁或泥框	铺底石	保存程度	尺寸/厘米	随葬器物	人骨葬式	备注	类别	型	群属	期别	出处
吉林市猴石山160	79西M59	30	数块石板盖、侧壁块石垒砌，两端板石立堵	无	黄泥土框	有	—	石棺214×46—56	壶2、石斧1、白石管5、玛瑙管1	—		石棺墓	Ⅱb	D	3	同上
	79西M60	20	数块石板盖、侧壁块石垒砌，两端板石立堵	无	黄泥土框	有	—	石棺247×56—58	壶1、盆1、铜刀1、石斧1、石锛1、石镞11、绿石管1、玉坠1、白石管104	—		石棺墓	Ⅱb	D	3	同上
	79西M62	24	数块石板盖、侧壁块石垒砌，两端板石立堵	无	黄泥土框	有	—	石棺285×50—40	铜刀1、石斧1、砥石1、绿石管1、白石管31、玛瑙管1	—		石棺墓	Ⅱb	D		同上
	79西M70	50	块石垒砌，两端板石立堵，数块不规则石板盖	无	黄泥土框	有	—	石棺285×52—35	陶盅1、铜泡13、铜钩饰2、铜片1、纺轮2、绿石管1、白石管420、玛瑙管4、野猪牙饰1	仰身直肢		石棺墓	Ⅱb	D		同上

续表

地点	墓号	方位/（°）	墓葬结构	副棺或耳室	椁或泥框	铺底石	保存程度	尺寸/厘米	随葬器物	人骨葬式	备注	类别	型	群属	期别	出处
吉林市猴石山160	79西M71	52	块石垒砌，两端板石立堵，数块不规则石板盖	无	无	无	—	石棺168×35—36	石锛1、石斧2	仰身直肢		石棺墓	Ⅱb	D		同上
	79西M80	30	块石垒砌，两端板石立堵，数块不规则石板盖	无	有	无	—	石棺222×55—55	杯1、纺轮1	—		石棺墓	Ⅱb	D	3	同上
	79西M83	41	盖石7，两侧壁和底为土圹，两端石板立堵	无	无	无	完好	201×40—38	石球1、石凿1、石斧2、砥石1	存头骨、下肢骨残段，仰身直肢				D		同上
	79西M88	37	块石垒砌，两端板石立堵，数块不规则石板盖	无	无	无	—	石棺188×31—35	铜斧1、铜扣1	仰身直肢		石棺墓	Ⅱb	D		同上
	80东M3	300	竖穴土坑，坑尾立一石板，头下平铺一石板，无盖石	无	无	有	无盖石	240×100—40	石斧1	头骨已朽，仰身直肢		土坑墓		D		同上

续表

地点	墓号	方位/（°）	墓葬结构	副棺或耳室	椁或泥框	铺底石	保存程度	尺寸/厘米	随葬器物	人骨葬式	备注	类别	型	群属	期别	出处
吉林市猴石山160	80东M6	305	盖石6，两侧壁块石垒砌，两端板石立堵，底铺石板，黄泥抹平棺底	无	黄泥土台	有	完好	石棺280×95—47	陶纺轮1	—	盖和四壁石缝以胶泥勾缝	石棺墓	Ⅱc	D		同上
	80南M1	24	块石垒砌，两端板石立堵，数块石板封盖	无	无	有	—	石棺220×35—40	石锛1、穿孔石珠1	—		石棺墓	Ⅱb	D		同上
	80南M5	30	块石垒砌，两端板石立堵，数块不规则石板盖	无	无	有	—	石棺212×52—34	石斧2	—		石棺墓	Ⅱb	D		同上
	80南M7	17	棺盖以板石、不规则形块石封盖，两壁石条、块石垒砌，底铺5块石板	无	无	有	完好	石棺200×36—40	白石管45	人骨已朽		石棺墓	Ⅱb	D		同上

续表

地点	墓号	方位/（°）	墓葬结构	副棺或耳室	椁或泥框	铺底石	保存程度	尺寸/厘米	随葬器物	人骨葬式	备注	类别	型	群属	期别	出处
吉林市猴石山160	80南M13	360	块石垒砌，两端板石立堵，数块不规则石板盖	无	无	有	—	石棺192×60—45	陶盅1	—		石棺墓	Ⅱb	D		同上
	80西M15	310	棺盖以板石、不规则形块石封盖，侧壁石砌，底为基岩	无	黄泥土框	无	完好	石棺230×50—48	青铜刀1、玉坠2、白石管1，石斧1、石锛1、石凿1（此3件为棺外）	存牙齿、盆骨、腿骨，仰身直肢		石棺墓	Ⅱb	D		同上
吉林市江北土城子26	M2	近南北向	两壁块石垒砌，里壁求齐，板石封盖	无	无	有	—	—	石斧2、青铜刀1	腐朽		石棺墓	Ⅱ	D		《吉林江北土城子附近古文化遗址及石棺墓》，《考古通讯》1955年创刊号
	M4	东西向	两壁块石垒砌，里壁求齐，数块板石封盖	无	无	有	—	—	陶盅2	腐朽	棺尾有炭灰	石棺墓	Ⅱb	D		同上

续表

地点	墓号	方位/（°）	墓葬结构	副棺或耳室	椁或泥框	铺底石	保存程度	尺寸/厘米	随葬器物	人骨葬式	备注	类别	型	群属	期别	出处
吉林市江北土城子26	M8	—	两壁块石垒砌，里壁求齐，数块板石封盖	无	无	有	—	—	石斧2	—	棺盖前端碗1	石棺墓	Ⅱb	D	2	《吉林江北土城子古文化遗址及石棺墓》，《考古学报》1957年1期
	M10	近东西向	两壁块石垒砌，里壁求齐，数块板石封盖	无	无	有	完好	棺内约130×45—40	铜刀1、白石管2	—	棺外陶壶1	石棺墓	Ⅱb	D		同上
	M11	近东西向	两壁块石垒砌，里壁求齐，数块板石封盖	无	无	有	完好	棺内约200×50—40	无	—		石棺墓	Ⅱb	D		同上
	M12	东西向	两壁块石垒砌，里壁求齐，数块板石封盖	无	无	有	完好	棺内约190×55—40	陶盅2、玛瑙珠1、白石管25	—	棺盖处散布猪牙	石棺墓	Ⅱb	D		同上
	M13	近东西向	两壁块石垒砌，里壁求齐，数块板石封盖	无	无	有	完好	棺内约210×55—40	无	—	棺盖处散布猪牙	石棺墓	Ⅱb	D		同上

续表

地点	墓号	方位/（°）	墓葬结构	副棺或耳室	椁或泥框	铺底石	保存程度	尺寸/厘米	随葬器物	人骨葬式	备注	类别	型	群属	期别	出处
吉林市江北土城子26	M20	东北西南	两壁块石垒砌，里壁求齐，数块板石封盖	无	无	有	完好	棺内约190×50—40	石斧1、石锛1、石凿1、白石管4	存腿骨		石棺墓	Ⅱb	D		同上
	M22	东西向	两壁块石垒砌，里壁求齐，数块板石封盖	无	无	有	完好	棺内约150×55—50	网坠32、石斧1、石锛1、翡翠坠1、白石管20	存头骨、腿骨		石棺墓	Ⅱb	D		同上
	M24	—	两壁块石垒砌，里壁求齐，数块板石封盖	无	泥框	有	完好	棺内约210×50—40	连珠状青铜饰14	—	棺盖处散布猪牙，棺盖左侧横桥耳罐1	石棺墓	Ⅱb	D	3	同上
磐石县汶水后山2	M1	320	土圹竖穴石棺，板石立砌，有盖石无底石	—	无	无	尾部破坏	石棺残130×50—45	斜颈壶1、石斧1	仰身，下肢相交	土圹壁经烧烤，形成烧土壁	石棺墓	Ⅰ	D	3	《磐石县汶水后山石棺墓清理简报》，《西团山文化考古报告集》，1992年

续表

地点	墓号	方位/（°）	墓葬结构	副棺或耳室	椁或泥框	铺底石	保存程度	尺寸/厘米	随葬器物	人骨葬式	备注	类别	型	群属	期别	出处
桦甸二道甸子3		—	以板石立砌，底、盖、两侧壁用石2块，两端各1，用石加工规整	无	无	有	—	—	铜斧1、石斧2、石镞25（3墓共出）	—	遗物由工人掘出，出土情况不明	石棺墓	Ⅰa	D		《吉林省桦甸二道甸子发现石棺墓》，《考古通讯》1956年5期
吉林市郊二道水库狼头山14	M101	正东西向	盖石缺失，侧壁4块石板立砌，两端各1石板，底2薄石板平铺	有	无	有	盖石缺	石棺304×134—65	横桥耳壶、钵、石斧、石铲、石锛、石凿、石镞、铜斧、铜刀、翡翠坠等计18件	腐朽不存	棺底有极薄一层类似草梗类的铺垫物	石棺墓	Ⅰ	D	3	《吉林市郊二道水库狼头山石棺墓地发掘简报》，《北方文物》1989年4期
	M102	北偏西15	盖石2、石板立砌，底铺3块薄石板	无	无	有	缺1块盖石	石棺184×80—48	铜钩形器、铜泡、陶纺轮、石刀、白石管等计49件	不存	填土含木炭碎块，但无火烧痕迹，近底部有黏土层	石棺墓	Ⅰa	D		同上

续表

地点	墓号	方位/（°）	墓葬结构	副棺或耳室	椁或泥框	铺底石	保存程度	尺寸/厘米	随葬器物	人骨葬式	备注	类别	型	群属	期别	出处
吉林市郊二道水库狼头山14	M103	—	板石立砌	—	—	—	—	—	铜扣、纺轮等	—		石棺墓	Ⅰ	D		同上
	M105	—	板石立砌	—	—	—	—	—	长颈壶、碗、网坠等	—		石棺墓	Ⅰ	D	3	同上
	M106	南偏东38	存盖石1，侧壁块石垒砌，两端板石立堵，底为基岩	无	无	无	盖石缺	石棺190×100—（50～55）	石纺轮1	不存	—	石棺墓	Ⅱb	D		同上
	M109	北偏西60	整块石板为盖，两侧壁块石垒砌，两端板石立堵，底铺8块石板	有	无	有	完好	石棺225×110—（45～52）	横桥耳罐1、铜丝圈1、陶纺轮1	存头骨、下肢骨，推测为直肢葬		石棺墓	Ⅱa	D	3	同上
吉林市两半山1	M1	260	盖石3块，侧壁厚石板立砌，上部不平处填以小石块，底石4块	无	无	有	东南角残缺	棺内136×（25～30）—（37～40）	长颈壶1、陶碗2、陶纺轮2、石刀1	顶骨、枕骨头向西，面上，推测为仰身葬	陶碗用废弃鬲腿改制	石棺墓	Ⅰc	D	3	《吉林两半山遗址发掘报告》，《考古》1964年1期

续表

地点	墓号	方位/（°）	墓葬结构	副棺或耳室	椁或泥框	铺底石	保存程度	尺寸/厘米	随葬器物	人骨葬式	备注	类别	型	群属	期别	出处
吉林市骚达沟28	山顶大棺	北偏东8	岩圹，四壁、底石、盖石均为巨型整块花岗岩，交接处修成直角，壁石上端垒叠小石	无	无	有	盖石裂为4块	岩矿250×150—150	双鋬耳壶1、曲颈壶1、铜斧1、铜刀2、鸣镝1、铜扣13、配饰48、陶纺轮1、石刀1	完好，头北，仰身屈肢，双手交叉放于腰部，小腿弯向东侧		石棺墓	Ⅰa	D	3	《吉林市骚达沟山顶大棺整理报告》，《考古》1985年10期
	49JSM3	南偏西12	盖石4块，两侧壁石块垒砌，两端板石立堵	有	无	—	完好	棺内208×（51～56.6）—（51～55）	敛口罐1、石斧1、石刀1、石凿1、石镞3、石球1	单人，仰身屈肢，推测为55岁以上男性	罐内装猪下颌骨	石棺墓	Ⅱb	D	2	同上
	49JSM4	南偏西20	盖石3块，两侧壁块石垒砌，两端石板立堵，底铺2块石板	有	无	有	完好	棺内190×（57～65）—（50～60）	横桥耳壶1、陶钵1、玉斧1、石斧3、石镞3、石凿1、青铜连珠状饰物9、野猪牙饰4、五边六孔骨饰1	保存较好，为侧首仰身屈肢葬，55岁左右男性	陶器置于副棺内	石棺墓	Ⅱb	D	3	同上

续表

地点	墓号	方位/（°）	墓葬结构	副椁或耳室	椁或泥框	铺底石	保存程度	尺寸/厘米	随葬器物	人骨葬式	备注	类别	型	群属	期别	出处
吉林市骚达沟28	49JS M5	南偏西4	整块盖石封顶，侧壁花岗岩块石垒砌，两端板石立堵	有	无	有	冲毁副棺残缺	棺内176×（49～51）—（31～49）	陶纺轮1	存部分腿骨和下颌骨		石棺墓	Ⅱa	D		同上
	49JS M6	东偏南9	全部花岗岩垒砌成，盖石5块	无	无	有	破坏副棺残缺	棺内220×39—（31～44）	横桥耳壶1、钵1、石斧1、石刀1、野猪牙饰1	人骨保存较好，侧首仰身下肢直伸葬，18岁左右女性	棺内有猪下颌骨	石棺墓	Ⅱb	D	2	同上
	49JS M8	东偏南25	盖石2块，棺壁青石垒砌	有	无	—	尚好	棺内190×65—57	横桥耳罐1、石刀1、陶纺轮1、铜环1、白石管若干	多扰乱、腐朽，仰身屈肢葬	与49JS M7、49JS M9并排相连，棺内见猪下颌骨	石棺墓	Ⅱb	D	3	同上
	49JS M10	—	残存盖石1块，棺壁块石垒砌	—	无	有	残半	棺内存140×35—40	石刀1、陶纺轮2	不存		石棺墓	Ⅱb	D		同上

续表

地点	墓号	方位/（°）	墓葬结构	副棺或耳室	椁或泥框	铺底石	保存程度	尺寸/厘米	随葬器物	人骨葬式	备注	类别	型	群属	期别	出处
吉林市骚达沟28	49JSM13	南偏东80	盖石4块，尾有副棺	有	无	—	棺尾残	棺内存187×45—43	石斧1、石凿1	仅存半个下颌骨		石棺墓		D		同上
	49JSM14	南偏东80	棺壁青石垒砌，副棺被破坏，残存2块石	有	无	—	盖石不存副棺残	棺内165×37—41	石锛2、石凿1、横桥耳壶1、钵1	腐朽不见	陶器出自副棺中	石棺墓	Ⅱ	D	2	同上
	49JSM15	南偏东80	盖石4块，棺壁块石垒砌	有	无	—	完好	棺内196×（47～58）—（46～65）	陶钵1、石凿1、陶纺轮2	残存部分头骨和上肢骨，上体正向仰卧，下肢不清		石棺墓	Ⅱb	D	3	同上
	49JSM16	南偏东75	未见盖石，四壁石块垒砌，底为基岩	—	无	无	盖石不见	棺内194×（45～47）—（42～55）	陶钵1、陶壶1（破碎）	腐朽不见	陶壶为原记录所载，实物不存	石棺墓	Ⅱ	D		同上
	49JSM17	—	盖石为整块花岗岩，棺壁块石垒砌	有	无	—	北壁副棺受损	盖石168×98	石斧2、石镞5	腐朽不见	实物仅存石斧1件，余者为原记录所载	石棺墓	Ⅳ	D		同上

续表

地点	墓号	方位/（°）	墓葬结构	副棺或耳室	椁或泥框	铺底石	保存程度	尺寸/厘米	随葬器物	人骨葬式	备注	类别	型	群属	期别	出处
吉林市骚达沟28	49JSM18	南偏西80	盖石为整块花岗岩，侧壁大石条垒砌，两端石板立堵	有	无	有	完好	棺内178×（33～41）—（40～46）	横桥耳壶1、钵1、石斧1、石锛2、有孔石器1、骨凿1	头骨、右臂骨、下肢骨尚存，上身仰卧，下身屈肢	陶器出自副棺中	石棺墓	Ⅳ	D	2	同上
	49JSM19	南偏东30	盖石2块，花岗岩垒砌，土底，副棺在棺尾偏右	有	无	—	盖石缺一扰动	—	横桥耳壶1、杯1、石刀1、陶纺轮1、石坠1	未见	壶、杯、石珠等为原记录所载，实物不存	石棺墓	Ⅳ	D		同上
	53JSM1	南北向	墓壁块石垒砌，底石4块石板	有	无	有	盖石移位棺壁倒塌	石棺240×（40～50）—50	陶纺轮2、刀1	下肢骨，推测头北		石棺墓	Ⅱ	D		同上
	53JSM2	—	盖石3块，侧壁块石垒砌，两端板石立砌，底石5块	有	无	有	西壁南端及副棺毁	墓室157×（38～40）—（45～47）	斜颈壶1、钵1、三足器1（残）、陶纺轮1、石坠1、石刀1	残存头骨、下肢骨碎片，头北	棺南残存若干石块推测为副棺残迹	石棺墓	Ⅱ	D	2	同上

续表

地点	墓号	方位/（°）	墓葬结构	副棺或耳室	椁或泥框	铺底石	保存程度	尺寸/厘米	随葬器物	人骨葬式	备注	类别	型	群属	期别	出处
吉林市骚达沟28	53JSM3	南北向	残存盖石3块，侧壁块石垒砌，两端石板立堵，底石5块	有	无	有	冲毁副棺残	棺内长164、壁高40～50	横桥耳壶1、钵1、石凿1、石斧1、石锛1、石刀1、石镞1、白石管20	扰乱，仅存下肢骨	壶出自副棺内	石棺墓	Ⅱb	D	3	同上
	53JSM4	—	残存盖石2块，基岩上筑棺，棺壁倒塌	—	无	无	严重冲毁	—	白石串珠10	不存		石棺墓		D		同上
东辽县黎明3	M1	—	盖石不存，四壁块石垒砌	—	—	—	四壁坍塌	—	三錾耳直颈壶1、三錾耳鼓腹罐1	尸骨扰乱		石棺墓	Ⅱ			《东辽黎明石棺墓清理》，《博物馆研究》1989年2期
	M2	—	盖石不存，四壁块石垒砌	—	—	—	破坏严重	—	小壶2（明器，回收）、陶纺轮2、石坠饰1	—	铜斧1、数件玉石饰品已散失	石棺墓	Ⅱ			同上

续表

地点	墓号	方位/（°）	墓葬结构	副棺或耳室	椁或泥框	铺底石	保存程度	尺寸/厘米	随葬器物	人骨葬式	备注	类别	型	群属	期别	出处
东辽县黎明3	M3	北偏西20	四壁块石垒砌，整块石板封盖，墓底1完整石板	无	无	有	完好	墓口280×120—130	折沿罐3、横桥耳壶1、残壶颈1、器底1、陶纺轮1、石坠1、石管1	骨骸扰乱，头骨不止一个，二人以上二次葬	所有人骨都有火烧痕迹，骨骼上有木炭块	石棺墓	Ⅱa	D	2	同上
双阳万宝山1		东南向	盖石3，两侧壁石板立砌，西北端块石垒砌，东南端以巨大石板堵立，墓底生土	无	无	无	破坏	墓室（195～204）×（80～85）—70	斜颈壶2、双鋬耳钵2、四瘤耳罐1、石斧1、铜刀1	单人葬、胫骨推测头向山顶，葬式不明		石棺墓	Ⅰc	D	1	《吉林双阳万宝山石棺墓》，《黑龙江文物丛刊》1984年3期
双阳太平公社2	M1	322	上盖大石板，两壁块石垒砌，底铺石板	—	无	有	棺尾残破	石棺残165×（36～45）—48	石斧2、石刀2、四瘤耳罐1	腐朽无存		石棺墓	Ⅱa			《双阳考古调查记》，《博物馆研究》1982年创刊号

续表

地点	墓号	方位/（°）	墓葬结构	副棺或耳室	椁或泥框	铺底石	保存程度	尺寸/厘米	随葬器物	人骨葬式	备注	类别	型	群属	期别	出处
吉林公主岭猴石村1		—	整块石板封盖，墓壁不规则形块石垒砌，底铺石板	无	无	有	盖石已碎	墓室210×160—184	鸭形壶1、高领壶1、长颈壶1、鋬耳杯6、陶盅4、高足盘1、小盘1、（多为明器）陶纺轮3、铜刀6、铜斧1、铜镞1、铜凿1、铜镯1、铜泡1、石镞1、砺石2、石球1、玛瑙珠1、坠饰2	墓底见人牙齿随葬品分层埋葬，可能为多次葬	上部填土和墓壁边缘一周内见炭块，木炭可能为葬具	石棺墓	Ⅱd	F		《吉林公主岭猴石古墓》，《北方文物》1989年4期
九台市石砬山2	M1	320	原有石板盖顶，盖石缺失，块石垒砌平直墓壁，墓底铺石块于风化岩石上	无	无	有	盖石缺，墓壁残	（230～240）×110—120	矮领长腹罐1、陶盅1（均明器）、铜扣1、铜镞1、绿松石管1	填土中有许多炭化人骨，火葬		石棺墓	Ⅱd	F		《吉林九台市石砬山、关马山西团山文化墓地》，《考古》1991年4期

续表

地点	墓号	方位/（°）	墓葬结构	副棺或耳室	椁或泥框	铺底石	保存程度	尺寸/厘米	随葬器物	人骨葬式	备注	类别	型	群属	期别	出处
九台市石砬山2	M2	330	块石垒砌平直墓壁，墓底为原有风化岩石	无	无	无	扰乱破坏	（210～220）×（80～90）—100	石斧1、砺石1、穿孔石器1、石管1、石饰2、铜扣1、铜卡1	碎烧骨，火葬	西、北壁上保存横向规整的燃过木材	石棺墓	Ⅱd			同上
九台市关马山1	M1	260	墓壁用不规则石块垒砌，土底，2块大石板盖顶	无	无	—	部分扰乱	墓口350×200、墓底230×150、深370	单把长颈壶1、高领壶4、双錾耳筒腹罐1、小罐4、碗2、（多为明器）砺石3、铜刀1、铜牌饰1、玉珠1、骨器1	多次葬，底层火葬，骨架5层，共近60个体，头骨放于南，肢骨北，	厚约10厘米的烧土层中见烧骨	石棺墓	Ⅱd			同上
桦甸西荒山屯8	M1	—	岩圹竖穴，墓壁斜直，墓底凿成平面，墓室一端有墓道，窄于墓室，顶部花岗岩石板封盖，盖上土石混封	无	无	无	破坏	墓室范围值：通长186～320、宽90～180、深125～340	铜剑2、剑柄1、刀2、镞1、陶杯1、石纺轮1；另墓道出陶杯（破碎）	人骨成堆放置，多人多次火葬	墓底和墓壁四周发现残存的桦树皮	大石盖墓	Ⅲ	F		《吉林桦甸西荒山屯青铜短剑墓》，《东北考古与历史》1982年1期

续表

地点	墓号	方位/（°）	墓葬结构	副棺或耳室	椁或泥框	铺底石	保存程度	尺寸/厘米	随葬器物	人骨葬式	备注	类别	型	群属	期别	出处
桦甸西荒山屯8	M2	—	岩圹竖穴，墓壁斜直，墓底凿成平面，墓室一端有墓道，窄于墓室，顶部3花岗岩石板封盖，盖上土石混封	无	无	无	破坏	同上	铜镜1、剑柄1；另墓道出陶杯（破碎），余者不详	多人多次火葬，人骨成堆放置，头骨5具	墓底和墓壁四周发现残存的桦树皮，桦树皮上有木条，墓道两侧立石块	大石盖墓	Ⅲ	F		同上
	M3	65	岩圹竖穴，墓壁斜直，墓底凿成平面，墓室一端有墓道，窄于墓室，顶部1花岗岩石板封盖，盖上土石混封	无	无	无	破坏	同上	陶杯、罐、铜剑柄、钏、环铁镰、穿孔石球等计241件，另墓道出陶杯（破碎）	人骨成堆放置，多人多次火葬	墓底和墓壁四周发现残存的桦树皮，桦树皮上有木条，墓道两侧立石板	大石盖墓	Ⅲ	F		同上

续表

地点	墓号	方位/（°）	墓葬结构	副棺或耳室	椁或泥框	铺底石	保存程度	尺寸/厘米	随葬器物	人骨葬式	备注	类别	型	群属	期别	出处
桦甸西荒山屯8	M4	—	岩圹竖穴，墓壁斜直，墓底凿成平面，顶部花岗岩石板封盖，墓室一端有墓道，窄于墓室	无	无	无	破坏	同上	陶杯1、钵1、石刀1、砺石2、铜剑把头1；另墓道出陶杯（破碎），余者不详	人骨成堆放置，多人多次火葬	墓底和墓壁四周发现残存的桦树皮	大石盖墓	Ⅲ	F		同上
	M5	—	同上	无	无	无	破坏	同上	石斧、穿孔石球等计5件，余者不详	人骨成堆放置，多人多次火葬	墓底和墓壁四周发现残存的桦树皮	大石盖墓	Ⅲ	F		同上
	M6	—	同上	无	无	无	破坏	同上	铜剑3、铁刀1、铁锛1，另墓道出陶杯（破碎）余者不详	人骨成堆放置，多人多次火葬	墓底和墓壁四周发现残存的桦树皮	大石盖墓	Ⅲ	F		同上
	M7	—	同上	无	无	无	破坏	同上	仅1件，不详	人骨成堆放置，多人多次火葬	墓底和墓壁四周发现残存的桦树皮，桦树皮上有木条	大石盖墓	Ⅲ	F		同上

续表

地点	墓号	方位/（°）	墓葬结构	副棺或耳室	椁或泥框	铺底石	保存程度	尺寸/厘米	随葬器物	人骨葬式	备注	类别	型	群属	期别	出处
桦甸西荒山屯8	M8	—	—	—	—	—	破坏	同上	—	未葬人骨	墓旁有2葬坑	—	Ⅲ	F		同上
	H1	—	坑口呈不规则四边形，坑底为原生土层	无	无	无	扰乱	260×190—110	石镰1	坑底头骨碎片若干	坑内为经火烧的松软灰褐土	—		F		同上
	H2	—	坑口呈刀型，坑壁斜，坑底呈锅底状	无	无	无	扰乱	370×270—80	双瘤耳罐1	未见人骨	坑内堆积松软灰褐土石夹有草炭和桦树皮屑，有火烧痕迹	—		F		同上
辽源龙首山南大庙1		近南北向	长方形石棺，四壁以条石块石混合垒成，墓底铺5板石，上盖3块板石	有	无	有	完好	墓内190×（80～48）	双横耳鼓肩罐1、束颈壶1、陶纺轮1	人骨腐烂，仰身屈肢葬		石棺墓	Ⅳ			《辽源龙首山再次考古调查与清理》，《博物馆研究》2000年2期

续表

地点	墓号	方位/（°）	墓葬结构	副棺或耳室	椁或泥框	铺底石	保存程度	尺寸/厘米	随葬器物	人骨葬式	备注	类别	型	群属	期别	出处
辽源市高古村	M1	东西向	长方形石棺，墓壁和墓底以扁平块石垒砌，仅东壁立砌大块板石，缺材处以块石填补，墓顶盖大石板	无	无	有	盖石有缺失	220×105—180	铜刀1、铜环4、耳环2、砺石1、枕石1，余者不清	7人二次合葬		石棺墓	Ⅱd	F		《吉林省辽源市高古村石棺墓发掘简报》，《考古》1993年6期
	M2	东北—西南向	长方形，四壁大块板石立砌，缺材处块石补齐，墓底铺扁平块石，上盖大石板	无	无	有	盖石有缺失	195×130—190	陶壶1、耳环2、骨管1	4人一、二次合葬墓		石棺墓	Ⅱd	F		同上
	M3	东北—西南向	四壁大石板围立，缺材处块石补齐，顶部大石板封盖	无	无	不清	盖石有缺失	—	无	不清	未经使用	石棺墓	Ⅱd	F		同上

续表

地点	墓号	方位/（°）	墓葬结构	副棺或耳室	椁或泥框	铺底石	保存程度	尺寸/厘米	随葬器物	人骨葬式	备注	类别	型	群属	期别	出处
辽源市高古村	M4	东北—西南向	四壁块石垒砌	无	无	不清	完好	190×85—136	无	单人葬，可能为二次葬		石棺墓	Ⅱd	F		同上
	M5	东北—西南向	四壁块石垒砌，西壁辟有墓门、墓道	无	无	有	盖石有缺失	墓室190×100—195，墓道120×100—80	无	5人火葬墓				F		同上
	M6	东北—西南向	四壁块石垒砌	无	无	不清	盖石有缺失	—	无	单人火葬		石棺墓	Ⅱd	F		同上
	M7	东北—西南向	四壁块石垒砌	无	无	无	完好	—	石球1，余者不清	单人二次葬		石棺墓	Ⅱd	F		同上
东丰县狼洞山4	M1	南北向	整块石板封盖，四壁中下部以大块石条摆砌，顶部、边角加小石块，墓底铺薄石板	无	无	有	完好	230×160—（130～150）	陶纺轮1	—	棺内土层中见木炭和烧土	石棺墓	Ⅳ			《吉林省东丰县狼洞山石棺墓调查与清理》，《北方文物》1999年1期

续表

地点	墓号	方位/（°）	墓葬结构	副棺或耳室	椁或泥框	铺底石	保存程度	尺寸/厘米	随葬器物	人骨葬式	备注	类别	型	群属	期别	出处
东丰县狼洞山4	M2	南北向	整块石板封盖，墓圹由大石板立砌，边角和顶部以小石块垒砌，墓底铺薄石板	无	无	有	破坏，盖石缺	220×（118～105）	双横耳鼓肩罐1（外围散土中）	烧骨块（外围散土）	推测为火葬墓	石棺墓	Ⅰa			同上
	M3	东北西南	盖石存1块，四壁板石立砌，墓底铺4块薄石板	无	无	有	倾斜，盖石缺	墓内220×（57～64）—60	石斧2	—		石棺墓	Ⅰa			同上
	M4	东南西北	盖石残存2块，四壁不规则块石垒砌，墓底铺薄石板	无	无	有	同上	253×（150～110）	玉石耳坠1、白石管2（墓外）	烧骨（外围散土）	墓外散土中有炭块、烧土、烧骨	石棺墓	Ⅱb			同上
东丰大阳宝山赵秋沟3	M1	312	长方形土坑竖穴，边缘和底部为原生沙土，墓口边缘垒砌3层石块，墓内填土两层，1大石封盖	无	无	无	完好	240×180—110～60	未见	3个个体，各部骨骼分区堆放，骨骼被火烧	墓内见未燃尽松树皮残块及炭灰	大石盖墓	Ⅳa	F		《1987年吉林东丰南部盖石墓调查与清理》，《辽海文物学刊》1991年2期

续表

地点	墓号	方位/（°）	墓葬结构	副棺或耳室	椁或泥框	铺底石	保存程度	尺寸/厘米	随葬器物	人骨葬式	备注	类别	型	群属	期别	出处
东丰大阳宝山赵秋沟3	M2	50	长方形土坑竖穴，南缘立两块大石，左右各1，墓底和墓壁均为生土，墓内填土两层，1大石封盖	无	木框	无	破坏	260×200—119～90	四瘤耳罐2、石盅1、石枕状器1、穿孔石环1、铜环2、石管3、骨管1	骨架2具，各部骨骼分区堆放，骨骼被火烧	墓内底部边缘有一条烧炭痕迹，可能有木框	大石盖墓	Ⅳb	F		同上
	M3	51	长方形土坑竖穴，边缘和底部为原生土，墓内填土两层	无	无	无	盖石不存	240×280—60～100	罐2、盅1、陶纺轮1	2具头骨，火葬	填土中见瘤耳陶片1、豆座1	大石盖墓	Ⅳa	F		同上
东丰大阳宝山东山1	M1	68	长方形竖穴，直接在山石中挖造，边缘及底部均为山石，墓顶覆1大石	无	无	无	完好	210×70—50	长颈壶1、罐形豆1、石斧1、石管13、铜扣饰10、玉坠1	1具骨架，火烧		大石盖墓	Ⅳa	F		同上

续表

地点	墓号	方位/(°)	墓葬结构	副棺或耳室	椁或泥框	铺底石	保存程度	尺寸/厘米	随葬器物	人骨葬式	备注	类别	型	群属	期别	出处
东丰大阳林场1	M1	103	长方形竖穴，直接在山石中挖造，边缘及底部均为山石，墓内堆积石块	无	无	无	盖石不存	260×90—90	陶纺轮1	7具人骨，各部骨骼分区堆放，骨骼被火烧		大石盖墓	Ⅳa	F		同上
东丰大阳遗址1	M1	89	长方形竖穴，墓壁上部为砾石，下部及墓底为坚硬黄沙，墓内填碎石	无	木框	无	盖石不存	265×200—135	未见	多人火葬，人骨上平铺数块规整石板	墓底边缘有一周长方形木框，经火烧	大石盖墓	Ⅳc	F		同上
东丰大阳宝山龙头山1	M1	180	长方形竖穴，墓底有不规则石块围成石棺椁，棺已倒塌，椁存局部，墓顶2块板石封盖	无	木框	无	完好	290×150—125	罐2、盅1、石枕状器1、研磨器1	骨架2具各部骨骼分区堆放，骨骼被火烧	棺内壁有圆木条残段，有火烧痕迹	大石盖墓	Ⅳd	F		同上

续表

地点	墓号	方位/（°）	墓葬结构	副棺或耳室	椁或泥框	铺底石	保存程度	尺寸/厘米	随葬器物	人骨葬式	备注	类别	型	群属	期别	出处
东丰大阳三里北山3	M3	108	长方形竖穴，直接在山石中挖造，边缘及底部均为山石，四壁板石围砌	无	木框	无	盖石缺	220×140—201	碗1	人骨各部骨骼分区堆放，拣骨火葬	棺内四壁边缘围长方形木框，有火烧痕迹	大石盖墓	Ⅳb	F		同上
东丰横道河子杜家沟1	M1	82	长方形土坑竖穴，墓内边框用石块垒砌，东西壁内侧有两条相连的泥条框，墓底为原生土，其上铺一层砾石，2盖石封顶	无	泥框	砾石	盖石缺1	280×160—145	未见	成堆肋骨和肢骨，经火烧，拣骨火葬	泥框上印松树皮纹理，骨架下有未燃尽松枝	大石盖墓	Ⅳd	F		同上
东丰横道河子驼腰村1	M1	86	长方形土坑竖穴，墓壁四周竖以大石板，仅存东、西两壁石板各1，南、北壁石已脱离原位	无	无	破坏	盖石缺	245×170—56	研磨石1、绿松石管1	人骨经扰动，存少量肋骨，有火烧痕迹		大石盖墓	Ⅳb	F		同上

续表

地点	墓号	方位/（°）	墓葬结构	副棺或耳室	椁或泥框	铺底石	保存程度	尺寸/厘米	随葬器物	人骨葬式	备注	类别	型	群属	期别	出处
延吉金谷14	M1	东西向	长方形竖穴土坑，在墓边放置若干小石块	无	无	无	破坏严重	墓室约200×60—？	环状石器1、石刀1、石锛1、石镞9、铜饰件1、骨矛1、野猪牙饰1、蚌壳1	不明		土坑墓	Ⅱa	E		《延吉德新金谷古墓葬清理简报》，《东北考古与历史》1982年1期
	M2	80	竖穴土坑，部分使用石材，在墓两端立多层石板，墓底铺一层石板	无	无	有	破坏	墓室270×70—（30～50）	豆2、石斧1、石锛2、石矛1、铜扣1、石管4、骨管1	仰身直肢，3副骨架		土坑墓	Ⅱb	E	1	同上
	M3	80	竖穴土坑，部分使用石材，三侧无壁石，墓底一层石板	无	无	有	破坏严重	墓室260×60—（40～60）	石锛1、石镞78、雕刻骨筒1	8副骨架		土坑墓	Ⅱb	E		同上
	M4	80	竖穴土坑，部分使用石材，在墓两端立多层石板	有	无	—	破坏	墓室？×50—80	黑曜石片1、陶片2、野猪牙饰1	不明		土坑墓	Ⅱb	E		同上

续表

地点	墓号	方位/(°)	墓葬结构	副棺或耳室	椁或泥框	铺底石	保存程度	尺寸/厘米	随葬器物	人骨葬式	备注	类别	型	群属	期别	出处
延吉金谷14	M5	80	长方形竖穴土坑，在墓边放置若干小石块	无	无	无	破坏	墓室295×65—50	直腹罐1、石斧2、石锛2、石刀1、石矛1、石镞43、雕刻骨筒1、骨矛1、骨管1、贝珠1、野猪牙饰4	仰身直肢，5副骨架		土坑墓	Ⅱa	E	1	同上
	M6	80	多层板石立砌墓壁，墓底铺石板，2块大石板封顶	有	朽木	有	破坏	墓室220×（60~70）—（65~70）	石刀1、石矛1、石戈1、石锛1、石镞38、骨矛1、骨锥1、骨管1、蚌壳1、兽牙2	仰身直肢，一次葬、二次迁葬，8副骨架	有朽木，西侧副棺内有小孩骨	石棺墓	Ⅰd	E		同上
	M7	80	长方形竖穴土坑	无	无	无	破坏	墓室190×60—20	碗1、石斧3、石锛3、石刀1、石镞52、骨管4、骨锥1、野猪牙饰3、石管2、贝环1	仰身直肢，一次葬、二次迁葬、5副骨架		土坑墓	Ⅰb	E	1	同上

续表

地点	墓号	方位/（°）	墓葬结构	副棺或耳室	椁或泥框	铺底石	保存程度	尺寸/厘米	随葬器物	人骨葬式	备注	类别	型	群属	期别	出处
延吉金谷14	M8	80	长方形竖穴土坑	无	朽木	无	破坏严重	墓室205×65—60	石斧1、石锛1、石镞7、石管4、骨管3、野猪牙饰3	仰身直肢，3副骨架	人骨上、北壁有朽木痕	土坑墓	Ⅰb	E		同上
	M9	75	—	—	—	—	破坏严重	墓室？×60—？	石矛1、骨管9、翡翠坠1	仰身直肢，约3副骨架		—		E		同上
	M10	80	长方形竖穴土坑，在墓边放置若干小石块	无	朽木	无	破坏	墓室210×75—70	碗残片1、石斧1、石锛2、石矛1、石戈1、石镞30、野猪牙饰2、贝环2、石管4	仰身直肢，4副骨架	骨架上部及墓壁有朽木痕	土坑墓	Ⅱa	E	1	同上
	M11	50	多层板石立砌墓壁，仅东壁块石垒砌，墓底铺石板，30多块不规整板石覆盖两层	无	朽木	有	完好	墓室165×46—30	无	仰身直肢，二次迁葬，1副骨架	打破M14，棺内西侧有朽木痕	石棺墓	Ⅰd	E	1	同上

续表

地点	墓号	方位/（°）	墓葬结构	副棺或耳室	椁或泥框	铺底石	保存程度	尺寸/厘米	随葬器物	人骨葬式	备注	类别	型	群属	期别	出处
延吉金谷14	M12	70	长方形竖穴土坑，在墓边放置五六块小石块，墓地为原生黏土	无	无	无	破坏	墓室200×68—42	石斧3、石锛2、石刀1、石戈1、矛形石器1、石镞22、黑曜石器1、环状石器2、石管18、骨管2、雕刻骨筒1、翡翠坠2、野猪牙饰4	仰身直肢，7副骨架		土坑墓	Ⅱa	E		同上
	M13	75	竖穴土坑，部分使用石材，在墓两端立多层石板，墓底为生土	无	朽木	无	破坏	墓室195×55—50	直腹罐1、石锛2、石戈2、石镞53、石管1、骨管2	仰身直肢，11副骨架	棺内有朽木痕迹	土坑墓	Ⅱb	E		同上
	M14	55	长方形竖穴土坑，在墓边放置若干小石块	无	朽木	无	破坏	墓室190×63—（22～30）	石矛1、石镞8、小骨管58	仰身直肢，5副骨架	有朽木痕迹	土坑墓	Ⅱa	E		同上

续表

地点	墓号	方位/（°）	墓葬结构	副棺或耳室	椁或泥框	铺底石	保存程度	尺寸/厘米	随葬器物	人骨葬式	备注	类别	型	群属	期别	出处
珲春新兴洞31	M1	东西向	—	—	—	—	破坏	—	图示石斧1、石锛1、石网坠1、骨锥1，余者不详	单人葬		不明		E		《吉林珲春新兴洞墓地发掘报告》，《北方文物》1992年2期
	M2	东西向	—	—	—	—	破坏	—	图示骨矛1，余者不详	—		不明		E		同上
	M4	东西向	—	—	—	—	破坏	—	图示石镞1，余者不详	单人葬		不明		E		同上
	M5	西北东南	长方形基岩竖穴，天然石块封盖	无	无	—	完好	230×75—34	石镞22、环状石器1	单人一次葬，仰身直肢，头向东南，男性		封石墓	I	E		同上
	M9	西北东南	—	—	—	—	破坏	—	图示石镞1、骨镞1，余者不详	单人葬	被M19打破	不明		E		同上

续表

地点	墓号	方位/（°）	墓葬结构	副棺或耳室	椁或泥框	铺底石	保存程度	尺寸/厘米	随葬器物	人骨葬式	备注	类别	型	群属	期别	出处
珲春新兴洞31	M10	近南北向	—	—	—	—	破坏	—	图示残豆1，余者不详	合葬墓	被M24打破	不明		E	2	同上
	M11	西北东南	长方形基岩竖穴，南壁和西壁砌一层大石块，天然石块封盖	无	无	—	完好	215×80—40	石镞35、石矛4、黑曜石刮削器1、石管1、骨管1	6人，5男性、1儿童，均一次葬，仰身直肢，头向两两东西相悖，分3层埋葬	随葬品置于人身各部及附近	封石墓	Ⅲa	E		同上
	M12	南北向	长方形石圹，墓室用大石块垒砌，天然石块封盖	无	无	—	略残	160×45—50	未见	单人二次葬，头向北，女性		封石墓	Ⅱa	E		同上
	M14	近东西向	—	—	—	—	破坏	—	图示碗1，余者不详	单人葬		不明		E	2	同上

续表

地点	墓号	方位/（°）	墓葬结构	副棺或耳室	椁或泥框	铺底石	保存程度	尺寸/厘米	随葬器物	人骨葬式	备注	类别	型	群属	期别	出处
珲春新兴洞31	M15	西北东南	长方形基岩竖穴，南壁上砌一层大石，天然石块封盖，墓底铺少量石块	无	无	有	完好	218×85—30	陶纺轮1、石矛1、石管饰4、陶器1（器形不辨）	一次葬，头向西，经严重焚烧		封石墓	Ⅲa	E		同上
	M16	西北东南	长方形基岩竖穴，天然石块封盖，墓底铺一层石块	无	无	有	完好	320×96—60	直腹罐1、碗3、盆1、石镞6、石矛1、环状石器2、石管2、骨纺轮1	3男性，均一次葬，分2层，下层2仰身直肢，头向东，头骨经严重焚烧；上层1俯身直肢，头向西	环状石器出自封石中	封石墓	Ⅰ	E	2	同上

续表

地点	墓号	方位/（°）	墓葬结构	副棺或耳室	椁或泥框	铺底石	保存程度	尺寸/厘米	随葬器物	人骨葬式	备注	类别	型	群属	期别	出处
珲春新兴洞31	M21	西北东南	—	—	—	—	破坏	—	图示石刀1，余者不明	—		不明		E		同上
	M26	东西向	—	—	—	—	破坏	—	图示石铲1，铜扣1，余者不明	合葬墓	被M7打破	不明		E		同上
	M27	东西向	—	—	—	—	破坏	—	图示石刀1、石矛1，余者不明	合葬墓		不明		E		同上
	M28	西北东南	—	—	—	—	破坏	—	图示直筒罐1、盆1，余者不明	单人葬	位于墓地最北端	不明		E	2	同上
	M29	西北东南	长方形基岩竖穴，两端垒砌石块，天然石块封盖	无	无	—	完好	260×92—45	石镞6、石矛1、石刀2、环状石器1、石管4、骨管23	5人，分2层，上层2人二次葬，经焚烧；下层3人一次葬，仰身直肢，头向东南，可辨2男性，另1头骨经火烧	随葬品置于人身各部及附近，两层人骨间填一层石块	封石墓	Ⅲb	E		同上

续表

地点	墓号	方位/（°）	墓葬结构	副棺或耳室	椁或泥框	铺底石	保存程度	尺寸/厘米	随葬器物	人骨葬式	备注	类别	型	群属	期别	出处
图们石砚12	T1M1	东西向	以块石筑二三层的墓圹，以五六块石在墓圹南北中线做间隔，形成一圹两室，此墓居1室，石块封盖	无	无	—	完好	160×（60～70）—25	绿松石管21	5人，1为一次葬，余为二次迁葬，可辨2男、1女	与TIM2并列，同圹	封石墓	Ⅱa	E		《吉林省图们石砚原始社会墓地的调查与清理》，《博物馆研究》1995年12期
	T1M2	东西向	以块石筑二三层的墓圹，以五六块石在墓圹南北中线做间隔，形成一圹两室，此墓居另1室，石块封盖	无	无	—	完好	160×（60～70）—25	石斧1、石刀1、石锛1	腐蚀难辨	与TIM1并列，同圹	封石墓	Ⅱa	E		同上

续表

地点	墓号	方位/（°）	墓葬结构	副棺或耳室	椁或泥框	铺底石	保存程度	尺寸/厘米	随葬器物	人骨葬式	备注	类别	型	群属	期别	出处
图们石砚12	T2M1	东北西南	圆角长方形浅穴土坑，块石和河卵石封盖，与临墓间距紧密，南端残缺，石块封盖	无	无	—	南端残	—	绿松石管21	多人二次葬	T2M1叠压T2M4	封石墓	Ⅰ	E		同上
	T2M2	东北西南	圆角长方形浅穴土坑，块石和河卵石封盖，与临墓间距紧密，南端残缺，石块封盖	无	无	—	南端残	254×120—10	石刀1、石斧1、石锛1	5人，2人一次葬，仰身直肢，余3具二次迁葬，肢骨零乱	打破T2M3	封石墓	Ⅰ	E		同上
	T2M3	东北西南	圆角长方形浅穴土坑，块石和河卵石封盖，与临墓间距紧密，东壁五块石头构一层，南端残缺，石块封盖	无	无	—	南端残	175×95—10	石镞2、绿松石管6	一次合葬，2人，人骨已朽，仰身直肢，可辨1男性	打破T2M5	封石墓	Ⅲa	E		同上

续表

地点	墓号	方位/（°）	墓葬结构	副棺或耳室	椁或泥框	铺底石	保存程度	尺寸/厘米	随葬器物	人骨葬式	备注	类别	型	群属	期别	出处
图们石砚12	T2M4	东北西南	圆角长方形浅穴土坑，块石和河卵石封盖，与临墓间距紧密，南端残缺，石块封盖	无	无	—	南端残	155×125—?	石斧1、石镰1、石锛1、石凿1、绿松石管9	5人，1人仰身直肢，余4人二次葬	打破T2M5	封石墓	I	E		同上
	T2M5	东北西南	深地穴圆角长方形土坑，上部被石块覆盖，墓中不存石块，被两墓打破，推测为土封	无	无	—	残	170×75—5.8	石镞4、石矛1、绿松石管1	单人葬，仰身直肢，男性	被T2M3、M4打破			E		同上
	T2M6	南北向	圆角长方形浅穴土坑，块石和河卵石封盖，与临墓间距紧密，南端残缺，石块封盖	无	无	—	南端残	116×60—?	陶片若干、石镰1、石镞2、绿松石管2	单人葬，人骨已朽，仰身直肢，男性	打破T2M10	封石墓	I	E		同上

续表

地点	墓号	方位/（°）	墓葬结构	副棺或耳室	椁或泥框	铺底石	保存程度	尺寸/厘米	随葬器物	人骨葬式	备注	类别	型	群属	期别	出处
图们石砚12	T2M7	东北西南	圆角长方形浅穴土坑，块石和河卵石封盖，与临墓间距紧密，南端残缺，石块封盖	无	无	—	南端残	130×60—?	绿松石管2	单人葬，仰身直肢	打破T2M10	封石墓	Ⅰ	E		同上
	T2M8	东北西南	圆角长方形浅穴土坑，块石和河卵石封盖，与临墓间距紧密，南端残缺，石块封盖	无	无	—	南端残	136×92—?	—	3人，2为仰身直肢，余1人二次葬		封石墓	Ⅰ	E		同上
	T2M9	东北西南	圆角长方形浅穴土坑，块石和河卵石封盖，与临墓间距紧密，南端残缺，石块封盖	无	无	—	南端残	60×90—?	—	单人葬		封石墓	Ⅰ	E		同上

续表

地点	墓号	方位/（°）	墓葬结构	副棺或耳室	椁或泥框	铺底石	保存程度	尺寸/厘米	随葬器物	人骨葬式	备注	类别	型	群属	期别	出处
图们石砚12	T2M10	东北西南	深地穴圆角长方形土坑，上部被石块覆盖，墓中不存石块，被两墓打破，推测为土封	无	无	—	残	115×60—62	石镞2、绿松石管4	一次合葬，2人，仰身直肢，可辨1男性	被T2M6、M7打破	—		E		同上
延吉新龙11	90M1	—	—	—	—	—	破坏	—	图示陶杯、陶纺轮、刮削器、石镞、石矛、石斧、石锛、圆石、片状骨器，至少25件	—		—		E		《吉林延边新龙青铜时代墓葬及对该遗存的认识》，《北方文物》1994年3期
	90M2	—	—	—	—	—	破坏	—	图示陶碗、石矛、骨镞，至少3件	—		—		E		同上

续表

地点	墓号	方位/（°）	墓葬结构	副棺或耳室	椁或泥框	铺底石	保存程度	尺寸/厘米	随葬器物	人骨葬式	备注	类别	型	群属	期别	出处
延吉新龙11	90M3	—	—	—	—	—	破坏	—	图示镶嵌石刃器、石凿、研磨器、刻划骨片，至少7件	—		—		E		同上
	91M1	317	长方形，东壁铲挖山坡土圹，余三壁以石头垒圹，墓底以碎石铺平，墓底中部偏北端铺1平整大石块，石块填封	无	无	有	完好	墓圹210×94—26	图示陶碗、陶纺轮、陶口沿残片、器底、刮削器、石镞、石凿、石锛、研磨器、玉饰、骨剑柄、骨剑尖、骨锥、骨雕刻器，至少101件	二次迁葬，分3层叠葬，人骨零乱		封石墓	Ⅱb	E		同上

续表

地点	墓号	方位/（°）	墓葬结构	副棺或耳室	椁或泥框	铺底石	保存程度	尺寸/厘米	随葬器物	人骨葬式	备注	类别	型	群属	期别	出处
延吉新龙11	91M2	—	同上	无	无	有	完好	墓圹范围值：长210～62；宽94～55；深56～30	图示陶口沿残片、刮削器、石镞、石凿、石斧、石锛、石锥、石杵、贝饰，至少23件	同上		封石墓	Ⅱb	E		同上
	91M3	—	同上	无	无	有	完好	同上	图示陶口沿残片、器底、陶盅、石凿、石矛、石斧，至少8件	同上		封石墓	Ⅱb	E		同上
	91M4	—	同上	无	无	有	完好	同上	图示石镞，至少1件	同上		封石墓	Ⅱb	E		同上
	91M5	—	同上	无	无	有	完好	同上	图示陶口沿残片，至少1件	同上		封石墓	Ⅱb	E		同上

续表

地点	墓号	方位/(°)	墓葬结构	副棺或耳室	椁或泥框	铺底石	保存程度	尺寸/厘米	随葬器物	人骨葬式	备注	类别	型	群属	期别	出处
延吉新龙11	91M6	—	同上	无	无	有	完好	同上	图示陶器底、刮削器、石斧、石凿、石矛，至少18件	同上		封石墓	Ⅱb	E		同上
	91M7	—	同上	无	无	有	完好	同上	图示陶碗、研磨器，至少8件	同上		封石墓	Ⅱb	E		同上
	91M8	—	同上	无	无	有	完好	同上	—	同上		封石墓	Ⅱb	E		同上
汪清新华闾北山12	M1	东西向	较大石块垒砌墓壁，北端堵石为一阶梯状石块，墓底为积土	无	无	无	破坏	200×65—?	石镞33，余者不详	推测为直肢葬	头石为M2足石			E	2	《吉林汪清县百草沟遗址发掘简报》，《考古》1961年8期
	M2	东西向	较大石块垒砌墓壁	无	无	—	破坏	—	石斧2、石矛1（残）、贝片2，余者不详	—	足石为M1头石			E	2	同上

续表

地点	墓号	方位/（°）	墓葬结构	副棺或耳室	椁或泥框	铺底石	保存程度	尺寸/厘米	随葬器物	人骨葬式	备注	类别	型	群属	期别	出处
汪清新华闾北山12	M3	东西向	较大石块垒砌墓壁，墓底铺块石	无	无	有	破坏	210×70—?	石斧残片1、石矛柄残片1、环状石器1，余者不详	—	头石与M1足石衔接			E	2	同上
汪清金城40	79M1	—	长方形土坑，墓口略宽，河卵石和山石封盖	无	无	—	完好	墓坑范围值：长180～300、宽80～120、深40～120	图示钵1、直腹罐1	双人合葬，均向东		封石墓	Ⅰ	E	1	《吉林汪清金城古墓葬发掘简报》，《考古》1986年2期
	79M3	—	同上	无	无	—	完好	同上	图示直腹罐1	单人葬，仰身直肢		封石墓	Ⅰ	E	2	同上
	79M4	—	同上	无	无	—	完好	同上	图示石管、石坠	单人葬，仰身直肢		封石墓	Ⅰ	E		同上
	79M5	—	同上	无	无	—	完好	同上	图示石铲1	单人葬，仰身直肢		封石墓	Ⅰ	E		同上

续表

地点	墓号	方位/（°）	墓葬结构	副棺或耳室	椁或泥框	铺底石	保存程度	尺寸/厘米	随葬器物	人骨葬式	备注	类别	型	群属	期别	出处
汪清金城40	80M1	—	同上	无	无	—	完好	同上	图示直腹罐1、钵1、石矛1	单人葬，仰身直肢		封石墓	Ⅰ	E	2	同上
	80M2	—	同上	无	无	—	完好	同上	图示杯1	—		封石墓	Ⅰ	E	1	同上
	80M3	—	同上	无	无	—	完好	同上	图示杯1、石斧1、石矛1	4人合葬，墓底葬1、封石葬3		封石墓	Ⅰ	E	2	同上
	80M4	—	同上	无	无	—	完好	同上	图示盆1、碗1、直腹罐1、石矛1	未见人骨		封石墓	Ⅰ	E	2	同上
	80M7	—	同上	无	无	—	完好	同上	图示筒腹罐1	双人合葬，墓底葬1，封石葬1，头向均向西		封石墓	Ⅰ	E	1	同上
	80M8	—	同上	无	无	—	完好	同上	图示碗1、石珠1	仰身直肢	碗内装石矛1	封石墓	Ⅰ	E	1	同上

续表

地点	墓号	方位/(°)	墓葬结构	副棺或耳室	椁或泥框	铺底石	保存程度	尺寸/厘米	随葬器物	人骨葬式	备注	类别	型	群属	期别	出处
汪清金城40	80 M12	—	同上	无	无	—	完好	同上	图示石斧1、石矛1、石铲1、石镞1	双人合葬，墓底葬1，封石葬1，头向均向西	1具尸骨为桦树皮裹尸火葬	封石墓	I	E		同上
	80 M15	—	同上	无	无	—	完好	同上	图示碗1、石锛1	3人合葬，墓底葬1，封石葬2		封石墓	I	E	2	同上
	80 M16	—	同上	无	无	—	完好	同上	图示石矛1、石锛1、雕刻骨板1	仰身直肢，手臂交叉于腹上		封石墓	I	E		同上
	80 M17	—	同上	无	无	—	完好	同上	图示石锄1	未见人骨		封石墓	I	E		同上
	80 M18	—	同上	无	无	—	完好	同上	图示环状石器1	双人合葬，墓底葬1，封石葬1	1具尸骨为桦树皮裹尸火葬，烧骨位于封石之中	封石墓	I	E		同上

续表

地点	墓号	方位/（°）	墓葬结构	副棺或耳室	椁或泥框	铺底石	保存程度	尺寸/厘米	随葬器物	人骨葬式	备注	类别	型	群属	期别	出处
汪清金城40	80M20	—	同上	无	无	—	完好	同上	图示钻孔骨板1、铜泡1	—		封石墓	I	E		同上
	80M22	—	同上	无	无	—	完好	同上	图示盆1、石刀1	—	石刀位于陶盆中	封石墓	I	E	1	同上
	80M23	—	同上	无	无	—	完好		图示石矛1	双人合葬，墓底葬1，封石葬1，头向一北一南		封石墓	I	E		同上
	80M24	—	同上	无	无	—	完好		图示石矛1	—		封石墓	I	E		同上
	80M27	—	同上	无	无	—	完好		图示石斧1	未见人骨		封石墓	I	E		同上
	80M28	—	同上	无	无	—	完好		图示杯1，另石刀、石矛、陶片等	未见人骨	墓北侧有二层台，高出墓底10厘米	封石墓	I	E	1	同上

续表

地点	墓号	方位/（°）	墓葬结构	副棺或耳室	椁或泥框	铺底石	保存程度	尺寸/厘米	随葬器物	人骨葬式	备注	类别	型	群属	期别	出处
汪清金城40	80M29	—	同上	无	无	—	完好		图示碗1、杯1	—		封石墓	Ⅰ	E	2	同上
	80M30	—	同上	无	无	—	完好		图示石刀1	单人葬，桦树皮裹尸火葬		封石墓	Ⅰ	E		同上
珲春河西北山21	M2	—	—	—	—	—	—	—	图示筒腹罐1、敛口罐1、石斧3、石矛1、石镰1	—		—		E	2	《吉林珲春市河西北山墓地发掘》，《考古》1994年5期
	M4	—	—	—	—	—	—	—	图示碗2	—		—		E	2	同上
	M5	—	—	—	—	—	—	—	图示骨纺轮1	—		—		E	2	同上
	M6	—	—	—	—	—	—	—	图示铜泡1	—		—		E	2	同上
	M8	237	圆角长方形土坑竖穴	无	无	无	完好	（245～218）×（70～80）—（36～43）	罐1、骨纺轮1	单人仰身直肢葬		土坑墓	Ⅰa	E	2	同上

续表

地点	墓号	方位/（°）	墓葬结构	副棺或耳室	椁或泥框	铺底石	保存程度	尺寸/厘米	随葬器物	人骨葬式	备注	类别	型	群属	期别	出处
珲春河西北山21	M9	53	长方形竖穴，北壁用不规则石块垒砌	无	无	无	完好	（167～160）×（52～39）—（9～27）	石镞2	存少量烧过肢骨，一次火葬	墓底见烧过桦树皮	土坑墓	Ⅱc	E	2	同上
	M10	67	圆角长方形土坑竖穴，南、西壁上部垒砌石块	无	无	无	完好	（273～214）×（87～67）—（60～80）	石镞7、石管7、石矛1、雕刻骨板1、野猪牙2	单人仰身直肢葬		土坑墓	Ⅱc	E	2	同上
	M11	—	—	—	—	—	—	—	图示双耳筒腹罐1	—		—		E	2	同上
	M13	—	—	—	—	—	—	—	图示石刀1	—		—		E	2	同上
	M14	90	墓圹下部为风化岩，上部用不规则石块垒砌	无	无	无	—	（210～200）×（70～45）—（30～40）	石镞2、石矛1	单人仰身直肢葬		土坑墓	Ⅱc	E	2	同上
	M15	—	—	—	—	—	—	—	图示高圈足豆1	—		—		E	2	同上

续表

地点	墓号	方位/（°）	墓葬结构	副棺或耳室	椁或泥框	铺底石	保存程度	尺寸/厘米	随葬器物	人骨葬式	备注	类别	型	群属	期别	出处
珲春河西北山21	M17	—	—	—	—	—	—	—	图示直腹罐1、磨石1、研磨器1	—		—		E	2	同上
	M19	—	—	—	—	—	—	—	图示双耳筒腹罐1、高圈足豆座1、石镞2、环状石器1	—		—		E	2	同上
	M20	—	—	—	—	—	—	—	图示刻划纹陶片2、石矛1	—		—		E	2	同上
	M21	—	—	—	—	—	—	—	图示碗1	—		—		E	2	同上
珲春迎花南山	M1	45	土坑浅穴，墓口四面摆砌石块，墓底用小石块或鹅卵石铺平，块石填盖	无	无	有	完好	240×72—34	罐1、石矛3、石棒1、石镞2、石管1、骨管1	骨架完好，单人仰身直肢葬	墓周出石刀、石镞、石棒、铜饰件等	封石墓	Ⅱa	E		《珲春市迎花南山遗址、墓葬发掘》，《考古》1993年8期

续表

地点	墓号	方位/（°）	墓葬结构	副棺或耳室	椁或泥框	铺底石	保存程度	尺寸/厘米	随葬器物	人骨葬式	备注	类别	型	群属	期别	出处
珲春迎花南山	M2	135	土坑浅穴，墓口三侧摆放石块，墓底用小石块或鹅卵石铺平，块石填盖	无	无	有	破坏	240×72—?	石矛1、石镞1、石刀1、石管3	双人合葬，其1人一次葬，仰身直肢，另1人火烧二次葬	墓周见石镞、石刀等	封石墓	Ⅱa	E		同上
	M3	330	块石填盖	无	无	—	破坏严重	240×70—15	石镞3	火葬，仅见几块火烧碎骨		—		E		同上
安图县仲坪1	2004IIW1	北偏东6	浅地穴圆角长方形墓圹，中间置2个口部套合的长腹折沿大陶罐，夹砂土和碎石填盖	无	无	无	基本完好	墓圹132×78—34	折沿长腹大罐2、碗1	—	碗位于北侧瓮底	瓮棺墓	Ⅱ			《吉林安图县仲坪遗址发掘》，《北方文物》2007年4期
和龙兴城1	87BM1	西北东南	不规则形状土圹，置2个深腹筒形罐相套合	无	无	无	完好	墓圹110×65—15	深腹筒形大罐2	罐内无骨骼，仅见幼儿乳牙		瓮棺墓	Ⅱ	E	1	《和龙兴城——新石器及青铜时代遗址发掘报告》，文物出版社，2001年

注：表中所列墓葬包括石棺墓、大石盖墓、土坑墓、封石墓和瓮棺墓五种类别，均为报告中有文字介绍或器物图者，未发表图或未介绍墓葬情况者参考相关墓葬登记表，墓葬数量以实际清理数计。

后　　记

《长白山地及其延伸地带青铜时代墓葬研究》是笔者作为吉林大学考古学专业博士研究生学习的阶段性成果，自2009年博士论文答辩通过后，此项成果一直没有合适的机会形成专著正式出版。2018年，吉林大学考古学院成立；2019年6月，笔者作为考古学院教师在学院政策的鼓励和支持下，将博士论文修改完善，形成书稿交付科学出版社；科学出版社于2019年12月定稿并核定CIP数据与版权页，同时授权快样书发布并联系印刷厂印刷，恰逢新冠肺炎疫情突如其来，印刷厂的用工和产能受到严重影响，时至今日终正式出版。

本书几经曲折才得以广泛求教于学界，笔者始终不忍废弃的原因在于，其中的资料和观点均为笔者多年积累并刻苦钻研而成。真诚感谢博士研究生导师朱永刚先生的悉心指导，感谢硕士研究生导师赵宾福先生的谆谆教诲，感谢浙江大学艺术与考古学院蒋璐老师帮助完成本书图纸绘制，感谢疫情期间付出辛勤劳动的编辑老师，感谢所有对本书编写及出版有过帮助的师友。

著　者